ISBN 90 6074 801 8
© 1975 by Anne Tyler
Voor de Nederlandse vertaling:
© 1994 by Uitgeverij Anthos, Baarn
Dit is een uitgave van Uitgeverij Anthos/Diogenes
Eerdere drukken verschenen bij Uitgeverij Bert Bakker,
Amsterdam
Vertaling: Ria Leigh-Loohuizen
Oorspronkelijke titel: *Searching for Caleb*
Omslagontwerp: Robert Nix
Omslagillustratie: Laurie Rubin, The Image Bank
Foto auteur: Diana Walker

Verspreiding voor België:
Uitgeverij Westland nv, Schoten

Anne Tyler

Op zoek naar Caleb

Vertaald door Ria Leigh-Loohuizen

DIOGENES

EEN

De waarzegster en haar grootvader waren met een trein van de Am-Trak op weg naar New York City.

Zij hielden hun eendere, pipse gezichten recht naar het noorden gericht, terwijl ze meedeinden op het ritme van de trein. De grootvader had zijn gehoorapparaat thuis op de ladenkast laten liggen. Hij droeg een zwart pak, parelgrijze bretels en een heel ouderwets overhemd zonder boord, met een fijn streepje, dat er duur uitzag. Hij hield, wat er ook gebeurde, zijn diepliggende ogen strak gericht op de zitplaats recht voor hem, en met zijn duim streelde hij over het kranteknipsel dat hij in zijn hand hield. Het viel niet uit te maken of hij nu door de trein volslagen doof was geworden, dan wel diep in gedachten verzonken was. In elk geval gaf hij geen antwoord op de enkele opmerkingen die de waarzegster tegen hem maakte.

Buiten, achter de smerige ruiten, gleden fabrieken en opslagloodsen aan zijn donzige, witte hoofd voorbij. Af en toe verscheen een restant van wat eens een bos was geweest even in het gezichtsveld – kromgetrokken, kale bomen, door de bliksem gespleten stammen, met klimop begroeide stronken, struiken waarvan de stekelige takken in elkaar verstrengeld waren, en bierblikjes, whiskyflessen, verroeste carburateurs, naaimachines en crapauds. Dan nam een of ander gehucht het over. Mannen die verschillende jassen over elkaar aan hadden, zwoegden met kratten en vaten bij opslagplaatsen, waarbij hun adem in witte flarden uit hun mond opsteeg. Het was januari en zó koud dat het leek of de bakstenen gebouwen donkerder werden en besloegen.

De waarzegster, geen zigeunerin en zelfs niet van Spaanse afkomst, maar een langopgeschoten, spichtige blonde vrouw, met een muts en gekleed in een verschoten overgooier, pakte een nummer van de National Geographic uit een rieten tas die op de vloer stond en begon daar van achteren naar voren in te lezen. Ze sloeg snel om zonder de bladzijden nauwkeurig te bekijken en liet haar ene voet, die op de andere rustte, op en neer wippen. Toen ze halverwege het tijdschrift was, bukte ze zich om in haar tas te gaan rommelen. Ze voelde hoe de ogen van haar grootvader afdwaalden om te kijken wat ze daar had. Tarot-kaarten? Een kristallen bol? Of iets anders uit het instrumentarium waarmee ze haar geheimzinnige, schandelijke beroep uitoefende? Maar hij kreeg slechts een stukje van een bont sjaaltje te zien, en vervolgens een doosje Luden hoestbonbons, dat ze uit de tas haalde en hem presenteerde. Hij bedankte. Ze nam er zelf een en glimlachte plotseling naar hem, waardoor haar bleke, openhartige gezicht totaal veranderde. Haar grootvader zag het, maar vergat terug te lachen. Hij staarde weer naar de stoel vóór hem, met de afknoopbare antimakassar en met de hoed met voile van een oude dame daar boven.

Het kranteknipsel in zijn hand, dat hij met zijn gerimpelde duim had zitten strelen, ritselde eerst wat, werd toen slap en viel. Maar de waarzegster kende het allang uit haar hoofd.

Op 18 december 1972 overleed, onverwacht,
TABOR, Paul Jeffrey Sr.
wonende te New York City, daarvoor te Baltimore.
Hij was de geliefde echtgenoot van Deborah Palmer Tabor
en de vader van Paul J. Tabor Jr. te Chicago en Theresa
T. Hanes te Springline, Massachusetts.
Hij laat vijf kleinkinderen en zeven achterkleinkinderen achter.
De begrafenis zal plaatsvinden op donderdag . . .

'Ik heb last van een droge keel, Justine,' zei haar grootvader.
'Ik zal iets fris voor u halen.'
'Wat?'
'Iets *fris*.'

Beledigd deinsde hij achteruit. Wat hij dacht dat ze gezegd had was moeilijk uit te maken. Justine klopte hem eventjes op zijn hand en zei: 'Laat maar, grootvader. Ik ben zo terug.'

Ze liep weg en wurmde zich tussen boodschappentassen en weekendkoffers door langs het nauwe gangpad, terwijl zij haar muts, die op een schotel leek, stevig vasthield.

Drie wagons verder kocht ze twee bekertjes ginger ale en een zak Cornuco's. Ze liep voorzichtig terug, deed deuren met haar elleboog open en keek bezorgd naar de boordevolle bekertjes. Net toen ze in haar eigen compartiment terug was liet ze het zakje Cornuco's vallen en een man in een net pak moest het voor haar oprapen. 'Oh, dank u wel!' zei ze, en ze glimlachte, terwijl haar wangen plotseling roze werden. Op het eerste gezicht zou men haar voor een jong meisje hebben kunnen houden, maar bij nadere beschouwing ontdekte men dunne lijntjes die zich op haar huid begonnen af te tekenen en het vale blauw van haar ogen en de beaderde, perkamentachtige handen van een veertigjarige, met de bekraste trouwring die drie maten te groot leek aan een van haar knokige vingers. Ze had een wat gammele manier van lopen en een scherpe, opgewekte stem.

'*Ginger ale*, grootvader!' zong ze.

Hij hoorde haar misschien niet, maar de rest van de wagon des te beter.

Ze gaf hem een bekertje en hij nam een slokje.

'Ja, lekker,' zei hij.

Hij hield van kruidige dingen, ginger ale en haverstroballetjes en kamillethee. Maar toen ze de cellofaanzak openscheurde en hem een Cornuco aanbood – een dik oranje wurmpje dat kristallen op zijn vingers achterliet – keek hij daar, van onder zijn borstelige, witte wenkbrauwen, vol afgrijzen naar.

Vroeger was hij rechter geweest. Hij wekte nog steeds de indruk vonnis te willen wijzen over alles wat hij op zijn weg tegen kwam. 'Wat is *dit*,' zei hij, maar dat was meer een oordeel dan een vraag.

'Een Cornuco, grootvader, proef maar eens.'

'Wat zeg je?'

Ze hield het zakje op, zodat hij de letters aan de zijkant kon lezen. Eerst legde hij de Cornuco weer terug en vervolgens veegde hij zijn vingers af aan een zakdoek die hij uit zijn zak haalde. Toen nam hij weer een slokje van zijn ginger ale en bestudeerde het knipsel, dat hij plat op zijn dunne, puntige knieën had gelegd.

'Theresa,' zei hij, 'wat een akelige naam.'

Justine knikte al kauwend.

'Ik houd niet van *moeilijke* namen. Ik houd niet van dat buitenissige!'

'Misschien zijn ze wel katholiek,' zei Justine.

'Wat?'

'Misschien zijn ze katholiek.'

'Ik versta je niet goed.'

'*Katholiek!*'

Gezichten draaiden zich naar hen om.

'Doe niet zo belachelijk,' zei haar grootvader. 'Paul Tabor en ik gingen naar dezelfde kerk en hij zat in dezelfde groep als mijn broer op zondagschool. Ze hebben allebei gestudeerd aan de Salter Academie. En tóen is het begonnen met die . . . die onvoldaanheid. Die *nieuwerwetsigheid*. Hoe vaak ik dát al niet heb zien gebeuren. Een jongeman verhuist naar een verre stad in plaats van dicht bij huis te blijven, hij vindt een baan, krijgt andere vrienden en breidt zijn kennissenkring uit. Trouwt met een meisje uit een familie die niemand kent, gaat wonen in een huis van ongebruikelijke architectuur en geeft zijn kinderen buitenlandse namen die in vorige generaties van zijn familie nooit voorkwamen. Hij maakt reizen, koopt een zomerverblijf en een winterverblijf en een vakantiehuisje in zo'n van god verlaten staat als Florida, waar nog nooit iemand is geweest. Ondertussen sterven zijn ouders en zijn alle mensen die hem kenden verdwenen, zodat er niemand meer over is aan wie je kunt vragen: "Hoe gaat het toch met Paul tegenwoordig?" Dan gaat hij zelf dood, meestal in een grote stad waar niemand iets van merkt, behalve zijn vrouw en zijn kapper en zijn kleermaker, en die laatste twee misschien ook nog niet eens, en waarom allemaal? Waar komt het door? Wat Paul betreft weet ik het natuurlijk niet precies. Hij was de vriend van mijn broer, niet van mij. Toch zal ik er eens naar gissen: hij had geen *uithoudingsvermogen*. Het was geen doorzetter, hij bleef niet lang genoeg om het uit te vechten, of om zich er doorheen te slaan, of de zaak meester te worden, of hoe je die eigenschap ook noemen wilt. Hij had er het geduld niet voor. Hij wilde iets nieuws, iets anders, al kon hij zelf niet precies aangeven wát. Hij dacht dat het ergens anders beter was. Waar dan ook. En wat heeft het hem eigenlijk opgeleverd? Moet je opletten, als ik weer eens in

Baltimore ben en tegen de familie zeg: "Paul Tabor is dood." "Paul wie?" zullen ze dan zeggen. "Paul Tabor. Het stond in de *Baltimore Sun*. Lezen jullie die krant dan niet meer?" Nou, die lezen ze natuurlijk nog wel en een bekende naam zou hen direct zijn opgevallen, maar niet die van Paul Tabor. Vergeten, totaal vergeten. Luister je wel naar wat ik zeg, Justine. Luister je?'

Justine glimlachte naar hem. 'Ik luister,' zei ze. Ze was zelf uit Baltimore weggegaan. Zu woonde nu met haar man en dochter in Semple, Virginia; en vorig jaar in een andere stad en het jaar daarvoor in weer een andere. (Ze had een rusteloze man.) Volgende week gingen ze verhuizen naar Caro Mill, Maryland. Heette het trouwens wel Caro Mill? Of Caro Mills? Soms klonterden al die plaatsen in haar hoofd samen. In gedachten woonden vrienden van haar in steden waar die vrienden nooit geweest waren, wachtte ze wel eens op een klant die ze twee jaar geleden ergens had achtergelaten zonder haar nieuwe adres. Zocht ze in het telefoonboek naar een dokter of een tandarts of een loodgieter die in werkelijkheid driehonderd mijl van haar vandaan woonde en drie of vier of veertien jaar terug in de tijd. Dat kon haar grootvader niet raden, waarschijnlijk. En ook niet schelen. Hij had om te beginnen nauwelijks de moeite genomen om de namen van de steden te leren. Hoewel hij bij Justine inwoonde en al die verhuizingen had meegemaakt, noemde hij het 'bezoeken'; hij beschouwde zichzelf nog steeds als inwoner van Baltimore, zijn geboorteplaats. Alle andere steden bestonden maar heel kort en waren onbelangrijk; hij schuifelde er verstrooid doorheen, als een man die een rij krotwoningen voorbijloopt op weg naar zijn eigen stevige huis. Wanneer hij in Baltimore aankwam (om Thanksgiving of Kerstmis of Onafhankelijkheidsdag te vieren) dan slaakte hij een zucht en liet hij zijn smalle schouders, die hij anders zo stijf opgetrokken hield, zakken. Dan ontspanden zich de groeven rond zijn mond een beetje. Dan zette hij zijn oude leren koffer gedecideerd neer, alsof het al zijn aardse bezittingen bevatte en niet alleen maar schoon ondergoed en een smoezelige tandenborstel. 'Er gaat niets boven Baltimore,' zei hij dan.

Hij zei het nu.

Vanmorgen waren ze langs het station in Baltimore gekomen, waren er zelfs even gestopt om er andere meer fortuinlijke passagiers uit te laten stappen. Het idee om zo dichtbij geweest te zijn moest hem droefgeestig gestemd hebben. Nu keek hij naar zijn knipsel en schudde zijn hoofd; misschien had hij spijt van deze tocht, die hij zelf had willen maken. Maar toen Justine zei, 'Bent u moe, grootvader?' op die speciale ijle toonhoogte waarvan ze zeker wist dat het tot hem zou doordringen, keek hij haar met een lege blik aan. In gedachten scheen hij weer met Paul Tabor bezig te zijn.

'Er staat niets in over waar hij begraven ligt,' zei hij.

'O, nou, ik denk –'

'Als je in New York doodgaat, waar word je dan begraven?'

'Ik denk dat ze –'

'Ze zullen je ongetwijfeld ergens anders naartoe brengen,' zei hij. Hij keerde zijn gezicht naar het raam. Hij gaf een onbeleefde indruk als hij zijn gehoorapparaat niet bij zich had. Hij viel mensen in de rede en begon opzettelijk over iets anders te praten en sprak met een bepaalde luide, toonloze stem, hoewel hij gewoonlijk zo'n toonbeeld was van goede manieren dat anderen zich niet op hun gemak voelden.

'Ik heb nooit kennis gemaakt met Pauls vrouw,' zei hij, terwijl Justine nog bezig was met begraafplaatsen.

'Ik kan me niet eens herinneren dat ik het bericht van zijn huwelijk heb vernomen. Maar hij was natuurlijk ook jonger dan ik en hij had andere kennissen. Of misschien is hij pas op latere leeftijd getrouwd. Als ik zijn vrouw had gekend zou ik wel naar de begrafenis zijn gegaan en dan had ik na afloop mijn vragen voorgelegd. Maar zoals de zaken er nu voor staan leek het me beter om mezelf niet bij de familie op te dringen en dan onmiddellijk mijn vragen voor te leggen. Dat lijkt zo – dat lijkt zo egoïstisch. Denk jij dat het verstandig is geweest om te wachten?'

Dit had hij haar al eens eerder gevraagd. Hij wachtte niet eens op een antwoord.

'Ze zal nu wel wat gekalmeerd zijn,' zei hij. 'En niet zo gauw meer in tranen uitbarsten als zijn naam genoemd wordt.'

Hij vouwde het kranteknipsel plotseling op, alsof hij een besluit genomen had. Hij kraste er met zijn brede gele duimnagel overheen.

'Justine?,' zei hij.

'Mmm?'

'Zal het me lukken?'

Ze stopte met het rondklotsen van het ijs in haar bekertje en keek hem aan. 'Nou – daar ben ik zeker van. Zeker, grootvader. Misschien niet *deze* keer, misschien niet direct, maar –'

'Echt waar. Wat denk je?'

'Het lukt vast.'

Hij keek haar doordringend aan. Misschien had hij niet gehoord wat ze zei. Ze bracht haar stem op de juiste toonhoogte en zei, 'Ik weet zeker dat – .'

'Justine, wat weet je precies?'

'Wat?'

'Dat waarzeggen. Die onzin. Dat *geleuter*,' zei haar grootvader, en hij veegde heftig iets van zijn mouw. 'Ik vind de gedachte eraan alleen al verschrikkelijk.'

'Dat heeft u al eerder tegen me gezegd, grootvader.'

'Het is onfatsoenlijk. Je tantes blijven erin als het ter sprake komt. Weet je hoe je genoemd wordt? "De waarzegster". Net als "de was-man", "de groenteboer". "Hoe gaat het met die kleindochter van u, meneer de rechter, de waarzegster. Hoe gaat het met haar?" Bah, ik word er misselijk van.'

Justine pakte haar tijdschrift en sloeg een bladzijde op, zomaar een bladzijde.

'Maar Justine,' zei haar grootvader, 'wat ik je wil vragen is dit: kun je het echt weten?'

Haar ogen hechtten zich vast aan een regel tekst.

'Kun je werkelijk in de toekomst kijken?'

Ze deed het tijdschrift dicht. Hij keek haar kalm en doordringend aan; door zijn intensiteit leek alles om hem heen dof.

'Ik wil weten of het me lukt om mijn broer te vinden,' zei hij.

Maar hij wendde zich onmiddellijk daarna af en keek toe hoe de trein de duisternis onder Manhattan binnen reed. En Justine pakte haar rieten tas weer in en veegde de kaaskruimels van haar schoot en trok haar jas aan, met een kalme, opgewekte uitdrukking op haar gezicht. Geen van beiden leek te verwachten dat er nog iets gezegd zou worden.

Omdat ze zuinig wilden doen, namen ze de ondergrondse vanaf het Penn Station. Justine was dol op de ondergrondse. Ze vond het fijn om te blijven staan, haar voeten iets uit elkaar en door haar knieën verend, zich vasthoudend aan een warme, olieachtige metalen stang terwijl ze door het donker sjeesden. Maar haar grootvader vertrouwde het niet en toen ze van de ene lijn op de andere overstapten moest ze van hem gaan zitten. Hij keek voortdurend om zich heen om de wagen nauwkeurig op vijanden te onderzoeken. Zwijgzame jongelui staarden terug. 'Ik weet het niet, Justine, ik weet niet wat er aan de hand is. Ik vind dit helemaal geen leuke stad meer,' zei haar grootvader. Maar Justine amuseerde zich te goed om daar antwoord op te geven. Bij alle stations waar ze stopten, nam ze het gore licht op en de betegelde muren en die geheimzinnige, vunzige mannen op de stationsbanken, bij iedere halte één of twee, die de treinen af en aan zagen rijden en nooit instapten. En als ze zich dan weer in beweging zetten, genoot ze van de snelheidssensatie. Ze waren *op weg.* Ze hield van hard rijden, in welk voertuig dan ook en ze genoot vooral van het gebonk op deze rails, waarop ieder moment iets onverwachts kon gebeuren. Ze hoopte dat de wielen weer zo eng zouden gieren zoals dat altijd gebeurde in het diepste stuk duisternis. Eénmaal vielen de lichten uit en toen ze weer aan gingen keek ze verbaasd en blij, met haar mond open; iedereen zag het. Haar grootvader raakte haar pols aan.

'Let je op de halte waar we eruit moeten?' vroeg hij.

'Ja hoor.'

Maar dat was niet zo. In haar hand hield ze het adres van mevrouw Tabor geklemd, dat ze uit het telefoonboek had overgeschreven. Op het Penn Station had ze voorgesteld om van te voren op te bellen, maar daar was haar grootvader op tegen. Hij was ongeduldig, of hij wilde zich nog iets langer aan zijn hoop vastklampen of hij was bang dat ze zou zeggen dat het niet gelegen kwam. Het kon ook zijn dat hij met grote spoed gebruik moest maken van de wc van mevrouw Tabor. Hij gebruikte de openbare voorzieningen liever niet.

Toen ze weer boven de grond waren – Justine ademde de naar as ruikende vreemde lucht diep in en de oude man was slap van opluchting – wandelden ze een eind in westelijke richting en liepen een grijs gebouw met een draaideur binnen.

'Kijk,' zei haar grootvader, 'de deur is van hout en de knoppen zijn gepoetst. Een marmeren vloer. Ik hou van oude gebouwen. Dit zijn mooie gebouwen.' En hij knikte naar een dame die net uit de lift kwam – de eerste persoon in New York van wie hij het bestaan erkende. Maar hij vond het jammer dat de lift zelf bediend moest worden.

'*Vroeger* zouden ze een liftjongen hebben gehad,' zei hij, terwijl hij zag hoe Justine een knop indrukte. De lift ging moeizaam naar boven, krakend en steunend. De wanden waren van mooi eikehout, maar op één ervan stonden een heleboel drie-letter-woorden gekrabbeld die de oude man direct aan het gezichtsveld onttrok door er recht voor te gaan staan en te doen alsof hij het niet zag en omhoog te staren. Justine glimlachte naar hem. Hij tuitte zijn lippen en bestudeerde een veiligheidsvoorschrift.

Op de zevende verdieping, aan het einde van een lange donkere hal, drukten ze op een ander knopje. Grendels verschoven en sloten ratelden alsof ze op een of andere manier met het knopje in verbinding stonden. De deur ging een paar centimeter open en een onopgemaakt, gegroefd gezicht loerde naar buiten vanachter een kettingslot.

'Ja?' vroeg ze.

'Mevrouw Tabor?' zei Justine.

Opgezwollen ogen namen haar van top tot teen op, haar ongelijke pieken haar en haar bruine jas met de scheve zoom.

'Wat wilt u,' zei mevrouw Tabor, 'verkoopt u soms iets? Ik heb niets nodig en ik heb al een geloof.'

Dus moest de grootvader een stap naar voren doen en het van haar overnemen. Je kon je onmogelijk vergissen in de zwier van zijn buiging of het gebaar waarmee hij een hand naar zijn hoofd bracht, hoewel hij geen hoed op had. Hij overhandigde haar zijn kaartje. Niet zijn zakenkaartje, o nee, zijn visitekaartje, dat roomkleurig was en geel van ouderdom aan de randjes. Hij stak het onder de ketting door in haar met juwelen versierde hand. 'Daniël Peck,' zei hij, alsof ze niet kon lezen, en ze keek op naar zijn gezicht terwijl ze met een vinger de gravure keurde. 'Peck,' zei ze.

'Ik heb uw man Paul gekend. Vroeger in Baltimore.'

'Waarom zegt u dat dan niet?' vroeg ze, en ze maakte de deurketting los en stapte achteruit om hen binnen te laten. De kamer die ze betraden had de kamer geweest kunnen zijn waarin Justine was opgegroeid; alles wijnkleurig en fluweelachtig, naar stof ruikend, hoewel ieder meubelstuk glansde. De watergolven in het witte haar van mevrouw Tabor waren een met hairspray bespoten weefsel en lagen op exacte vingerbreedte van elkaar. Ze droeg zwarte wollen kleding en vele snoeren parels. Ze richtte zich uitsluitend tot de oude man en bekeek Justine nauwelijks, ook niet toen hij eraan dacht haar voor te stellen.

'U weet natuurlijk dat hij is overleden, meneer Peck,' zei ze.

'Wat zegt u?'

'U zult harder moeten spreken,' zei Justine. 'Hij heeft zijn gehoorapparaat thuis laten liggen.'

'U weet dat hij is *overleden*, meneer Peck.'

'Oh. Overleden. O ja, ja, natuurlijk, dat heb ik in de krant gelezen. We hadden al in geen jaren meer iets van Paul vernomen, ziet u, we – .' Afwezig volgde hij haar naar de sofa. Hij ging naast Justine zitten, terwijl hij zijn broek aan de vouwen optrok. 'We hadden er geen flauwe notie van waar hij zou kunnen zijn, tot dat overlijdensbericht, mevrouw Tabor. Ik ben in mijn leven verscheidene keren in New York geweest en nooit heb ik geweten dat hij hier woonde! Nooit aan gedacht zelfs! We hadden samen over vroeger kunnen praten.'

'O, het is treurig de manier waarop mensen elkaar uit het oog verliezen,' zei mevrouw Tabor.

'Ik wilde u komen condoleren. Paul stond in hoog aanzien in mijn familie en vooral mijn broer Caleb was een goede vriend van hem.'

'Ach, dank u wel meneer Peck. Hij heeft niet geleden, dat kan ik gelukkig zeggen, hij is onverwacht en zonder pijn gestorven, precies zoals hij het had gewild. Maar daardoor kwam de klap voor *mij* des te harder aan, maar –'

'Wat zei u?'

'*Dank* u.'

'Mijn broer heette Caleb.'

'Wat een prachtige ouderwetse naam,' zei mevrouw Tabor.

De oude man keek haar een ogenblik aan en vroeg zich wellicht af of het de moeite zou lonen haar te vragen dat nog eens te herhalen. Toen zuchtte hij en schudde zijn hoofd. 'Ik neem aan dat u hem niet kende, of toch wel?' zei hij.

'Niet dat ik me kan herinneren, nee. Ik geloof het niet. Voor Pauls werk zijn we zo vaak verhuisd, begrijpt u. Het was moeilijk om –'

'Wat? Wat?'

'*Nee*, grootvader,' zei Justine, en ze legde haar hand op de zijne. Hij keek haar een ogenblik afwezig aan, alsof hij haar niet herkende.

'Ik dacht dat hij misschien contact had gehouden met Paul,' zei hij tegen mevrouw Tabor. 'Of dat hij geschreven had of kerstkaarten had gestuurd. Of op bezoek was geweest, zelfs. Ze waren dik bevriend, ziet u. Het zou kunnen dat hij bij u langs was gekomen terwijl hij op reis was.'

'Wij kregen nooit veel bezoek, meneer Peck.'

'Pardon?'

Hij keek naar Justine. Justine schudde haar hoofd.

'Of misschien heeft Paul zijn naam wel eens genoemd bij gelegenheid,' zei hij.

'Misschien wel , ja maar –'

'Ja?'

Hij rukte zijn hand uit die van Justine en boog zich voorover.

'Wanneer is dat geweest?' vroeg hij.

'Maar – nee, meneer Peck, ik kan niet zeggen dat ik het me kan herinneren. Het spijt me.'

'Kijkt u eens,' zei hij. Hij zocht in zijn zak en haalde er iets uit – een kleine bruine foto in een gouden lijstje. Hij leunde nog verder voorover en hield het recht voor haar gezicht.

'Kent u hem niet? Ziet hij er niet op een of andere manier bekend uit? Neemt u er de tijd voor. Zegt u niet te snel nee.'

Mevrouw Tabor leek een beetje van de foto te schrikken, maar het duurde maar een seconde voordat ze het zeker wist.

'Het spijt me,' zei ze. Toen keek ze naar Justine.

'Ik begrijp het niet. Is dit om de een of andere reden belangrijk?'

'Nou –' zei Justine.

'We zijn Caleb ook uit het oog verloren, ziet u,' zei haar grootvader. Hij schoof de foto weer in zijn zak. Zijn mondhoeken krulden in een bittere glimlach. 'U zult wel denken dat we onvoorzichtige mensen zijn.'

Mevrouw Tabor lachte niet terug.

'Maar in dit geval was het ook niet onze schuld, net als bij Paul; hij is bij ons weggegaan.'

'O, wat naar,' zei mevrouw Tabor.

'Wij vormen een zeer hechte familie, het is een goede familie, we zijn altijd bij elkaar gebleven, maar ik weet niet, zo af en toe is er een . . . *ontdekkingsreiziger* die er alleen op uit trekt.' Hij keek plotseling dreigend naar Justine. 'De laatste keer dat ik Caleb heb gezien was in negentientwaalf. Sindsdien heb ik niets meer van hem gehoord.'

'Negentientwaalf!' zei mevrouw Tabor. Ze liet zich achterover zakken in haar stoel. Er leken radertjes in haar hoofd te klikken.

Toen ze weer sprak was haar stem zachter geworden en verdrietiger.

'Meneer Peck, het spijt me heel erg dat ik u niet kan helpen. Ik *wou* dat ik dat kon. Kan ik u een kopje thee aanbieden?'

'Wat zei u?' zei hij.

'*Thee*, grootvader.'

'Thee. Oh. Nou . . .'

Toen hij ditmaal naar Justine keek droeg hij de verantwoordelijkheid voor de rest van de visite aan haar over en ze ging rechtop zitten en hield haar tas vast. 'Dank u, maar dat denk ik niet,' zei ze. Uitdrukkingen die ze dertig jaar geleden van haar moeder had geleerd sprongen weer in haar gedachten. 'Het is erg vriendelijk van u . . . maar we moeten echt weer . . . hoewel, ik vraag me af of mijn grootvader zich even zou kunnen opfrissen? Hij komt net van de trein en hij . . .'

'Natuurlijk,' zei mevrouw Tabor. 'Zal ik u wijzen waar het is, meneer Peck?'

Ze gebaarde naar hem en hij stond op zonder iets te vragen; hij kon wel raden waar zij hem naartoe bracht of het kon hem niets meer schelen. Hij volgde haar door een glanzend gewreven deur die met een zacht geluid over het tapijt openzwaaide. Hij liep met zijn armen langs zijn lichaam door een korte gang, als een kind dat naar zijn kamer wordt gestuurd. Toen ze hem een andere deur aanwees ging hij daar naar binnen en verdween zonder om te kijken. Mevrouw Tabor ging naar de woonkamer terug met haar voeten zorgvuldig buitenwaarts gezet.

'Die arme, arme man,' zei ze.

Justine verwaardigde zich geen antwoord.

'En blijft u nog lang in New York?'

'Alleen tot de volgende trein terug.'

Mevrouw Tabor hield op met het betasten van haar parels.

'U bedoelt dat u alleen maar hiervoor bent gekomen?'

'O, we zijn eraan gewend. We doen dit vaak,' zei Justine.

'Vaak! U bent dus vaak op zoek naar zijn broer?'

'Steeds als we weer een aanwijzing hebben,' zei Justine. 'Een naam of een brief of zoiets. We zijn er al een aantal jaren mee bezig. Het is erg belangrijk voor grootvader.'

'Hij vindt hem natuurlijk nooit,' zei mevrouw Tabor.

Justine zweeg.

'Of wel?'

'Misschien wel.'

'Maar – negentientwaalf! Ik bedoel maar –.'

'We worden allemaal heel oud in onze familie,' zei Justine.

'Maar zelfs dan! En lieve kind,' zei ze, terwijl ze plotseling voorover leunde, 'dat zal voor *jou* ook niet zo gemakkelijk zijn.'

'Och, dat valt wel mee.'

'Al dat rondzwerven? Ik zou er gek van worden. En hij is vast niet zo gemakkelijk om mee op reis te gaan, met die handicap van hem en zo. Het moet een vreselijke last zijn voor je.'

'Ik hou erg veel van hem,' zei Justine.

'O, nou ja, vanzelfsprekend!'

Maar gewag van liefde had mevrouw Tabor met stomheid geslagen en ze leek opgelucht toen ze de deur van de wc open hoorde klikken. 'Zo,' zei ze, en ze richtte zich tot Justines grootvader.

Hij kwam de kamer binnen terwijl hij zijn zakken doorzocht, een teken dat hij zich voorbereidde om te vertrekken. Justine stond op en hees haar rieten tas omhoog. 'Dank u, mevrouw Tabor,' zei ze. 'Het spijt me van uw man. Ik hoop dat we u geen last hebben bezorgd.'

'Nee, nee.'

De grootvader liep met gebogen hoofd door de deuropening. 'Mocht u zich later iets te binnen schieten . . .' zei hij.

'Dan zal ik het u laten weten.'

'Ik heb mijn nummer in Baltimore op mijn visitekaartje geschreven. Justine heeft geen telefoon. Mocht u toevallig nog iets te binnen schieten, wat dan ook . . .'

'Zal ik doen, meneer Peck,' zei ze, plotseling monter.

'Dat doet u ook?'

'Wat?'

'Dat *zal* ze doen, grootvader,' zei Justine, en ze voerde hem mee naar de hal. Maar hij hoorde het niet en hij stond nog met zijn gezicht naar mevrouw Tabor, niet begrijpend en ontevreden, toen de deur dichtzwaaide en de sloten weer op hun plaats begonnen te vallen.

Op het station zaten ze op een houten bank te wachten op de eerstvolgende trein naar huis. Justine at een zakje chips, een Nuts en twee hot dogs; haar grootvader wilde niets hebben. Ze hielden geen van beiden van Coca Cola en konden geen ginger ale krijgen dus dronken ze warm New Yorks water, dat naar bleekwater smaakte, dat ze bij een frisdranken-loket hadden afgebedeld. Justine nam de laatste hoestbonbon. Ze moest een nieuw pakje uit een automaat trekken waardoor ze veel duurder uit was. Toen ze terugkwam was haar grootvader met zijn hoofd achterover en zijn mond open in slaap gevallen, met zijn lege handen gekromd naast zich. Ze schoof de onbeheerde tas van een matroos naar hem toe en legde zijn hoofd erop. Toen opende ze haar tas en haalde er tijdschriften uit en sjaals, een portemonnaie, wegenkaarten en ongeposte brieven en een kam waar enige tanden aan ontbraken en een handjevol reep-wikkels tot ze, helemaal op de bodem, stuitte op een pak speelkaarten gewikkeld in een lap hele oude zijde. Ze haalde de kaarten eruit en legde ze één voor één op de bank neer, zo voorzichtig als een kat zijn poten verplaatst. Toen ze ze in de vorm van een kruis had neergelegd zat ze een ogenblik stil, met de overgebleven kaarten in haar linkerhand. Toen begon haar grootvader zich te bewegen en graaide ze de kaarten snel en geruisloos bij elkaar. Voordat haar grootvader helemaal wakker was, zaten ze weer in hun zijden doek en zat Justine onbeweeglijk op de bank met haar handen netjes over haar rieten tas gevouwen.

TWEE

Op de dag van de verhuizing waren ze om vijf uur op, niet omdat ze haast hadden maar omdat het huis nu zo onbehaaglijk was met alles ingepakt, de muren kaal en de meubels er uit, met als enige slaapplaatsen matrassen die op kranten waren gelegd. De hele nacht door was er wel iemand geweest die lag te hoesten of die de dekens verschikte of die over de maanverlichte vloer naar de wc moest. Ze werden met een ruk uit hun droom wakker en moesten zich daar weer in terug laten zakken. De holle muren kraakten bijna net zo gestadig als het tikken van een klok.

Justine stond op, sloop om de matras heen en probeerde de kramp uit haar lange, smalle voet te verdrijven. En Duncan deed zijn ogen open om te kijken hoe ze haar badjas omsloeg, met veel drukte en geruis en behendigheid. Ze was door duisternis omhuld, maar dat kwam alleen maar door het chenille van haar badjas.

'Hoe laat is het?' vroeg hij. 'Is het al ochtend?'

'Ik weet het niet,' zei ze.

Ze hadden geen van beiden een horloge om. Die raakten bij hen altijd weg of liepen zo snel dat het leek of ze een naar eigen wetten luisterend tijdschema bijhielden en je de minuten-wijzer haast over de wijzerplaat kon zien snellen.

Duncan ging rechtop zitten en voelde om zich heen naar zijn kleren, terwijl Justine door de woonkamer vloog. Haar zanderige blote voeten fluisterden op de vloer en de ceintuur van haar badjas kwam er in galop achteraan. 'Ik moet er even langs! Sorry! Ik moet er even door!' De dekens van haar dochter bewogen zich in plooien. In de keuken deed Justine het licht aan en liep naar de gootsteen om het water op te zetten voor koffie. Het was kil in het vertrek. Alles was kaal en bekrast en besmeurd door het verleden – vier kale plekken op het linoleum waar de tafel had gestaan, en kuiltjes waar Duncan met zijn stoel had zitten wippen, brand- en schilferplekken op het aanrecht, het raam zonder gordijn bedekt met een waas van vet, de gammele houten planken met stroop en ketchup ringen erop. Justine maakte koffie in wegwerpbekertjes en roerde met een schroevendraaier. Toen ze de bekertjes op het aanrecht had neergezet draaide ze zich om en zag haar grootvader in de deuropening staan waggelen. Hij werd niet wakker van geluiden, maar wel van licht. Hij droeg een slappe zijden pyama en hield zijn geopende zakhorloge in zijn hand.

'Het is tien over vijf in de ochtend,' zei hij.

'Goedemorgen, grootvader.'

'Gisteren lag je tot twaalf uur in bed. We streven naar *regelmaat* hier.'

'Wilt u koffie?'

Maar hij had het niet verstaan. Hij tuitte zijn lippen en klapte het horloge dicht en liep terug naar zijn kamer om zich aan te kleden. Door het hele huis klonken nu geluiden van mensen die zich aankleedden, van deuren die open en dicht gingen, van tanden die werden gepoetst. Niemand zei iets. Ze probeerden nog hun dromen kwijt te raken – iedereen behalve Justine, die een polka neuriede terwijl ze door de keuken stoof. Verhit in haar dunne ochtendjas, terwijl de anderen bibberden, wekte ze de indruk energie op te gebruiken en te verspillen. Ze bewoog zich heel snel en bracht weinig tot stand. Ze trok zonder reden laden open en deed ze met een klap weer dicht, trok het vergeelde rolgordijn naar beneden en liet het weer omhoog schieten. Toen riep ze: 'Duncan? Meg? Ben ik de enige die iets uitvoert?'

Duncan kwam binnen met zijn oudste kleren aan: een wit overhemd dat zacht en doorzichtig was geworden van slijtage en een gekrompen werkbroek. Zijn armen en benen waren slungelig als die van een opgroeiende jongen. Zijn gezicht had nog steeds iets jongensachtigs, vol vertrouwen en met een zweem van een glimlach om zijn mond. Met zijn haar en huid van dezelfde kleur en zijn onhandige langgerekte lichaam had hij een broer van Justine kunnen zijn, met als verschil dat hij voortdurend verzonken leek in een geheimzinnige gedachtenwereld. Hij bewoog zich ook op een andere manier; hij was niet zo snel en veel bedachtzamer. Justine liep in kringen om hem heen met zijn bekertje koffie tot hij haar tegenhield en het aanpakte.

'Ik had al aangekleed en weg kunnen zijn, terwijl jullie nog in je bed liggen te luieren,' zei ze tegen hem. Hij nam een slok koffie, keek in het kopje en trok zijn wenkbrauwen op. Justine liep terug door de woonkamer, waar Meg haar matras al had opgeruimd en haar deken tot een keurig plat vierkant opgevouwen had. Ze klopte op de badkamerdeur. 'Meg? Meggie? Ben je hier? We kunnen niet de hele *dag* op je wachten.'

Het water stroomde zonder ophouden.

'Als je je hier gaat installeren zoals gisteren dan laten we je achter hoor, dan gaan we gewoon weg zonder jou.'

Ze klopte nog een keer op de deur en ging terug naar de keuken. 'Meg heeft weer een huilbui,' zei ze tegen Duncan.

'Hoe weet je dat?'

'Ze heeft zich in de badkamer opgesloten en laat de kraan lopen. Als het vandaag weer zo gaat als gisteren, wat moeten we dan doen?' vroeg ze, maar ze was alweer onderweg naar de badkamer met haar gedachten op een ander spoor en Duncan nam de moeite niet om antwoord te geven.

Justine kleedde zich aan in de slaapkamer en verzamelde toen hoopjes neergesmeten kledingstukken, een koffiekopje en een halfvolle fles bourbon en een nummer van de Scientific American. Ze probeerde haar deken net zo netjes op te vouwen als die van Meg. Toen ging ze overeind staan en keek om zich heen. De kamer was vol bewegende schaduwen van de zwaaiende lamp. Nu alle meubelen eruit waren kon je goed zien wat het eigenlijk was: een papieren doos met doorzakkende muren. In iedere hoek lagen lege lucifersdoosjes, veiligheidsspelden, stofvlokken, papieren zakdoekjes, maar ze was nu eenmaal geen propere huisvrouw en ze liet het gewoon achter voor wie er hierna zou intrekken.

Toen ze in de keuken terugkwam stonden Duncan en haar grootvader naast elkaar koffie te drinken alsof het medicijn was. Haar grootvader had zijn herteleren pantoffels nog aan, maar verder was hij geheel reisvaardig. Niemand kon hem verwijten dat hij de boel ophield. 'Een van de beproevingen die ik in de hel verwacht,' zei hij, 'is zo'n papieren bekertje, zodat je duimnagel eeuwig in de verleiding wordt gebracht om er een stripje was af te krabben. En plastic lepeltjes, en slappe papieren borden.'

'Nou en of,' zei Duncan tegen hem.

'Wat zei je?'

'Waar is uw gehoorapparaat?' vroeg Justine.

'Niet zo best,' zei haar grootvader. Hij stak een hand plat naar voren, de palm naar beneden. 'Ik heb wat last van mijn vingers en van allebei mijn knieën, van de kou denk ik. Ik heb het de hele nacht koud gehad. Sinds de sneeuwstorm van '88 heb ik het niet zo koud gehad. Hoe komt het dat er ineens niet meer genoeg dekens zijn?'

De brede glimlach die Duncan Justine gaf duurde maar even en ze keek zuinigjes terug. Er waren niet genoeg dekens omdat ze gisteren de meeste had gebruikt om de meubels mee te bedekken en de poten en de bovenkanten van de ladenkasten en het afpellend fineer te beschermen tegen de ruwe zijkanten van het gehuurde vrachtbusje, hoewel Duncan diverse keren tegen haar had gezegd dat het beter zou zijn om de dekens nog even binnen te houden. Het was nog steeds januari en 's nachts was het koud. Waarom had ze zo'n haast? Maar Justine had altijd haast. 'Ik wil het klaar hebben. Ik wil weg kunnen,' had ze gezegd. Duncan had het opgegeven. Bij hun vorige verhuizingen had er ook geen enkel systeem in gezeten; het leek hem doelloos om daar nu mee te beginnen.

Meg kwam de keuken binnen en legde beslag op haar koffie zonder naar links of rechts te kijken – een keurig, leuk meisje met een getailleerde jurk aan en met een zilveren haarspeld in het kortgeknipte haar. Ze zag er frisgewassen uit, ze was netjes aangekleed en gekamd en rook naar tandpasta, maar haar ogen waren rood. 'Oh, schat!' riep Justine uit, maar Meg glipte tussen haar handen door. Ze was zeventien. Deze verhuizing was het ergste wat haar ooit was overkomen. Justine zei: 'Wil je een boterham? Dat is het enige wat er nog is.'

'Nee, dank je, mam.'

'Ik dacht dat we in hoe-heet-het-ook-weer wel konden ontbijten, als jullie het zolang kunnen uithouden.'

'Ik heb toch geen honger.'

Ze zei geen woord tegen haar vader. Het was duidelijk wat ze dacht: het was de schuld van Duncan dat ze moesten verhuizen. Hij had weer eens genoeg gekregen van zijn baantje en had weer een andere plaats uitgezocht om hen mee naartoe te slepen, alsof hij op goed geluk maar eens op de kaart had geprikt. Dat had hij trouwens net zo goed kunnen doen.

'Je vader rijdt in z'n eentje met de vrachtwagen,' zei Justine, 'omdat grootvader er de laatste keer wagenziek van werd. Wil jij met hem meerijden?' Ze liet een onenigheid nooit zijn natuurlijk beloop gaan. Ze wist het van zichzelf, ze bezat geen tact of scherpzinnigheid. Ze moest zich er altijd mee bemoeien. 'Doe dat maar, hij vindt het leuk om gezelschap te hebben.'

Maar Megs tranen kwamen weer terug en ze wilde niets zeggen, zelfs geen nee. Ze boog haar hoofd. Haar haar viel naar voren zodat het leek alsof twee vleugels haar wangen verborgen. En Duncan was natuurlijk weer met zijn gedachten ergens anders. Zijn hersens waren weer aan het werk gegaan; hij was eindelijk wakker. Zijn brein was een ingewikkelde machine met vele versnellingen, of misschien een soort beestje op snelle pootjes. 'Willekeurigheid fascineert me,' zei hij. 'Beseffen jullie wel dat er van vier vingers geen verwisseling mogelijk is die willekeurig is?'

'Duncan, het wordt tijd om de matrassen op te rollen,' zei Justine.

'De matrassen, ja.'

'Doe jij dat even?'

'Houdt uw hand eens op,' zei Duncan tegen grootvader, terwijl hij hem door de woonkamer leidde. 'Dan neemt u twee vingers weg. Laten we zeggen het eerste en derde element van een element van vier . . .'

'Gisteravond,' zei Meg, 'heeft mevrouw Benning me weer gevraagd of ik bij haar zou willen blijven.'

'Ach, Meg.'

'Ze zei: "Waarom mag het niet van je moeder? Alleen maar tot het schooljaar afgelopen is," zei ze, "je weet dat we het heel leuk zouden vinden. Denkt ze soms dat ze misbruik van ons zou maken? Zou het helpen als ik nog een keertje met haar ging praten?"'

'Je gaat toch al gauw genoeg bij ons weg,' zei Justine, terwijl ze lege wegwerpbekertjes in elkaar stapelde.

'Maar we moeten toch aan mijn schoolopleiding denken,' zei Meg.

'Ik ben aan mijn laatste jaar bezig. Met al dat verhuizen leer ik niks.'

'Bij ons leer je je aan te passen en dat is de beste opleiding die we je kunnen geven,' zei Justine tegen haar.

'Aanpassen! En de logaritmen dan?'

'Nou, we kunnen hier niet over blijven doorzeuren. Je moet de kat gaan zoeken. Ik denk dat ze weet dat we gaan verhuizen. Ze heeft zich verstopt.'

'Gelijk heeft ze,' zei Meg, 'zou ik ook doen als ik een plekje wist.' En toen liet ze zich snel van het aanrecht af glijden en ging weg en begon de poes te roepen met haar zachte, redelijke stem die ze nooit verhief, zelfs niet als ze ruzie maakte. Justine stond onbeweeglijk bij de gootsteen. Toen ze voetstappen hoorde draaide ze zich om, maar het was alleen haar grootvader maar.

'Justine? De buren zijn gekomen om afscheid te nemen,' zei hij tegen haar. Hij snoof door zijn lange, toegeknepen neus. Mensen die geen familie van hem waren moesten zich niet opdringen, zei hij altijd. Hij keek nauwlettend toe terwijl Justine door het huis holde, op zoek naar haar sleutels en zich in haar jas wurmde en haar muts op haar hoofd drukte. 'Kijk uw kamer nog even na, grootvader,' riep ze, 'en doe de *lichten* uit. Wilt u Meg helpen de poes te zoeken? Zeg maar tegen haar dat we op het punt staan om te vertrekken.'

'Vingers?'

'En vergeet uw gehoorapparaat niet.'

'Zo vlug gaat dat niet over. De kou heeft zich erin genesteld,' zei haar grootvader. 'Informeer morgen maar weer. Dank je wel.'

Justine kuste hem op zijn jukbeen, een glimmend wit vlak. Ze vloog door de woonkamer en de voordeur uit, de krijtachtige ochtendschemer in. Koude lucht benam haar bijna de adem. Bevroren gras knarste onder haar voeten. Bij de huurauto was meneer Ambrose bezig Duncan te helpen met het inladen van de laatste matras. Mevrouw Ambrose stond ernaast, samen met de Prinzen en mevrouw Benning en Della Carpenter met haar achterlijke dochter. En een paar stappen verderop stond een krantenjongen die Justine nog nooit gezien had. Behalve de krantenjongen hadden ze allemaal een badjas aan, of een jas die ze over hun pyama hadden aangetrokken. Ze kende hen bijna een jaar en toch ontdekte ze nu pas bepaalde eigenaardigheden: dat Alice Prinz donzige pantoffels droeg zo groot als een klein schaap en dat mevrouw Benning, die overdag zo praktisch was, een nachtjapon droeg gemaakt van vele lagen door-zichtig roze of blauw of grijs – het viel moeilijk uit te maken wat het was in dit licht. Ze stonden met de armen om zich heen geslagen tegen de kou en het meisje van Carpenter klappertandde. 'Justine toch!' zei Alice Prinz. 'Je dacht dat je ons kon ontglippen. Maar zo gemakkelijk kom je niet van ons af, hier zijn we dan bij het krieken van de dag om je uit te zwaaien.'

'O, wat vreselijk om afscheid te nemen,' zei Justine. Ze ging de rij langs om iedereen te omhelzen, zelfs de krantenjongen, die ze wel-licht toch kende zonder het zich te realiseren. Toen ging er een licht aan bij de voordeur van de Franken drie huizen verderop en Justine ging erheen om afscheid te nemen van June Frank. Iedereen behalve de krantenjongen liep met haar mee. June verscheen op haar stoep van sintels met een begonia in een plastic pot in haar hand. 'Deze had ik al voor je sinds ik hoorde dat je zou gaan verhuizen,' zei ze, 'en als je er midden in de nacht vandoor zou zijn gegaan zoals je nu doet zonder mij een kans te geven om afscheid te nemen, dan zou ik dat heel naar hebben gevonden.' June gebruikte kleine lege blikjes als krulspelden. Dat had Justine ook niet geweten. En ze zei dat ze haar niet moest bedanken voor de plant want dat dat de groei zou belemmeren.

'O, ja?' zei Justine, haar aandacht afgeleid. Ze hield de pot om-hoog en dacht een ogenblik na. 'Ik vraag me af waarom.'

'Weet *ik* ook niet, ik weet alleen dat mijn moeder dat altijd tegen mij zei,' zei June. 'Justine, schat, ik kom maar niet verder, maar groet de anderen ook van me. Die snoezige kleine Meg en je lieve oude grootvader en die knappe man van je, allemaal hoor! Ik zal je schrijven. Als mijn zuster besluit om weer te gaan trouwen zal ik jou eerst schrijven om te weten wat de kaarten ervan zeggen. Ik zou er niet aan denken haar te laten trouwen zonder dat te doen. Kun je zoiets ook op lange afstand voor elkaar krijgen?'

'Ik zal het zeker proberen,' zei Justine. 'Nou, ik zal je niet voor de plant bedanken, maar ik zal er goed voor zorgen. Dag, June.'

'Dag meid,' zei June, en opeens werd ze verdrietig en kwam de trap af en legde haar wang zachtjes op die van Justine terwijl de anderen toekeken, plotseling zwijgzaam en glimlachend, met hun hoofd schuin.

Intussen was Meg achterin de gedeukte Ford gaan zitten met een enorme grijze kat op schoot. De kat dook ineen en keek om zich heen met een wilde blik en Meg huilde, waardoor het kleine com- pacte huis met zijn fundatie, zijn haveloze struiken en veranda-pila- ren die onderaan begonnen te verrotten, door een waas van tranen werd omhuld. Voorin de auto deed haar overgrootvader zijn gehoorapparaat in zijn oor, stemde het knopje af en schrok van het lawaai om hem heen. Duncan gooide de achterbak dicht nadat de laatste matras erin was gelegd en klom in de cabine. Hij deed de lichten aan waardoor hij kleur gaf aan het tafereel voor hem – Justi- ne die van hand tot hand ging langs een rij buren in nachtkledij. 'Hé, Justine,' riep hij zachtjes. Natuurlijk kon ze hem niet verstaan. Hij moest met de claxon toeteren. Toen maakte iedereen een sprongetje en slaakte een kreet en halverwege de straat ging er een licht aan, maar Justine wuifde alleen maar naar hem en liep in de richting van de auto, niet verbaasd, want moest hij haar niet altijd met de toeter roepen? Ze was bij alle gelegenheden te laat, hoewel ze het eerst begon en het snelst en het minst ongeduldig was. Als ze ergens ver- trok gebeurde dat op dezelfde manier, ze riep flarden van afscheids- groeten en rende dan, nee, vloog dan met een of andere zwabberen- de plant of een pakje of een pot met deksel in haar armen, buiten adem en zichzelf uitlachend, terwijl ze haar muts in de haast op haar hoofd hield gedrukt.

Om negen uur in de ochtend stond Rooie Emma Borden de toon- bank af te vegen in het Cafetaria van Caro Mill, toen deze vier onbe- kende mensen binnenkwamen – een man en een vrouw, een dochter van tiener-leeftijd en een zeer oude heer. Rooie Emma wilde net een sigaret opsteken (ze was al sinds 4 uur op de been) en ze had er niet veel zin in om nog iemand te bedienen. Toch was het leuk om weer eens wat nieuwe gezichten te zien. Ze was in dit stadje geboren en getogen en getrouwd en weduwe geworden en ze had schoon ge- noeg van alle mensen die er woonden. Dus duwde ze haar oranje krullen in model, sjorde aan haar uniform en greep naar een blocno- te om de bediening op te nemen. Intussen probeerden de vreemde- lingen een aangename zitplaats te vinden, wat in het geheel niet ge- makkelijk was. Twee van de krukken aan de eetbar waren kapot, alleen nog maar aluminium onderstukken zonder zitgedeelte, en een van de andere kantelde zodra je er probeerde op te gaan zitten. Ze moesten zich aan het ene einde van de bar groeperen, vlak bij de afzuigkap. En zelfs toen stak er nog een lange sliert gewatteerde katoen onder de kruk van de oude heer uit. Maar geen van hen diende een klacht in; ze vouwden hun armen over elkaar en wachtten op haar met vier paar zeer blauwe ogen. 'En?' zei Rooie Emma, terwijl ze gebarsten plastic menukaarten voor hen neer kwakte. 'Wat mag het wezen?'

Ze richtte zich het eerst tot de vrouw – een vrouw zo mager als een geraamte met een muts op. Maar de man gaf antwoord. 'Onze kilometervreter neemt alles wat er in de keuken voorhanden is,' zei hij.

'Kilometervreter! Ik heb langs de weg *gekropen,*' zei de vrouw.

'Ik dacht dat je had ingeschreven voor de rally van Monte Carlo. En je veiligheidsgordel hing uit het portier, na al die moeite die ik gedaan heb om het ding aan te brengen.'

'Ik wil graag koffie en drie spiegeleieren,' zei de vrouw tegen Rooie Emma. 'En pannekoeken, saucijsjes en jus d'orange. En nog iets zouts erbij, een zak potato chips. En jullie? Grootvader? Meg?'

Rooie Emma was bang dat ze de hele ochtend in de keuken zou moeten staan, maar het bleek dat de anderen alleen maar koffie wilden. Ze hadden het versufte, verfomfaaide uiterlijk van mensen die een reis achter de rug hadden. Alleen de vrouw leek nog zin in praten te hebben. 'Ik heet Justine,' zei ze, 'en dit is mijn man, Duncan. Onze grootvader Peck en onze dochter Meg. Heb je de sleutels?'

'Hoezo?'

'We moesten hier de sleutels afhalen voor het huis van meneer Parkinson.'

'Oh ja,' zei Rooie Emma. Ze had nooit gedacht dat dit de mensen waren voor het huis van Ned Parkinson – een haveloos optrekje naast de elektriciteitswinkel. Zeker niet de oude heer.

'Ja, hij heeft het er over gehad dat er iemand langs zou komen,' zei ze. 'Hebben jullie het al bekeken?'

'Duncan wel. Hij heeft het uitgezocht,' zei Justine. 'Je hebt nog niet gezegd hoe *jij* heet.'

'O, nou, Rooie Emma Borden.'

'Werk je hier altijd?'

' 's Morgens wel.'

'Want ik eet graag in een cafetaria. We zullen elkaar wel vaak tegen het lijf lopen.'

'Misschien wel,' zei Rooie Emma, terwijl ze de eieren op de bakplaat brak. 'Maar als je na twaalf uur komt, dan is de nicht van mijn overleden man er, *Zwarte* Emma Borden. Zo wordt ze genoemd vanwege haar zwarte haar, alleen verft ze het al jaren.' Ze schonk koffie in dikke witte koppen. 'Zei je dat je man het huis heeft uitgezocht?' vroeg ze aan Justine.

'Dat doet hij altijd.'

Rooie Emma wierp een blik op hem. Een goed-uitziende, strokleurige man. Hij scheen van geen kwaad te weten.

'Moet je horen, schat,' zei ze tegen Justine. Ze zette de koffiepot neer en leunde over de toonbank. 'Hoe is het mogelijk dat jij je man laat uitzoeken waar je gaat wonen? Heeft hij verstand van keukens? Let hij op kastruimte en of het houtwerk niet afbrokkelt zodra je het voor het eerst probeert schoon te boenen?'

Justine lachte. 'Dat denk ik niet,' zei ze.

Rooie Emma had haar man er eens op uit gestuurd om een auto voor het gezin te kopen bij een tweedehands autohandelaar en hij was thuisgekomen met een piepklein race-model, laag bij de grond en met ramen als spleetogen. Het had iedere cent opgeslokt die ze hadden opgespaard. Ze had het hem nooit vergeven. Dus nu voelde ze zich er persoonlijk bij betrokken en ze keek deze Duncan woedend aan. Hij zat daar, zo rustig als wat een piramide van suikerklontjes te bouwen. De grootvader zat een krant te lezen die iemand achtergelaten had. Hij hield hem een meter van zich af zoals oude mensen wel vaker doen, en fronste zijn voorhoofd en bewoog zijn lippen. Alleen de dochter leek het te snappen. Een *aardig* meisje, zo netjes en rustig. Ze had een jas aan die afgedragen was maar van goede kwaliteit en ze hield haar ogen gericht op de ketchupfles, alsof ze zich ergens voor schaamde. *Zij* wist wel waar Rooie Emma het over had.

'Er zijn nog andere huizen,' zei Rooie Emma. 'De Butters verhuren ook, een *groot* huis, bij de school.'

'Nu is het zo,' zei Duncan, en Rooie Emma draaide zich om want ze dacht dat hij het tegen haar had, 'dat elk blok van de piramide van Cheops gemiddeld twee en een halve ton woog.' Nee, dat was tegen de grootvader gericht, maar de grootvader keek alleen maar geïrriteerd op, hoorde het misschien niet eens en sloeg een pagina van zijn krant om. Duncan draaide zich naar Meg toe, links van hem. 'Men neemt aan dat wielen en dergelijke niet bij de bouw werden gebruikt,' zei hij tegen haar. 'Niets dan de primitiefste meetinstrumenten, voorzover wij weten. Toch is de grootste afwijking die

men heeft kunnen vinden niet groter dan vijf graden, aan de ooste-
lijke muur, en de andere zijn bijna perfect. En heb je wel eens nagedacht over de invalshoek van de schuine zijden?'

Meg keek hem uitdrukkingsloos aan.

'Ik denk dat ze van het topje af naar beneden gebouwd zijn,' zei
hij. Hij lachte.

Rooie Emma dacht dat hij niet goed snik was.

Ze flapte de pannekoeken om en stapelde ze op Justine's bord en
ging tegenover haar zitten. 'Het huis van de Butters is er een met
twee verdiepingen,' zei ze. 'En het heeft ook een overdekte veranda
waar je kunt slapen.'

'O, nou ik denk dat het huis van meneer Parkinson prima zal
bevallen,' zei Justine. 'Bovendien ligt het vlak bij Duncans werk.
Dan kan hij tussen de middag thuis komen eten.'

'Waar gaat hij dan werken?' vroeg Rooie Emma.

'Bij De Blauwe Fles, de antiekwinkel.'

Och Here. Dat had ze kunnen weten. Die winkel met vergulde
letters van die dikke man die niemand kende. Wie had er nou behoefte aan antiek in Caro Mill? Alleen toeristen die onderweg naar
de oostkust langskwamen en waarvan de meesten te veel haast hadden om te stoppen. Maar Rooie Emma klampte zich nog hoopvol
vast aan een laatste strohalm (ze vond het prettig als de mensen zich
konden *redden*, op een of andere manier) en ze zei: 'Nou, ik denk
dat hij wel iets beters kan vinden dan bij die meneer – ik ben zijn
naam vergeten. Als hij verstand heeft van antiek en zo –'

'O, Duncan heeft overal verstand van,' zei Justine.

Dat klonk beslist niet goed.

'Hij heeft nog nooit in antiek gedaan maar hij heeft wel eens wat
meubelen gemaakt, een paar baantjes geleden –'

Ja.

'De eigenaar van De Blauwe Fles is de zwager van de zuster van
Duncans moeder. Hij wil het wat rustiger aan doen en er iemand
anders bij hebben in de winkel nu hij wat ouder wordt.'

'We hebben alle familierelaties van mijn moeder al op gebruikt,'
zei Duncan opgewekt. Hij was de hellinggraad van een van de pira-
mide-kanten aan het corrigeren. Voor de waarheid die aan het licht
kwam leek hij zich niet te generen. 'Mijn laatste baantje was bij een
oom, die een reformhuis drijft. Maar niemand in de familie heeft
een reparatiewinkeltje, en dingen repareren is het enige waar ik echt

goed in ben. Ik kan alles repareren. Moet er hier niet iets gerepareerd worden?'

'Absoluut niet,' zei Rooie Emma beslist tegen hem.

Ze keerde zich weer naar Justine, bereid om met haar mee te leven, maar Justine knabbelde aan de potato chips met een vrolijke blik in haar ogen. Haar muts zat een beetje scheef. Zou ze aan de drank zijn? Rooie Emma zuchtte en ging de bakplaat schoonmaken. 'Natuurlijk,' zei ze, 'wil ik niet afgeven op het huis van Ned Parkinson. Ach, eigenlijk is het een prima huisje. Ik weet zeker dat jullie er gelukkig in zullen zijn.'

'Dat zullen we vast en zeker,' zei Justine.

'En je man zal in ieder geval de mogelijke problemen met de afvoer en elektriciteit kunnen oplossen,' zei Rooie Emma schalks, want ze geloofde geen moment dat hij daartoe in staat was.

Maar Duncan zei: 'Jazeker,' en begon één voor één de suikerklontjes in het schaaltje terug te mikken.

Rooie Emma veegde de bakplaat af met een vaatdoek die zuur rook. Ze voelde zich moe en wou dat ze weggingen. Maar toen zei Justine: 'Zal ik je eens wat vertellen? Dit komende jaar wordt het beste jaar dat ons gezin ooit heeft meegemaakt. Het wordt een buitengewoon jaar.'

'Hoe weet je dat?'

'Het is negentiendrieënzeventig, hè? En het getal drie brengt ons geluk! Kijk: Duncan en ik zijn allebei geboren in drieëndertig. We zijn getrouwd in negentiendrieënvijftig en Meg is geboren op de derde dag van de derde maand in negentienvijfenvijftig. Wat zeg je daarvan?'

'Oh, mama,' zei Meg, en boog haar hoofd over haar koffie.

'Meg is bang dat mensen denken dat ik excentriek ben,' zei Justine. 'Maar als ik nou in *numerologie* geloofde of iets dergelijks. Alleen maar geluksgetallen. Wat is jouw geluksgetal, Rooie Emma?'

'Acht,' zei Rooie Emma.

'Nou, zie je wel. Acht is sterk en kan goed organiseren. Jij zou in elke zakencarrière slagen, wat dan ook.'

'O ja?'

Rooie Emma keek omlaag naar haar opbollende witte nylon schort en de gebloemde zakdoek die met een camee aan haar boezem was vastgeprikt.

'Maar Meg heeft geen geluksgetal. Ik ben bang dat zij nooit iets zal meemaken.'

'*Mama.*'

'Meg had in mei geboren moeten worden en ik vroeg me al af hoe dat zou kunnen. Tenzij ze op de derde zou komen natuurlijk. Maar weet je, ze werd te vroeg geboren, ze kwam toch in maart.'

'Bij de Vreugde Loterij vraag ik altijd om een acht,' zei Rooie Emma. 'En ik heb al twee keer gewonnen. Fijne kwaliteit drank ter waarde van veertig dollar.'

'Natuurlijk. Maar wie is de waarzegster in deze stad?'

'Waarzegster?'

De grootvader schudde en kraakte met zijn krant.

'Vertel me nou niet dat jullie er hier geen hebben,' zei Justine.

'Bij mijn weten niet, nee.'

'Nou, je weet waar we gaan wonen. Kom maar langs als ik een beetje ingeburgerd ben en dan zal ik je voor niks de toekomst voorspellen.'

'Je voorspelt de toekomst.'

'Op feestjes van de kerk, bazaars, clubvergaderingen, theepartijen, noem maar op. Je kunt midden in de nacht bij me aankloppen als je een probleem hebt en dan zal ik je in mijn badjas de toekomst voorspellen. Dat vind ik helemaal niet erg. Ik vind het juist leuk. Ik lijd aan slapeloosheid.'

'Maar – je bedoelt dat je serieus de toekomst voorspelt?' vroeg Rooie Emma.

'Hoe zou ik het anders moeten doen?'

Rooie Emma keek naar Duncan. Hij keek haar aan zonder te glimlachen.

'Nou. Mag ik nu dan de sleutels?' zei Justine.

Rooie Emma haalde ze slaapwandelend op – twee platte blikkerige sleutels aan een badgordijnring. 'Ik heb het echt nodig dat mijn toekomst voorspeld wordt,' zei ze. 'Je moet het niet rondvertellen maar ik zit eraan te denken om van baan te veranderen.'

'O, daar kan ik je goed mee helpen.'

'Niet lachen, hoor. Ik wil graag de post bestellen. Ik ben al voor de test geslaagd. Zou je me echt kunnen zeggen of dat een goeie verandering zou zijn of niet?'

'Natuurlijk,' zei Justine.

Rooie Emma maakte hun rekening op die Duncan betaalde met

een Bank Americard, die zo versleten was dat er geen goeie afdruk meer van gemaakt kon worden. Toen liepen ze achter elkaar naar buiten en zij stond bij de deur om ze uit te laten. Toen Justine langs kwam raakte Rooie Emma haar schouder aan. 'Ik ben zo onrustig, zie je,' zei ze. 'Ik slaap helemaal niet goed meer. Mijn hoofd slingert tussen twee beslissingen heen en weer. O, ik weet dat het onbelangrijk is. Ik bedoel, wat betekent een postbode nou voor de wereld? Wat maakt het uit over honderd jaar? Ik maak mezelf niet wijs dat het iets groots is. Alleen dag in dag uit in deze tent, met het vet waar mijn haar halverwege de ochtend van in elkaar zakt en de mannen met hun maffe opmerkingen en ik ze maar te eten geven . . . hoewel ik goed betaald word en ik niet zou weten wat oom Harry ervan zou zeggen als ik er na al die jaren mee ophield.'

'Doe het maar,' zei Justine.

'Pardon?'

'Verander maar van baan. Daar heb ik de kaarten niet bij nodig. Altijd voor verandering kiezen.'

'Nou – staat dat in de sterren voor me?'

'Ja, dat staat er,' zei Justine. 'Dag Rooie Emma! Tot gauw!' En toen was ze weg, en stond Rooie Emma nog bij de spiegelglazen deur peinzend met haar vingers haar onderlip te plooien.

Justine reed Main Street uit in de Ford terwijl de kat, krijsend als een oude, kwaaie baby, langs de achterruit heen en weer rende en mensen op straat bleven staan staren. Meg zat met haar handen gevouwen; ze was intussen aan het lawaai gewend. De grootvader deed gewoon zijn gehoorapparaat uit en keek vanuit zijn luchtbel van stilte met strakke blik naar het kleine houten warenhuis van Woolworth, de pompstations van Texaco, Amoco en Arco, een vervallen A & P en naar een keurig bakstenen postkantoortje waar de vlag uit hing. Dit keer reed Duncans vrachtwagen voorop en Justine reed achter hem aan en sloeg rechts af een zijstraat in met lage huizen. Ze reden langs een drogist en een elektriciteitswinkel en kwamen toen bij een rij kleine huizen aan. Duncan parkeerde voor het eerste daarvan. Justine ging achter hem staan. 'Daar zijn we dan!' zei ze.

Het huis was wit, maar verweerd tot grijs. Op de veranda rezen vierkante met dakspanen betimmerde pilaren op tot de hoogte van je middel en hielden dan op, waardoor het afdak er precair en onbetrouwbaar uitzag. Hoewel het huis geen bovenverdieping had, stulpte er een raampje van een vliering of rommelkamertje uit het dak als een ooglid. Een verwarde massa taaie struiken garneerde de ruimte onder de veranda. 'O, rozen!' riep Justine uit. 'Zijn dat rozen?' Haar grootvader ging even verzitten.

'Dit huis is zelfs nog erger dan het vorige,' zei Meg.

'Geeft niks, hier krijg je een eigen kamer. Je hoeft niet meer in de huiskamer te slapen. Vind je dat niet leuk?'

'Ja mama,' zei Meg.

Duncan liep al door de tuin heen en weer toen de anderen er aan kwamen. 'Ik ga hier een paar rijen maïs planten,' zei hij tegen hen. 'Achter is er te veel schaduw, maar zie je hoeveel zon hier aan de voorkant komt? Ik ga het gras omspitten en maïs en komkommers zaaien. Ik heb een idee om compost te maken, ik ga een mixer kopen en al onze afval vermalen met wat water. Luister goed, Justine. Je moet alles bewaren, eierschalen en sinaasappelschillen en zelfs botjes. De botjes maken we eerst zacht in een snelkookpan. Hebben we een snelkookpan? We maken er een soort puree van en dat spreiden we overal uit.'

Intussen was de kat onder de veranda gedoken, waar ze zou blijven zitten totdat de verhuizing voorbij was en de grootvader liep voorovergebogen de trap op, misprijzend voor zich uit mompelend en maakte een inventaris op van alle splinters en knoestgaten en verfblaren, iedere loszittende spijker, gescheurde horren en kromgetrokken vloerplanken. Meg ging op de bovenste trede zitten. 'Ik heb het koud,' zei ze.

Justine zei: 'Je vader gaat het land bewerken. Misschien krijgen we zelfs wel tomaten.'

'Zullen we d'r nog zijn wanneer ze geoogst worden?' vroeg Meg aan niemand.

Justine vond de sleutels in een van haar zakken en deed de deur open. Ze betraden een hal die naar schimmel rook en vol lag met oude kranten en kapotte kartonnen dozen. In de keuken die erop uitkwam stond een ijskast met de motor bovenin, een smerig gasfornuis en een gootsteenkast met aanrecht op pootjes. Er was een woonkamer met een dichtgespijkerde open haard. Achter bevonden zich de badkamer en drie slaapkamers, alledrie heel klein en donker, maar Justine galoppeerde er doorheen terwijl ze de rolgordijnen omhoogflipte en de zware muffe lucht in beweging zette.

'Moet je zien! Iemand heeft een nijptang achtergelaten,' zei ze. 'En hier staat een stoel die we op de veranda kunnen zetten.' Ze bewaarde alles; dat deden ze allemaal. Het was een familietrekje. Dat kon je meteen zien toen ze begonnen met het naar binnen dragen van de spullen uit de vrachtwagen – stapels oude aan de rand omgekrulde tijdschriften, tassen barstens vol met uit de mode geraakte kleren, kartonnen dozen waarop stond: *Knipsels, Gebruikt pakpapier, Foto's, Lege flessen.* Duncan en Justine strompelden grootvaders kamer binnen met een stalen archiefkast uit zijn oude kantoor, die vol zat met doorslagen van al zijn persoonlijke correspondentie vanaf het tijdstip dat hij, drieëntwintig jaar geleden, met pensioen ging. In een hoek van hun eigen kamer stapelde Duncan kratten op die vol zaten met machine-onderdelen en onbekende metalen voorwerpen die hij op straat had gevonden en die hij op een goeie dag wel eens zou kunnen gebruiken voor een of andere uitvinding. Hij bezat dozen vol boeken, voornamelijk tweedehandse, die gingen over zulke onderwerpen als de ontwikkeling van de quantumtheorie en de filosofie van Lao-tzu en het leven van de mensen in een stam in Rhodesië, die Ila spraken. Maar toen al deze troep was binnengebracht (daar hadden ze met z'n vieren vier uur voor nodig) was de vrachtwagen bijna leeg. Ze hadden nauwelijks genoeg meubelen om het huis een bewoonbaar aanzicht te geven: drie matrassen met roestvlekken, vier keukenstoelen van het Leger des Heils, overgrootmoeders eettafel van palissanderhout die met de hand bewerkt was, een doorgezakte sofa en een gemakkelijke stoel die ze van een buurvrouw twee verhuizingen terug cadeau had gekregen en drie ladenkasten van Justine's moeder waarvan de bewerkte poten er zelfbewust uitzagen naast de ledikanten die Duncan had gefabriceerd uit ruwe spaanplaat en die een gele reuk hadden. Hun serviesgoed bestond uit een collectie borden uit een goedkoop warenhuis, sommige waren lichtgroen, sommige met bloemetjes erop, en weer andere donkerbruin met aan de randen druppels glazuur, en mokken die gratis werden verstrekt toen Esso veranderde in Exxon. Het bestek met heften van geel plastic was overgebleven uit het Engelse picknickmandje van tante Sarah. Ze hadden twee steelpannen en een koekepan. (Justine hield niet van koken.) Ze bezaten een bezem en een zwabber, maar geen stoffer en blik, geen stofzuiger, geen stok om de ramen mee schoon te maken, geen emmer of zeemlap. (Justine hield ook niet van schoonmaken.) Geen wasmachine of centrifuge. Wanneer alle kleren in huis vuil waren torste het gezin die naar de wasserette. Vanzelfsprekend was dat geen leuk karwei – alle vier liepen ze met volgepropte kussenslopen te zwoegen, het hoofd van de grootvader diep voorovergebogen voor het geval ze iemand zouden tegenkomen, allemaal een beetje sjofel in hun allerlaatste schone kleren die ze opgedoken hadden van de bodem van een la of achterin een kast hadden gevonden – maar was het toch niet beter dan steeds weer die glimmende zware machines te moeten verhuizen? En, tegen het eind van de middag waren ze helemaal op orde. Er viel niets meer te doen. Goed, sommige dozen moesten nog geopend worden, maar dat zei niets, want sommige stonden nog onuitgepakt sinds de *vorige* verhuizing. Niemand had haast meer, Justine kon zich uitstrekken op haar matras, die naar dennehout rook, naar thuis, en ze kon haar schoenen uittrekken en glimlachen naar het plafond, terwijl de kat op haar buik lag als een tien kilo zware spinnende kruik. Duncan kon op de rand van het bed gaan zitten frutselen aan een stroboscoop waarvan hij vergeten was dat hij hem nog had. Meg kon haar deur sluiten en uit een speciaal daarvoor bestemd doosje een ingelijste foto van een jongeman in domineeskleren die minstens één maat te groot waren, uitpakken uit zeven vellen vloeipapier, en het daarna onmiddellijk weer inpakken en achter op een kastplank leggen. En in zijn kamer aan de andere kant van de hal kon grootvader een van zijn foto's uitpakken: Caleb Peck, in bruine tinten in een gouden lijst, die een hoed en een stropdas droeg en met een star en waardig gezicht in de deuropening van een hooizolder twee meter boven de grond op een cello zat te spelen.

DRIE

Duncan werd rondgeleid in de antiekwinkel De Blauwe Fles door Silas Amsel, de eigenaar. Aangezien hij het al gezien had toen hij naar het baantje kwam solliciteren, had hij er niet veel belangstelling voor. Hij kuierde geeuwend achter de dikke, bebaarde Silas aan en trommelde met zijn vingers op de tafels waar zij langs liepen. Spinpotige spinetlessenaars, klokken met cherubijnen en herderinnetjes en Vadertje Tijd, stoffige roemers, spiegels in knoestige vergulde lijsten, bijzet-tafeltjes te zwak om een lamp op te zetten – wat moest hij met al die spullen? Eerlijk gezegd had hij nog nooit aandacht aan antiek besteed. Hij was opgegroeid in een wereld waarin dat iets vanzelfsprekends was. Niemand *kocht* het ooit, niemand kocht ooit iets; de kamers stonden vol met goed onderhouden meubelen in zachte tinten die ter plekke gegroeid leken te zijn en steeds wanneer één van de kinderen het huis uitging nam het enige stukken mee, maar de kamers bleven even vol, alsof er 's nachts meer bijgroeide. Nee, waar Duncan interesse voor had, was de kist met spullen die hij bij Silas achter de toonbank had gevonden: roestige kersenontpitters, aardappelmesjes, appelboren, visschrapers, een vernufte spiraalvormige trechter om de eierdooier van het eiwit mee te scheiden. Naast de kist stond een rieten valies die je open kon doen en waarvan je een strandstoel kon maken. Waar was al die inventiviteit gebleven? Hoe kwam het dat het verdwenen was? Aan de kist hing een kaartje waarop stond: Alles $ 1,-. Het valies, dat kapot was, was te koop voor $ 2,50, als iemand het ooit zou ontdekken tussen de laarzen en papieren zakken. Wanneer Duncan de zaak zou overnemen, zou hij het in de etalage zetten. (Hij loerde plotseling naar de brede, logge rug van Silas.) Dan zou hij de huishoudelijke voorwerpen oppoetsen en ze op een rij uitstallen. Hij zou die alledaagse dingen gaan verkopen en oude werktuigen opkopen op veilingen en vlooienmarkten, tot de winkel op een negentiende-eeuwse uitvinderswerkplaats leek en hij zijn favoriete luchtjes, een combinatie van machine-olie en hout en oxyderend ijzer kon zitten inademen.

'Ach, ik word hier toch te oud voor,' zei Silas, die de trap achterin de winkel op strompelde, om hem te laten zien waar de telefoon stond. 'Ik vind het jammer om de touwtjes uit handen te moeten geven maar verder zal ik het niet missen.'

Feitelijk was Silas een goede dertig jaar jonger dan grootvader Peck, die het winkeltje had kunnen drijven op z'n dooie akkertje, maar Duncan was eraan gewend dat mensen buiten zijn familie vroegtijdig aftakelden. Bovendien was het zo dat als Silas er nog niet mee ophield, Duncan nog steeds op zoek zou zijn geweest naar een baantje. Hij had deze keer toch al gedacht dat hij al zijn moeders bloedverwanten had opgebruikt. Hij had zich afgevraagd of hij ooit zou kunnen ontsnappen aan het reformhuis, dat hij tot een winstgevende zaak hàd opgebouwd en toen, uit verveling, weer had laten verlopen. Korenwurmen hadden zich in het tarwemeel genesteld en de sojabonen raakten beschimmeld en de ongezwavelde rozijnen waren in kiezelsteentjes veranderd. Hij had zijn natuurlijke opgewektheid en zorgeloosheid verloren en had zijn heil gezocht in whisky, patience en een flets stilzwijgen, dat zelfs Justine niet kon doorbreken. Bestond er iets vreselijkers dan je ergens *opgesloten* voelen, oud te worden en duf en dan tenslotte dood te gaan? Zijn slordige boekhouding en ongeregelde werktijden, toch al een kwestie van principe, begonnen zó in het oog te lopen dat geen werkgever het meer door de vingers kon zien. Dat was het patroon van Duncans leven – hij begon luchthartig aan een onderneming, met enthousiasme, maar had er zijn aandacht maar half bij; de andere helft besteedde hij aan het ontwerp van een perpetuum mobile-machine geheel vervaardigd uit de veertjes van hordeuren of een manier bedenken om niet-stekende honingbijen te kweken of hij overwoog zich in te schrijven voor een wedstrijd, in een éénpersoons vliegmachine niet groter dan een leunstoel, die een Engelsman had uitgeschreven. In de afgelopen twintig jaar was hij, onder andere, geitenhoeder, fotograaf en meubelmaker geweest; hij had in een dierenwinkel gewerkt, in een sigarenwinkel, een platenwinkel en in een delicatessenwinkel; hij had aan de volkstelling meegedaan, schapen geschoren en de gazons van een buitenwijk bemest op een speelgoedtractor. Van bijna al deze baantjes had hij genoten, maar slechts korte tijd. Hij werd onrustig en dan zag hij in dat hij een oneindige kringloop van dagen doorliep net als zijn bekrompen, fantasieloze familieleden dat voor hem hadden gedaan. Dan begon hij om tien uur naar zijn werk te gaan, dan elf uur, vier dagen in de week en dan drie; en daarna kwam de bourbon, de patience, de stiltes waarin hij nadacht over de tralies van zijn kooi. Vervolgens een andere onderneming. Hij was zijn eigen perpetuum mobile.

Soms tobde hij over Justine. Hij wilde helemaal niet zijn zoals hij was, haar jaarlijks of vaker zelfs ontwortelen en Meg naar weer een andere school laten omschakelen. Hij wist dat de buren afkeurend hun hoofd schudden. Het leek wel alsof hij leed aan een soort chronisch mishagen dat kwam en weer verdween als malaria, en de enige manier om dat gevoel kwijt te raken was om steeds méér feiten in zijn hoofd te pompen, zijn hersens voor steeds nieuwe verrassingen te plaatsen. Vreemdsoortige stukjes informatie, die hij had overgehouden aan al zijn baantjes zaten als klitten aan hem vastgeplakt. Hij kon een Toggenburger geit van een Saaner geit onderscheiden; van een teckel, waarvoor een Schots geruit dekje aangeschaft moest worden met bijpassende Sherlock Holmes-pet, kon hij met één oogopslag de maat opnemen. Hij was een autoriteit op het gebied van yoghurt maken en het uitroeien van breedbladerig onkruid in het paardebloemseizoen. Hij had ook ontdekt dat iedere winkel, zelfs de meest onwaarschijnlijke, zijn kring van dagelijkse vaste klanten heeft die experts worden – de oudere heren die elkaar naar de kroon steken met hun lijstje van geïmporteerde kaassoorten, de dames die overleggen over het gebruik van iepespint, de tieners die als één man het levensverhaal van iedere popster kunnen opdreunen. Bij de sigarenwinkel konden studenten uren staan praten over die keer dat een legendarische eerstejaars een goed ingerookte en vergeelde, met de hand gesneden meerschuimen pijp bovenop iemands vuilnisbak had gevonden. Gezeten op zijn kruk achter de toonbank, met wellustige blik de tekeningen voor zijn pedaal-gedreven vliegmachine bestuderend, zoog Duncan deze onsamenhangende feiten op als een spons. Het deed er niet toe dat hij er niets mee deed. En nu stond hij op het punt om weer andere dingen te leren, temidden van deze oude navigatie-instrumenten en gebarsten, door het weer aangetaste lantaarns en snoeren amber kralen, die eruit zagen als half afgezogen boterbabbelaars.

'Dit is kalium melkzuurzout,' zei Silas, en tikte tegen een bruine fles die op het telefoontafeltje stond. 'We gebruiken het om er de oude leren banden van boeken mee te restaureren.'

En hij keek verbaasd naar het plotseling oplichtende gezicht van Duncan.

'En dit bloknoot hou ik altijd bij de hand, het potlood aan een touwtje. Als mensen opbellen om iets te koop aan te bieden, dan kun je hun adres meteen opschrijven. Hier is trouwens een boodschap voor jou.'

Hij scheurde een blaadje van het bloknoot af. *Verslavend Amusement heeft gebeld, kom lunchen eerste zon. in febr.*

'Hè?' zei Duncan.

'Hij zei dat je hem kende. Hij heeft de afgelopen twee dagen vier keer opgebeld. Hij zei dat als je niet kon je hem terug moest bellen, hij staat nog in het boek onder Exotico.'

'Oh ja,' zei Duncan en stak het papiertje in zijn zak. Silas wachtte af, maar Duncan gaf geen nadere uitleg.

'Nou dan,' zei Silas uiteindelijk, 'als je geen vragen hebt – maar ik kom wel langs, ik kom vaak langs, natuurlijk.'

'Natuurlijk,' zei Duncan zuchtend, maar Silas was al weer steunend onderweg naar beneden en hoorde hem niet.

Verslavend Amusement, dat vorig jaar *Exotico nv* heette en het jaar daarvoor *Alonzo's Fantastische Feesttent*, was gelegen in een stuk weiland even buiten Parvis, Maryland. Het was een soort kruising tussen een kermis en een circus – een dorpskermis dan, maar ze bleven niet lang in één dorp staan en reisden heel wat af. Ze trokken van het ene gat naar het andere, en zorgden voor de feestvreugde gedurende dorpsfeesten, of voor de opluistering van school- en kerkbazaars, de braderieën van welkomstcommissies, en de feestelijke openingen van een nieuw winkelcentrum. Tussen het reizen door streek het gehele gezelschap in caravans neer in het weiland, waarvan een oranjekleurige tent met vlaggetjes het middelpunt vormde. Ze werkten het hele jaar door. Zelfs hartje winter kwam *Verslavend Amusement* door het beijzelde platteland van Maryland getrokken waar ze maar ontboden waren. Tot hun attracties behoorden botsautootjes, twee ponies, een tentje voor frisdranken, een paar eenvoudige gokspelletjes wanneer die door de plaatselijke autoriteiten goedgekeurd werden, en vijf meisjes in niet geheel smetteloze glimmende kostuums om de spelletjes te leiden. Er was ook een draaimolen. Die was moeilijk te vervoeren en er was altijd iets mee aan de hand, de machine haperde, of de dieren vielen om, maar Justine vond het de machtigste draaimolen die ze ooit had meegemaakt. Hij speelde maar één deuntje: *The St. James Infirmary Blues*. Iedere keer dat Justine die melodie door de lucht hoorde zweven moest ze er een ritje op maken, het kon haar absoluut niets schelen dat ze daar eigenlijk te oud voor was. Dan zat ze op een lachend wit paard en hield zich stevig aan de manen vast terwijl ze zelf lachte of af en toe huilde, want de muziek was zo blikkerig en zoet dat ze terugverlangde naar de tijd vóór ze geboren werd. En altijd wanneer ze Alonzo Divich tegen kwam, aan wie de draaimolen en alle andere toestellen toebehoorden, dan floot hij *The St. James Infirmary Blues* als een herkenningsmelodie. Hij en de draaimolen: twee onhandige, hoopvolle, opgewekte schepsels, die voortploeterden waar je het minst verwachtte ze aan te treffen.

Hij was aan het fluiten toen Justine en Duncan aankwamen; ze konden hem op het gehoor vinden. Ze lieten hun auto aan de rand van het veld staan en baanden zich een weg over de bevroren stoppels naar de caravans, die om de tent heen gegroepeerd stonden in een kille, dichte kring als huifkarren klaar voor een aanval van Indianen. In het voorjaar, wanneer alles op het platteland in bloei stond, zou een dergelijk bestaan plezierig kunnen zijn, maar vandaag niet. Vandaag werd alles verlicht door een ziekelijk bleek winterzonnetje, de bewoners hadden zich in hun caravans opgesloten en de ponies lieten hun hoofd hangen. 'Ach, die arme schepsels!' riep Justine uit, en ze had dezelfde gevoelens voor een oranje rups die opgevouwen op zijn vrachtwagenbed lag als een het verkreukelde jong van een dinosaurus. Maar het gefluit zweefde, vrolijk als ooit tevoren, achter een ploegenstal vandaan en toen ze om de stal heengelopen waren troffen ze Alonzo Divich daar aan; kou noch eenzaamheid noch tijd hadden vat op hem gekregen. Hij zat op een grote kei een zweep te vlechten van ongelooid leer – een grote, donkere man met een zwarte hangsnor en treurige ogen. Hij had bonte kleren aan, die allemaal een beetje vuil en vettig waren en te krap zaten over zijn buik, in zijn kruis en onder zijn armen: een roze overhemd, een geweven Mexicaans vest, een suède werkbroek en verfomfaaide laarzen. Toen hij opstond om hen te omhelzen, rook hij naar leer en honing. 'Hé!' zei hij tegen Justine. 'Maar je bent totaal niet veranderd! Je draagt nog steeds dezelfde muts! Zit die aan je hoofd vastgegroeid?'

Hij sprak zonder accent – alleen had hij een merkwaardige zekerheid in zijn manier van spreken. Maar hoe kwam hij dan aan die verbasterde naam, aan zijn teint, aan zijn blinkende gouden kiezen en aan zijn gewoonte om andere mannen te omhelzen zonder de minste gêne? Justine had hem eens ronduit gevraagd, waar hij vandaan kwam. 'Jij bent waarzegster, jij zou het moeten weten,' had hij gezegd.

'Ik kan in de toekomst kijken, niet in het verleden,' had ze geantwoord.

'Nou, het verleden zou gemakkelijker moeten zijn!'

'Maar dat is niet zo. Het is veel ingewikkelder.'

Toch had hij het haar nooit verteld.

Hij liep voor hen uit naar de tent, waarin stoelen om lange vergadertafels op wielen stonden. Dit was de gemeenschappelijke ruimte van het gezelschap, hoewel het er in het koude weer bijna leeg was. In een hoek was een blonde vrouw, die een broek aan had en goudkleurige pantoffels en verschillende truien over elkaar, een miniatuur poedel aan het kammen. Twee mannen in overall zaten aan een tafel koffie te drinken uit groene mokken, maar ze gingen weg toen Alonzo binnenkwam. 'Ach, ga nou niet weg,' zei hij, terwijl hij achter hun rug met zijn arm zwaaide. Hij zette stoelen klaar aan de middelste tafel en ging zelf aan het hoofd zitten. Bijna onmiddellijk verscheen er een donkere oude vrouw die een tafellaken over de tafel legde. Vervolgens bracht ze een fles en drie kleine glaasjes, die ze voor Alonzo neerzette. Hij schonk de glaasjes precies tot de rand vol. De oude vrouw kwam weer terug met kartonnen borden, plastic vorken en toen met schalen met rijst, stukken vlees in tomatensaus, aubergine, kip besprenkeld met een vreemde rode poeder, gerimpelde zwarte olijven, kommen met bietensoep en stukjes komkommer in yoghurt, grote platte boterhammen en karaffen met limonade. Damp rees op uit de schalen en uit Alonzo's mond terwijl hij praatte in de koude, naar rubber ruikende lucht. 'Ga je gang, tast toe. Duncan eerst, die is magerder dan ooit. Hij wordt zo dun en lang als een korenaar. Hoe lang ben je, Duncan?'

'Een meter vijfennegentig.'

'Een dubbele portie rijst voor Duncan, Nana!'

De oude vrouw schepte een berg op Duncans bord.

'Rijst voorkomt hartaanvallen, beroertes en impotentie,' zei Alonzo.

'Het zit 'm in de thiamine,' zei Duncan.

'Nog wat slibowitz?'

'Ach, waarom niet.'

Justine at alles op wat ze opgediend kreeg en nam ook voor de tweede en derde keer toen haar dat aangeboden werd, aangespoord door de goedkeurende blik van de oude vrouw die met haar handen onder haar schort gevouwen achter Alonzo's stoel stond. Het waren voornamelijk Alonzo en Duncan die dronken, en Alonzo had Duncan in een vroeg stadium al ingehaald en een paar stukken brood met vlees en rijst erop naar binnen gewerkt, terwijl hij aan één stuk door praatte. 'Toen ik hoorde dat jullie weer terug naar Maryland gingen verhuizen dacht ik, nou, dan kan ik wel even wachten. Ik had een bepaald aanbod gekregen en dat was ik aan het overwegen. Maar daar hebben we het later wel over. Ik dacht, hoe kan ik Justine nou bereiken? Toen ontving ik jullie kaart. Dat was een grote opluchting voor me.'

Hij leunde achterover en vouwde zijn handen over zijn buik, zijn gezicht de kleur van boter in het licht van de tent. Alonzo was een gelukkig man, maar hij klaagde altijd alsof hij voortdurend probeerde een jaloerse god op een dwaalspoor te brengen. Hoewel hij van zijn kermiszaakje hield, zei hij dat alleen een gek met zoiets doorging. 'Moet je je voorstellen,' zei hij altijd, 'er zijn mensen die denken dat dit leven romantisch is, zo van dansen rond de wagens in de nacht. Als ze eens in mijn laarzen stonden! Je moet alles tegelijk zijn: monteur, advocaat, boekhouder. Al dat opbouwen en afbreken van de toestellen en de reparaties en de verzekeringspremies. Ik word gewoon door mijn verzekeringsagent bestolen. Ongevallen verzekering en risicodekking tegen ziekte, brand, diefstal en de Voorzienigheid. Dan heb je nog sociale lasten, op zichzelf al een heel probleem als je al die werknemers die komen en gaan in aanmerking neemt en de zwangerschappen en de meisjes die ineens weer willen gaan afstuderen. En in iedere stad moet je opnieuw onderhandelen, in sommige plaatsen is zelfs een ballentent verboden, en dan zijn er nog de veiligheids-inspecteurs en de politie en de kerk die een schaal met petit-fours op je hot-dog karretje neer wil zetten . . .'

Hij had het tegen Duncan; met mannen kon je het beste over zaken praten. Maar het was Justine die hij aan het eind van de maaltijd met zich meetroonde, haar bij de arm pakkend met een grote, warme duim en wijsvinger. 'Mag ik even?' vroeg hij aan Duncan. 'Alleen maar voor de tijd die het duurt om te voorspellen wanneer ik miljonair word.'

Duncan zei: 'Heb je nog steeds dezelfde monteur in dienst?'

'Lem? Zonder hem zou ik hier toch niet zijn? Hij woont in de paarse caravan. Hij weet dat je zou komen; loop maar naar binnen.'

Alonzo liep met gebogen hoofd, Justine nog steeds aan haar arm vasthoudend. 'Je moet de rommel excuseren,' zei hij. 'Er wonen op het ogenblik te veel mensen bij me. Mijn vrouw is bij me weggelopen, maar één van haar kinderen is bij me gebleven om me gezelschap te houden. En Bobby ook. Je hebt Bobby wel eens ontmoet, hè, mijn stiefzoon. Eigenlijk is hij de stiefzoon van mijn vierde vrouw, de zoon van haar ex-man bij een vrouw in Tampa, Florida. Wil je een kopje Turkse koffie?'

'Dank je,' zei Justine, en ze betrad de kleine groene caravan. Hoewel het er volstond, was het er netter dan bij haar thuis, de potten en pannen op een rij in het kleine keukentje en de kasboeken opgestapeld aan het ene eind van het ribfluwelen divanbed. Er stond een koffietafel die er leeg uitzag, alsof hij net opgeruimd was. Hij streek er nu met beide handen over. 'Voor de kaarten,' zei hij.

'Dank je,' zei Justine.

Ze ging op het divanbed zitten. Ze trok haar bemorste jas uit, hoewel het zelfs hier koud was. Ze nam de kaarten in hun zijden doek uit haar tas.

'Waar heb je die zijde vandaan?' vroeg Alonzo. (Dat vroeg hij altijd.)

'Die kreeg ik bij de kaarten,' zei ze, terwijl ze ze uitpakte. Ze schudde ze verschillende keren, terwijl ze door het raampje van de caravan naar de blauwe lucht keek.

'En van wie heb je de kaarten gekregen?'

'Coupeer je even?'

Hij coupeerde. Hij ging tegenover haar zitten en keek haar nuchter aan vanonder zijn krullende zwarte wenkbrauwen, alsof hij zijn toekomst van haar gezicht kon aflezen.

Justine had Alonzo Divich voor de eerste keer ontmoet op een kerkbazaar in 1956, toen ze de toekomst voorspelde in de kelder van de zondagsschool. Zij was ingedeeld bij de winkeldochters en de planten; zijn kermis stond buiten. Hij kwam binnen om zich de toekomst te laten voorspellen. Hij was een van die mensen, zag ze, die verslaafd waren aan het willen weten wat de toekomst hun te bieden had. Wanneer hij een uurtje vrij had, een korte pauze in een of ander dorp of een stille tijd in zijn werk, dan ging hij op zoek naar de plaatselijke helderziende. Als er vijf plaatselijke helderzienden waren, des te beter. Dan ging hij naar alle vijf. Dan luisterde hij met ingehouden adem. Hij had zijn toekomst laten voorspellen, vertelde hij Justine, door meer dan duizend vrouwen, en het was nog geen een keer goed gegaan. Hij liet ze niet alleen in de kaarten kijken, maar ook naar zijn handpalmen, zijn schedel, zijn moedervlekken, zijn nagels, zijn dromen, zijn handschrift, zijn theebladeren en koffiedik. Hij was naar astrologen geweest, naar fysiognomen, niet te vergeten specialisten in bibliomancie, clidomancie en ouija-borden en naar kristallen bollen-tuurders. Een vrouw in Montgomery County had een vechthaan maïs laten pikken uit een kring van letters; een vrouw in Georgia bestudeerde het opkringelen van de rook uit een vuur en weer een andere had gesmolten was in koud water laten vallen, waardoor zich kleine bultige voorwerpjes vormden, die ze beweerde te kunnen interpreteren. In York County had hij zelf gerstekoekjes moeten bakken, die vervolgens verbrokkeld werden en bestudeerd onder een vergrootglas. En in een moeras vlakbij St. Elmo had een zeer oude vrouw voorgesteld om een rijstrat te doden en zijn ingewanden te bekijken, maar hij had gedacht dat zoiets juist ongeluk zou kunnen brengen.

Hij had dit allemaal al eens een keer aan Justine verteld, naar haar voorover gebogen over de tafel in haar door een gordijn afgeschermde hokje terwijl een file kerkdames buiten op hun beurt stonden te wachten. Hoewel ze zich er niet van bewust was, droeg haar gezicht de uitdrukking van een dokter die hoort dat zijn nieuwe patiënt vóór hem al veertig andere dokters heeft geconsulteerd, zonder enig succes. Dat gaf haar een air van wijsheid. Alonzo had voor zichzelf uitgemaakt dat zij een uitzondering zou blijken te zijn. 'Dame,' had hij gezegd, terwijl hij zijn handpalm naar boven hield, 'geef mij het antwoord op mijn probleem. Ik heb het gevoel dat u dat kunt.'

'Wat is uw probleem?'

'Weet u dat niet?'

'Hoe zou ik dat kunnen weten?'

'U bent de waarzegster.'

En zo moest Justine dus de speech afsteken die ze vaker had gehouden dan ze kon natellen, en nog vele malen zou moeten houden, zelfs voor hem. 'Ik kan geen gedachten lezen,' zei ze, 'en ik kan niet raden wat u wilt vragen, of waar u vandaan komt of wat dan ook uit uw verleden. Ik voorspel de toekomst. Ik bezit de gave om veranderingen te voorspellen. Als u me helpt, dan kunnen we samen naar een antwoord zoeken; maar ik ben niet van plan u te slim af te zijn.'

'Ik zit met het volgende probleem,' zei Alonzo onmiddellijk. En hij ging op een stoel van de zondagsschool zitten en zette zijn hoed af – een heetgebakerde ongedurige man, zwart en hel en bont als een vuur dat iedere seconde in alle richtingen kon uiteenwaaien. 'Ik heet Alonzo Divich,' zei hij tegen haar. 'Ik heb een kermis.' Hij stak zijn duim op in de richting van de draaimolenmuziek boven hem, *The St. James Infirmary Blues* die opsteeg tussen de schreeuwende kinderen en hot-dog venters en te midden van de tieners die zich vastklemden in het reuzenrad. 'Ik ben gescheiden, en ik heb een kind. Nu heb ik een rijke vrouw ontmoet die met me wil trouwen. Ze kan ook goed met het kind opschieten. Ze wil zelfs in de caravan komen wonen. Ik hoef voor haar niets in mijn leven te veranderen. En ik ben dol op trouwen. Ik ben dol op getrouwd zijn, ik heb het al twee keer geprobeerd. Wat is nu het probleem? Dezelfde dag dat we over trouwen praten, precies op die dag, komt er een man langs die ik gekend heb en die vraagt me of ik mee ga op zoek naar goud bij een meer in Michigan. Hij vertelt me dat hij op een goed spoor zit. Dat hij en ik rijk kunnen worden. Maar dan is er natuurlijk het kind, en de machines met een hypotheek erop, en de vrouw die niet van Michigan houdt. Wat moet ik doen?'

Justine zat met open mond te luisteren. Toen hij klaar was zei ze onmiddellijk: 'Goud gaan zoeken.'

'Hè? En de kaarten dan?'

'O, de kaarten,' zei ze.

Ze liet hem couperen en ze legde uit, haar prachtige kaarten die zo slap en vet waren als de linnen prentenboeken uit haar kindertijd. Ze koos de eenvoudigste figuur die ze kende. Terwijl hij ademloos over de tafel hing legde ze uit wat het allemaal betekende: een voorspoedige reis, reünie met een vriend, een plezierige verrassing en van geld was geen sprake.

'Aha,' zei hij en ze keek hem aan. 'Gelukkig maar dat ik u tegen het lijf ben gelopen. Geen geld.'

'Meneer –'

'Divich. Noem me maar Alonzo.'

'Alonzo, zou je het alleen voor het geld doen?'

'Och, maar –'

'Ga toch maar! Toe maar! Je moet *niet* zo blijven zitten dubben!'

Toen legde ze zijn geld weer met een klap in zijn handpalm terug, omdat ze verder ook niet wist hoe ze hem kon laten weten wat ze ervan dacht. En ze raapte haar kaarten weer bij elkaar zonder naar hem te kijken, hoewel hij nog een minuut bleef zitten wachten.

Er verstreken vier jaren voordat ze Alonzo opnieuw zag. Op Onafhankelijkheidsdag in 1960 zette ze haar hokje neer bij een barbecue picknick in Wamburton, Maryland. Niemand leek erg geïnteresseerd in de toekomst. Uiteindelijk pakte ze haar kaarten weer in en ging een wandelingetje maken in de richting van het rechtsgebouw, waar de ritjes rondzoefden en de draaimolen de *St. James Infirmary Blues* in zachttrillende darmsnaargeluiden speelde, die haar onweerstaanbaar naar zich toetrokken. Ze liep in de richting van de houten paarden. En daar, naast het grootste paard – alsjemenou, Alonzo Divich! – die zijn gezicht afwiste met een rode zakdoek en stond te bekvechten met een monteur. Pas toen ze vlakbij was draaide hij zich om en zweeg middenin een zin en staarde haar aan. 'Jij!' zei hij. Hij pakte haar pols beet en trok haar met zich mee naar een bank waar de muziek niet zo hard klonk. Ze liep mee, haar muts vastklampend. 'Weet je wel hoe lang ik er over gedaan heb om je te vinden?' schreeuwde hij.

'Wie, mij?'

'Hoe vaak verhuis je? Ben je soms in je eentje een reizende show? Eerst heb ik bij de kerk gevraagd, wie was die waarzegster? "Oh, *Justine*," zeiden ze. Iedereen kende je, maar ze wisten niet waar je woonde. En tegen de tijd dat ik *daar achter* gekomen was, was je verhuisd en wist niemand je nieuwe adres. Waarom? Had je geldschulden? Laat maar zitten. Ik heb al je vriendinnen achtervolgd en hoopte dat je brieven zou schrijven. Maar dat deed je niet. Toen zeiden ze, bij de sigarenwinkel waar je man heeft gewerkt –'

'Maar waarvoor had je me nodig?' vroeg Justine.

'Om me de toekomst te voorspellen, natuurlijk.'

'Dat *heb* ik toch al gedaan?'

'Ja, terug in negentienzesenvijftig. Dacht je dat mijn leven zo stabiel was? Dat geldt niet meer.'

'Oh. Nou, nee,' zei Justine, die inzag dat het wat hem betrof zeker waar was. Ze stak haar hand in haar tas – in die tijd was dat een leren buidel stukgebeten door de jonge hond van een buurvrouw – en haalde de kaarten eruit. 'En je bent zeker niet naar goud gaan zoeken,' zei ze.

'*Zie* je wel dat je ook in het verleden kunt kijken?'

'Doe niet zo gek. Je bent hier in Maryland; het is duidelijk als wat.'

'Nee, ik ben niet gegaan. Ik heb erover nagedacht. Mijn instinct zei dat ik jouw advies moest opvolgen, maar daar heb ik niet aan toegegeven. De rest weet je.'

'Nee.'

'Jawel. Ik ben met de weduwe getrouwd,' zei hij, 'die een grote teleurstelling bleek te zijn. Ze had helemaal geen geld en ze werd zenuwachtig van mijn kind en wat ze eigenlijk wilde was een groepje buikdanseressen in dienst nemen met haar als de ster. Nou vraag ik je, buikdanseressen, terwijl in de helft van de dorpen onze schiet- en ballentent meisjes truien aan moeten trekken! Ik zei, geen sprake van. Toen is ze bij me weggelopen. Ik heb niets van mijn vriend in Michigan gehoord, maar ik neem aan dat hij intussentijd een hele zak met klompjes goud heeft en nu zit ik hier dus, waar ik altijd heb gezeten, alleen ben ik opnieuw getrouwd – oh je had gelijk! Waar had ik vandaag niet kunnen zijn, als ik naar je geluisterd had!'

'Coupeer de kaarten maar,' zei Justine tegen hem.

'Mijn nieuwe vrouw is zwanger en ik heb al zoveel kinderen,' zei Alonzo. 'Ze is 's morgens misselijk en 's middags misselijk en 's avonds misselijk. Als ik de caravan binnenkom gooit ze fruit en groenten naar m'n hoofd. Ik geloof niet dat we elkaar goed liggen. Maar, dat is mijn probleem niet, nee . . .'

Wat dan wel zijn probleem was geweest kon Justine zich nu niet eens meer herinneren. Er zaten zo veel jaren tussen, ze had zoveel figuren voor hem uitgelegd op parkbanken, tentvloeren en caravan-meubels. Toen hij haar eenmaal gevonden had, verloor hij haar nooit meer uit het oog. Hij voorzag haar van reeds gefrankeerde adreswijzigingen die al bijna helemaal ingevuld waren, behalve het nieuwe adres. Hij adopteerde haar hele gezin en onthulde voor Duncan alle geheimen van zijn dieselmotoren en zijn gesponnen suiker machines en de kansberekening bij gokspelletjes, bracht voor Meg prullerige circusprijzen mee toen ze nog een kind was, behandelde de verbijsterde grootvader met veel vertoon van ouder-wets respect en stuurde Justine iedere Kerst een grote beschimmel-de Smithfield Ham. Hij was in staat om de halve provincie door te rijden om haar één enkele vraag te stellen en haar dan belachelijk veel te betalen als ze die beantwoord had. Hij betreurde haar ver-huizingen naar Virginia en Pennsylvania en was in de wolken toen ze weer veilig en wel in Maryland terug was. Hij klopte op de meest onverwachte tijden bij haar aan en als hij haar niet thuis trof dreigde hij in elkaar te storten. 'Ik moet zekerheid hebben,' riep hij dan uit tegen Duncan of Meg. 'Zo kan ik niet verder, ik ben totaal van haar afhankelijk!'

Maar het eigenaardige was (Justine had het al zo vaak meege-maakt, dat ze zich er niet meer over verbaasde), dat hij haar advies zelden opvolgde. Neem nou al zijn huwelijken: zeven, bij de laatste telling. Misschien meer. En hoeveel daarvan had Justine aanbevo-len? Geeneen. Hij had toch gewoon zijn zin doorgedreven. Later kwam hij dan terug: 'O, je had gelijk. Ik had het nooit moeten doen. Wanneer zal ik het nou eens leren.' Zijn vrouwen hadden er een handje van om bij hem weg te lopen en de kinderen met zich mee te nemen. Maar vroeger of later kwamen de kinderen weer aanwaaien en er woonden er altijd een paar bij hem in de caravan – zoons en stiefzoons en anderen waarvan hij niet precies meer wist in welke relatie hij tot hen stond. 'Mijn vrouwen zijn er vandoor en ik slaap alleen, maar toch heb ik nog dag en nacht drie kinderen die aan me klitten. Volgende keer zal ik goed luisteren naar alles wat je zegt, ik zal je advies tot op de letter opvolgen,' zei hij.

Dat zei hij nu ook, bijna zeventien jaar na de dag dat hij voor het eerst haar advies in de wind had geslagen, terwijl Justine de kaarten op de koffietafel in de caravan legde. 'Ik zal alles doen wat je zegt deze keer,' zei hij.

'Ja, ja,' zei ze.

Ze boog zich dieper voorover en tuurde naar de kaarten. 'Geld en een jaloerse vrouw. Je gaat toch zeker niet weer *trouwen*.'

'Nee, nee.' Hij zuchtte en streek over zijn snor. 'Wie wil er nu nog met mij trouwen? Ik word oud, Justine.'

Even dacht ze dat ze hem verkeerd verstaan had.

'Ik ben tweeënvijftig,' zei hij. 'Staat dat ook in je kaarten te lezen?'

Het was de enige concrete mededeling die hij ooit had gedaan. Om een of andere reden daalde hij daardoor in haar achting. Had Alonzo een *leeftijd*? Toen ze hem voor het eerst ontmoette moest hij dus vijfendertig geweest zijn – een jonge, onstabiele leeftijd voor een man, maar Alonzo was nooit jong of onstabiel geweest. Ze keek naar hem en zag hier en daar wat wit door zijn haar gespikkeld en er waren diepe groeven die van zijn snor omhoog liepen. Toen hij naar haar glimlachte, kwamen er rimpels bij zijn ooghoeken. 'Zeg, Alonzo,' zei ze.

'Ja?'

'Zeg –'

Maar ze wist niet wat ze wou zeggen. En Alonzo trok ongeduldig aan zijn manchetten en ging op het randje van zijn kruk zitten. 'Nou, laat dat maar zitten,' zei hij. 'Schiet maar op met mijn probleem.'

'Vertel me maar waar je mee zit.'

'Zal ik mijn zaak aan mevrouw Mosely verkopen?'

'Wie is mevrouw Mosely?'

'Wat doet dat er toe? Een rijke vrouw in Parvis, gescheiden, wil een of ander zaakje dat anders is dan haar vriendinnen hebben.'

'De jaloerse vrouw.'

'Niet op mij.'

'*Afgunstig* jaloers.'

'Ze draagt een jodphur-rijbroek,' zei Alonzo, zijn hoofd schuddend.

Justine wachtte af.

'En?' zei hij.

'En, wat?'

'Zal ik mijn spullen verkopen of niet? Dat is wat ik je vraag.'

'Maar je hebt nog niet gezegd wat het alternatief is,' zei Justine tegen hem. 'Waar *voor* zou je het verkopen? Sluit je je aan bij een andere goldrush?'

'Nee, ik had iets rustigers op het oog. Ik heb een vriend die in de handel zit, die kan wel iets voor me versieren.'

'*Handel*?'

'Wat mankeert daar nou aan?'

'Ik zal de kaarten even moeten bestuderen,' zei Justine en ze boog zich er weer over en liet haar voorhoofd in haar hand rusten.

'Dit leven is moeilijk, Justine,' zei Alonzo tegen haar. 'Die tent daarbuiten kost vijfduizend dollar en die gaat zes jaar mee. Ik moet een groot bedrag aan staanrecht betalen, maar er is een woonwagen verordening in Maryland zodat we hier *moeten* wonen, het wordt te duur om alles steeds ergens anders op te zetten. En af en toe betalen mensen me niet of blijven de klanten weg door het weer of is een van de draaimolens doorgeroest precies op het moment dat hij afbetaald is. Er zijn zo veel mensen waar ik verantwoordelijk voor ben. En altijd die kinderen ook nog. Snap je dat nou niet?'

'Ja, ja.'

'Waarom zit je dan zo lang naar die kaarten te turen?'

'Omdat ik niet weet wat ik erover zeggen moet,' zei ze, en ze legde haar wijsvinger op de harten zes en dacht een ogenblik na. 'Ik zie de vrouw en het geld, maar verder is alles vaag. Geen plotseling fortuin en geen rampen. Een paar kleine veranderingen in je nadeel, een vriendschap die afgebroken wordt, maar verder is alles gewoon – zwak.'

'*Zwak*?' zei Alonzo.

Ze keek hem recht in het gezicht. 'Alonzo,' zei ze, 'verkoop je zaakje niet.'

Ze liet het aan hem over om uit te maken of zij voor zichzelf gesproken had dan wel dat de kaarten gesproken hadden.

In de namiddag, toen de zon feller ging schijnen, gingen ze buiten zitten op een in elkaar gezakte sofa en keken ze naar twee van Alonzo's opgeschoten zoons die een honkbal naar elkaar toe gooiden in het hoge gras achter de caravan. Een meisje stond luiers op te hangen en een man was de wielen van zijn Studebaker aan het verwisselen. In het veld achter de honkballers waren Duncan en Lem aan het knoeien met een machine-onderdeel. Het werd eigenlijk tijd dat ze weer moesten opstappen, maar Duncan zei dat deze machine iets heel aparts was. Hij wilde er een soort draaimolen voor uitvinden. En de zon verwarmde haar hoofd recht door haar muts heen en de handige wending van de honkbalhandschoen en het geklap van leer op leer suste haar in een trans.

'Als ik president was zou ik geen lijfarts in het Witte Huis aanstellen, maar jou, Justine,' zei Alonzo. 'Dan kon je iedere ochtend voor de vergadering met het Kabinet de kaart voor me leggen.'

Ze glimlachte en leunde haar hoofd achterover tegen de bankleuning.

'Tot het zover is kun je alvast bij me in dienst komen bij de kermis. *Waarom* zeg je toch altijd nee? Coralette, die de stand met frisdranken beheert, die neemt gewoon haar man en kinderen mee. Die blijven in de caravan en lezen stripverhalen.'

'Duncan houdt niet van stripverhalen,' zei Justine.

Ver weg in het weiland hief Duncan een kettingblad omhoog in zijn magere, zwarte hand en zwaaide ermee naar haar.

'En Meg, die is al groot? Ze gaat niet meer met jullie mee op visite?'

'Ze gaat nergens meer heen met ons,' zei Justine treurig. 'Ze studeert maar en ze werkt heel hard. Ze is vreselijk nauwgezet. Andere meisjes dragen spijkerbroeken, maar Meg getailleerde jurken en ze poetst iedere zondagavond haar schoenen en wast iedere maandag en donderdag haar haar. Ik geloof niet dat ze veel met ons op heeft. Om je de waarheid te zeggen, Alonzo, ik geloof ook niet dat ze een hoge pet op heeft van kermissen of waarzeggen of verhuizen zoals wij dat doen. Niet dat ze dat zegt. Ze houdt zich er heel goed onder, echt waar, ze is zo stil en ze doet alles wat we zeggen. Ik vind het vreselijk om te zien hoe ze soms haar hoofd laat hangen.'

'Meisjes zijn moeilijk,' zei Alonzo. 'Gelukkig heb ik er niet zo veel.'

'Ik geloof dat ze verliefd is op een dominee.'

'Op een wat?'

'Nou ja, een assistent-dominee eigenlijk.'

'Maar toch,' zei Alonzo.

'In Semple ging ze naar de kerk. Ze is gelovig. Heb ik je dat al verteld? Ze ging op een zondagavond naar een jeugdclub. Toen begonnen ze samen naar lezingen en discussie-avonden en leerzame dia-vertoningen te gaan – alles buitengewoon netjes, maar ze is nog maar zeventien! En ze nam hem mee naar huis om hem aan ons voor te stellen. Het was verschrikkelijk. We zaten met z'n allen in de woonkamer. Duncan zegt dat ze het recht heeft om te kiezen wie ze wil, alleen hij denkt niet dat zij deze man heeft gekozen, maar dat ze hem gewoon heeft aanvaard. Als een middenweg. Dat kan toch niet anders, met zo'n gedweeë en nietige man? Hij is een van die types met een witte glanzende huid, die zich tweemaal per dag moet scheren. Duncan zegt –'

'Maar toch altijd nog beter dan een steile-wand-rijder. De dochter van mijn eerste vrouw is met een steile-wand-rijder getrouwd.'

'Ik zou ook liever een steile-wand-rijder nemen,' zei Justine. Toen slaakte ze een zucht. 'Ach, niemand vindt de jongens met wie hun dochter uitgaat leuk.'

'Dat is waar.'

'Toen ik met jongens begon uit te gaan heeft mijn vader me een keer in mijn kamer opgesloten.'

'Ja?' zei Alonzo. Hij kneep zijn ogen toe en volgde de boog die de honkbal maakte tegen de zon in.

'Ik werd verliefd op mijn neef.'

'O, jee.'

'Mijn *nutteloze* neef, bovendien. Hij dronk en ging de hort op. Hij heeft jaren een vriendinnetje gehad die Glorietta heette, die altijd rode kleren droeg. Mijn tantes en mijn moeder begonnen altijd te fluisteren als ze het over haar hadden, alleen al bij het noemen van haar naam, Glorietta de Merino.'

'Ah, Glorietta,' zei Alonzo, en leunde achterover met zijn gezicht naar de zon gericht en zijn laarzen voor zich uitgestrekt. 'Ga door.'

'Hij haalde allemaal onvoldoendes op school en hield met zijn studie na het eerste jaar op. Als je hem nodig had was hij onvindbaar. En ik, ik was nog maar een kind. Ik probeerde zo braaf mogelijk te zijn. Kun je geloven dat ik nog nooit leverworst had geproefd toen ik twintig was?'

'Leverworst,' zei Alonzo lui.

'Omdat ze dat bij ons thuis toevallig niet aten. Niet dat er iets mee aan de hand was of zo, maar ze dachten er gewoon niet aan om het in de winkel te bestellen. Ik wist niet eens dat er zoiets als leverworst *bestond*! De eerste keer dat ik het kreeg heb ik er een heel pond van opgegeten. Maar dat was later. Ik werd verliefd op mijn neef en maakte tochtjes met hem en reed in zijn onveilige auto en moest in mijn kamer opgesloten worden. *Toen* ontdekte ik leverworst.'

'Maar wat is er van hem geworden?' vroeg Alonzo.

'Van wie?'

'De neef.'

'Oh,' zei Justine. 'Nou ik ben met hem getrouwd. Over wie dacht je dat ik het had?'

'Duncan?'

'*Natuurlijk* Duncan,' zei Justine en ze ging weer overeind zitten en hield haar handen boven haar ogen. 'Neef Duncan de Deugniet,' zei ze lachend, en zelfs Alonzo, rozig en zwaar van de zon, kon zien hoe blij ze keek toen ze Duncans sprieterige gouden hoofd ontwaarde, dat boven het onkruid glinsterde.

VIER

Duncan en Justine hadden een gemeenschappelijke overgrootvader die Justin Montague Peck heette, een man met een strenge blik en weinig gevoel voor humor, die fortuin maakte met het importeren van koffie, suiker en mest aan het eind van de negentiende eeuw. Elke zomerdag rond 1870 kon je hem aantreffen op de oude Handelsbeurs in Gay Street, waar hij een van zijn lange zwarte sigaren rookte om zich tegen geelzucht te beschermen en wachtte op nieuws over zijn schepen dat werd doorgegeven vanuit de uitkijktoren op Federal Hill. Waar hij oorspronkelijk vandaan kwam was niet zeker, maar hoe rijker hij werd, hoe minder dat ertoe deed. Hoewel hij nooit werd geaccepteerd in de betere kringen van Baltimore, die zelfs toen al bekrompen en afgestompt waren, werd hij toch met respect behandeld en vroeg men hem vaak om advies inzake financiële beslissingen. Er werd zelfs eens een korte straat naar hem genoemd, die echter later van naam werd veranderd om een politicus te gedenken.

Toen Justin Peck vijftig jaar oud was kocht hij een door esdoorn bomen overschaduwd stuk land in wat toen het noordelijke gedeelte van de stad was. Hij bouwde er een hoekig huis op, met talloze schoorstenen en afgezet met balken van donker, van olie doordrenkt hout. Hij stouwde het vol met goudkleurige eiken meubelen en Oosters traliewerk, kroonluchters waarvan het kristal afdruppelde, wijnkleurige fluwelen canapé's met knopen voor en achter op de rug, zware schilderijen die voorover leunden, urnen met tierelantijnen, vingerdoekjes, standbeelden, bric-à-brac, grote bolvormige lampen die op kleedjes met kwasten stonden, en Perzische tapijten schuin over elkaar heen gelegd. Toen trouwde hij met Sarah Cantleigh, de zestienjarige dochter van een andere importeur. Er is niets bekend van hun verlovingstijd, als ze die hadden, maar haar trouwportret staat nog steeds in een eetkamer in Baltimore: een meisje met een kinderlijk gezicht waarop weerzin en terughoudendheid staat te lezen, wat wordt geaccentueerd door de mode van die dagen met de rugwaartse lijnen en de sleep aan de achterkant van de rok.

In 1880, slechts negen maanden na de huwelijksdag, stierf Sarah Cantleigh in het kraambed, toen Daniël geboren werd. In 1881 hertrouwde Justin Peck, ditmaal met iemand van een sterker geslacht – de dochter van een Duitse messenmaker, Laura Baum genaamd, die Daniël verloste uit handen van de oude vrijgemaakte slavin die hem verzorgde. Er was nooit een portret van Laura Baum geschilderd, maar ze leefde zo lang dat zelfs Meg, haar achter-achter-stief-kleinkind, haar persoonlijk had gekend. Zij was een oppervlakkige vrouw met een rechte rug die haar haar in een knotje droeg. Hoewel ze twintig jaar was toen ze trouwde, zeiden mensen die er bij waren geweest, dat ze meer leek op een veertigjarige. Daar staat tegenover dat ze er ook uitzag alsof ze veertig was toen ze stierf, op zevenennegentigjarige leeftijd. En het was duidelijk dat ze een uitstekende moeder was voor de kleine Daniël. Ze leerde hem lezen en tellen toen hij nog pas drie jaar oud was en ze zorgde er voor dat hij zich onberispelijk gedroeg. Toen Justin voorstelde dat ze de visites aan haar vader met Daniël zou staken stemde ze onmiddellijk toe, en ging er zelf ook niet meer op bezoek hoewel Justin dat niet in zoveel woorden aan haar had gevraagd. (Haar vader was duidelijk een vreemdeling, een mannetje van minne komaf die practical jokes uithaalde. Zijn stoffige rommelige winkeltje bij de haven was een ontmoetingsplaats voor zeelui en ander ruw volk.) 'Knoop dit goed in je oren, Daniël,' zei ze, terwijl ze zijn kraag gladstreek, 'dat je de naam van je familie eer aan doet.' Ze legde hem nooit uit wat ze daarmee bedoelde. Haar zwarte hulpjes lachten dan sissend op de keukentrap en vroegen elkander fluisterend: 'Welke familie? Welke naam? *Peck*?' Maar zij hoorde dat nooit.

In 1885 kreeg Laura zelf een zoon. Ze noemde hem Caleb. Hij was net zo blond als zijn halfbroer, maar zijn schuinstaande bruine ogen moesten er van de Baum-kant van de familie ingeslopen zijn en hij had zijn behagen in lawaai en menigten van zijn grootvader Baum geërfd. Zelfs als baby, in zijn toffeekleurige rieten kinderwagen, werd hij al vrolijk wanneer hij voorbijgangers ontwaarde. Hij was dol op alles wat muziek was – kerkklokken, draaiorgels, het gezang van de straatventers die krab verkochten. Toen hij wat ouder was, ging hij zelf de straat op, met een ijzeren fiets met een bekleed zadel. Met Daniël samen was hij aangewezen op de stoep voor hun huis, maar terwijl Daniël gehoorzaam de *Jeugdvriend* doorbladerde op de trap voor het huis met zijn kuikengele hoofd omlaag gebogen, verdween Caleb vroeg of laat in zuidelijke richting, aangetrokken door de bel van de brandweer of een verzameling mensen of, natuurlijk, de klanken van een straatmuzikant. Hij volgde de blinde harpist en de banjospeler, de wandelende piano waar Italiaanse liedjes uitslingerden en de dame die zong *Het Excuus kwam te laat.* Op een gegeven moment dacht er iemand aan om te vragen: "Waar is Caleb?" Zijn moeder kwam de stoep opgelopen met een waaier van rimpels tussen haar wenkbrauwen. 'Daniël, heb jij Caleb gezien?' En dan moest er naar hem gezocht worden in alle straten die naar de haven leidden. Maar spoedig leerde iedereen het: als je Caleb wilde vinden, dan moest je stil zijn en luisteren. Wanneer je ergens in de verte muziek hoorde, misschien wel zo vaag dat je dacht je het te verbeelden, zo iel dat je dacht dat het 't gieren van de tram in de stad was, maar als je op het geluid afging vond je er Caleb terug, op zijn fietsje, sprakeloos van vreugde, met dansende ogen. De meid raakte dan zijn mouw aan, of Daniël pakte hem bij de hand, of Laura greep hem bij zijn oorlel, terwijl ze mopperde 'Dat ik je hier moet komen halen! Bij een stelletje . . . nou, ik weet niet wat je vader ervan zal zeggen. Ik weet niet wat hij ervan zal vinden.'

Maar ze vertelde het nooit aan zijn vader. Ze dacht misschien dat hij er haar de schuld van zou geven. Soms zou je denken, uit de manier waarop ze zich gedroeg, dat ze bang was voor Justin.

Op zondag gingen de Pecks natuurlijk naar de kerk, en op woensdagavond had Laura haar dameskransje. Op feestdagen kwamen er mensen op visite: Justins zakenrelaties met hun vrouwen en kinderen in gesteven en geplooide kleren. Maar je kon niet zeggen dat de

Pecks *vrienden* hadden, eigenlijk. Ze hielden zich afgezonderd. Ze vertrouwden buitenstaanders niet. Wanneer de gasten vertrokken, maakte het gezin gewoonlijk opmerkingen over het goedkope merk sigaren dat de heren hadden gerookt, of over het beklagenswaardige misbruik van Pompeïsche Blos Rouge van de dames. Daniël luisterde ernaar en leerde hun woorden uit zijn hoofd. Caleb hing uit het raam om een Ierse tenor *Nog Een Lokje Haar voor Moeder* te horen zingen.

Daniël was een lange, onverstoorbare, bedachtzame jongen en van het begin af aan was hij van plan om rechten te studeren. Daarom zou Caleb de importeurszaak overnemen. Ter voorbereiding daarop ging Caleb naar de Salter Academie, waar hij dagelijks met zijn vriend Paul en een paar buurtjongens naartoe liep. Hij deed zijn werk nauwgezet, hoewel zijn moeder soms vermoedde dat hij het niet met hart en ziel deed. Op weg van school naar huis kon iedere voorbijganger hem afleiden; hij knoopte maar al te graag een gesprek aan met allerlei soort uitschot. Hij discrimineerde niet. En hij liep nog steeds achter orgeldraaiers aan. Van zijn zakgeld kocht hij prullerige instrumenten, van fluitjes tot een goedkope viool die een matroos hem aanbood; uit alles kon hij muziek halen. Hij bespeelde deze instrumenten niet alleen op zijn kamer maar ook op straat, als hij niet gesnapt werd en ermee moest ophouden. Meer dan eens daalden er bij vergissing munten op hem neer uit iemands raam. Als Laura erachter kwam werd haar gezicht donker en beval ze hem zich te bedenken hoe hij heette. Ze sloot hem in de zitkamer op, waar hij doorging met het spelen van zijn zorgeloze, zelf verzonnen melodietjes op de massieve piano waarover zijde met franje was gedrapeerd. Ongelukkigerwijs had de Creoolse tuinman, Lafleur Boudrault, hem ragtime geleerd. Schandelijke *neger*muziek. Justin, die thuis in zijn werkkamer de boeken aan het bijhouden was, hief dan het hoofd en luisterde een ogenblikje en keek afkeurend, maar dan maakte hij er zich met een schouderophalen vanaf.

In 1903 slaagde Caleb voor het eindexamen van de Salter Academie. De dag daarop nam Justin hem mee naar zijn kantoor om hem rond te leiden. Tegen die tijd was de importzaak natuurlijk heel anders dan hij aan het eind van de vorige eeuw was geweest. De oude stoomboten met volle uitrusting, die er uit zagen als schoeners met rookpluimen, hadden plaats gemaakt voor moderne schepen, en hun spectaculaire tochten naar Brazilië en Peru en West-Indië waren gestaakt ten gunste van de meer lucratieve kustvaarten, waarbij ze handelswaren naar het noorden vervoerden en grondstoffen naar het zuiden. De Handelsbeurs was afgebroken; Caleb zou zijn dagen in een kantoor boven het pakhuis moeten doorbrengen met de afhandeling van registers en reçus en connossementen. Toch kreeg een jongeman met ambities, Caleb, hier een mooie kans. Caleb?

Caleb wendde zich af van het met roet besmeurde raam waar hij doorheen had staan staren hoewel het van die plek af onmogelijk was om de haven te zien. Hij zei dat hij liever muzikant werd.

Eerst kon Justin het niet vatten. Hij was beleefd geïnteresseerd. Muzikant? Waarom in 's hemelsnaam?

Toen werd hem met een klap in het gezicht de situatie duidelijk en hij hapte naar lucht en zakte in elkaar. Hij tastte naar de stoel achter zich en ging erin zitten en bereidde bittere, striemende woorden voor die zijn afgrijzen en walging en verachting zouden uitdrukken. Muziek was immers – geen man zou er zich serieus mee bezig houden – muziek was voor vrouwen! Voor salons! Hij werd misselijk bij de aanblik van de intense bruine ogen van de jongen. Hij moest zich geweld aan doen om hem niet te verslinden, weer uit te spugen en te trappen op wat er van hem over zou zijn.

Maar er kwamen vreemde ongecontroleerde klanken uit zijn mond.

Hij moest in zijn kantoorstoel weggebracht worden door twee mannen van het pakhuis. Die legden hem in zijn rijtuig en vouwden zijn beide armen over zijn borst, alsof hij al dood was, en toen reed Caleb met hem naar huis. Toen Laura aan de deur kwam trof ze Caleb op de bovenste trede aan met zijn vader in zijn armen als een baby. Maar Justins ogen waren twee harde, flonkerende kiezelstenen en zij kon zijn woede voelen. 'Wat is er *gebeurd*?' vroeg ze, en Caleb vertelde het haar zonder omwegen, terwijl hij zijn last naar boven torste naar Justins hoge gebeeldhouwde bed. Laura's gezicht kreeg de kleur van koffie maar ze zweeg. Ze liet de dokter uit de straat halen door de keukenmeid en luisterde als versteend naar zijn diagnose: een beroerte, veroorzaakt door een of andere schok. Er was niet veel hoop op genezing. Als Justin zou blijven leven, zei hij, dan zou hij hoogstwaarschijnlijk aan een kant verlamd blijven, hoewel het te vroeg was om dat met zekerheid te zeggen.

Toen ging Laura naar beneden naar de zitkamer waar Caleb stond te wachten. 'Je hebt de helft van je vader gedood,' zei ze.

Op maandag ging Caleb aan het werk aan het cilinderbureau.

Intussen was Daniël in record-tijd afgestudeerd aan de universiteit en bereidde zich nu verder voor door te gaan werken bij Norris & Wiggen, een oude respectabele advocatenfirma. Hij bleef thuis wonen en loste Laura vaak af aan het ziekbed van zijn vader, las hem voor uit de krant of uit Laura's enorme Bijbel. Justin lag dan heel stil en met één gebalde vuist, terwijl hij met zijn vurige blauwe ogen naar de muur staarde. Hij was nog steeds aan zijn linkerzijde verlamd. Opeens kon je zien dat hij een oude man was, met levervlekken op zijn voorhoofd en handen als klauwen. Het was net of de helft van zijn gezicht aan het smelten was. Hij had de grootste moeite met spreken en ontstak in woede wanneer men hem verkeerd begreep. Omdat hij het niet kon verdragen dat zijn kwetsbaarheid door de buitenwereld gezien werd (die er onmiddellijk van zou profiteren, daar was hij zeker van), had hij besloten om in zijn slaapkamer te blijven tot hij geheel hersteld zou zijn. Want hij veronderstelde dat hij maar een korte ziekte had die behandeld kon worden en dat zijn herstel werd gehinderd door een erger-dan-nutteloze dokter en een halfwijze vrouw. Daarom nam hij zijn genezing in eigen hand. Hij liet alle ruiten in zijn ramen vervangen door violetkleurig glas, waarvan men beweerde dat het bevorderlijk was voor het genezingsproces. Hij dronk water uit een mok van kwassihout en gaf Laura opdracht om verschillende kwakzalversmiddelen, waarmee in de krant werd geadverteerd, te bestellen – een versterkend middel op basis van selderij, borstsiroop, een levenopwekkende elektrische batterij die aan een ketting om de nek gedragen werd. Hij at uitsluitend eekhoornvlees, het lichtst te verteren. Toch bleef hij plat op zijn rug liggen, werd al bleker en hij kwijnde weg als een gestrande vis.

Elke vrijdagavond kwam Caleb op bezoek om de zaken van die week door te nemen op zachte, effen toon, zijn uiteenzetting gericht tot het voeteneind van het bed. Justin keek naar de muur en deed net of hij het niet hoorde. Het scheen dat Caleb alles adequaat aanpakte, maar nu was het te laat. De tijd daarvoor was voorbij, wat gebeurd was kon niet meer ongedaan gemaakt worden. Justin bleef naar de muur kijken tot Caleb vertrok.

Laura kwam aanzetten met een oud spionnetje – een spiegeltje dat diende om de voorbijgangers beneden op straat te kunnen bespieden. Ze dacht dat hij het leuk zou vinden om op de hoogte te blijven van wat er gebeurde. Maar toen Justin zijn gezicht naar het spionnetje keerde zag hij net Caleb de trap afgaan, vervaagd en verwijderd en van lang geleden door het blauwe glas van de ruiten. Hij zei tegen Laura dat zij die fratsen van haar maar ergens anders mee naartoe moest nemen.

In 1904 verwoestte de Grote Brand het hart van Baltimore en maaide alle hoge gebouwen in de stad weg alsook de meeste kantoren, dat van Justin Peck niet uitgezonderd. Toen het vuur uitgewoed was stond Justin erop om de schade zelf te gaan aanschouwen. Zijn zoons droegen hem naar zijn rijtuig en reden met hem de stad in, in het vreemde gelige licht dat over alles hing. Het was de eerste tocht die Justin maakte sinds zijn beroerte. Op te merken uit de tevreden blik die hij wierp op het puin en de straten vol met afval en de hoekige overblijfselen van muren, zou men kunnen concluderen dat hij niet de brand de schuld gaf van de verwoesting, maar zijn eigen afwezigheid. Omdat hij er niet bij was geweest, was Baltimore in rook opgegaan. Tijdens het beheer van Caleb was het pakhuis ingestort, was het kantoor verdwenen en was het cilinderbureau tot as uiteengevallen. Hij wendde zich tot Daniël met een scheve, bittere glimlach en gebaarde met zijn goede hand dat hij weer naar huis gebracht wilde worden.

Nu ontwikkelde hij een nieuwe obsessie: hij wilde deze ontvlambare stad geheel verlaten en verder noordwaarts gaan bouwen, helemaal in Falls Road. Hij droomde dat zijn kamer door vlammen werd verlicht en dat geen enkel lid van zijn gezin hem kwam redden. 's Nachts riep hij Laura, wier bed hij zo'n vijftien jaar geleden verlaten had na haar derde miskraam, en hij liet haar naast hem slapen met haar hand op de koperen bel uit India. Van tijd tot tijd stootte hij haar wakker en stuurde haar de gang op om te snuiven of er brand was. En Caleb, die het klokje rond werkte om het pakhuis weer op te bouwen, moest iedere avond naar zijn vaders kamer komen om te luisteren naar eindeloze, onsamenhangende, stotterende instructies om eén stuk land in Roland Park te kopen. Caleb stonk tegenwoordig altijd naar rook uit de stad en liep verbijsterd en vermoeid rond. Hij stond met zijn wang tegen de deurpost aan en zag er ingevallen uit, het leek dat zijn met roet besmeurde witte overhemd niets meer bevatte, terwijl zijn vader zijn warrige mat van

woorden weefde: aannemers, metselaars, twee brand, twee brand-
bestendige huizen.

Twee?

Wel, Justin verwachtte dat Daniël met Margaret Rose Bell zou
trouwen.

Margaret Rose Bell was een meisje uit Washington die de winter
bij haar neef en nicht, de familie Edmund Bell, doorbracht. Hoewel
zij vaak samen met Daniël gezien werd, stond daar tegenover dat ze
nog geen achttien jaar oud was en dat Daniël bovendien nog steeds
bij Norris & Wiggen werkte. Het was de gewoonte dat een man
wachtte met het nemen van een vrouw tot hij zelf een huis kon
kopen en meubileren.

Zeker, maar Justin rekende er ook op een groot aantal afstamme-
lingen te hebben en hij wilde dat daar maar eens mee begonnen
werd.

Er werd land in Roland Park gekocht. Aannemers werden gecon-
tracteerd om de bouw te overzien van twee grote huizen naast elkaar, met haast geen ruimte ertussen, hoewel het land zich in alle
richtingen uitstrekte. Ondertussen werd er voor Margaret Rose een
ingewikkelde ivoorkleurige satijnen trouwjurk gemaakt met hon-
derdacht paarlen knoopjes op de rug. Ze trouwden in de zomer.
Omdat de huizen nog niet klaar waren, betrok Margaret de oude
kamer van Daniël, waar zijn rolschaatsen met houten wielen onder
de plank met juridische boeken stonden. Zij was een tenger, levendig meisje, dat doorgaans jurken droeg van stof zo zacht als bloem-
blaadjes en op ieder moment van de dag zag je haar de trappen op en
af hollen, of ramen opengooien om naar een of ander oploopje op
straat te kijken, of Justins kamer binnenschieten om te zien of hij
iets nodig had. Als Justin haar zag begon hij met zijn ogen te knip-
peren en met zijn hoofd te knikken op een beverige oudemannetjes-
manier en hij ging nog met knikken en knikken en knikken door
lang nadat zij hem bovenop zijn hoofd had gekust en alweer weg
was. Oh, dat had hij goed gezien: dit huis had behoefte aan Margaret Rose. En ze zou zeker voor een nageslacht zorgen. In het najaar
van 1905, toen Justin Pecks licht-eiken, wijnkleurige meubilair in
een stoet van wagens naar Roland Park werd vervoerd, hield Margaret Rose al een baby op schoot en was ze in verwachting van de
tweede. Alles ging prima. Alles verliep volgens plan.

In 1908 hadden ze een snorrende zwarte T-Ford gekocht met een linkshandig stuur en niet-spattende bloemvaasjes. Iedere ochtend reden de twee broers erin naar hun werk – knappe jongemannen met hoeden en hoge witte boorden. Daniël had nu zijn eigen advocatenkantoor, een suite kamers met een lambrizering van walnotenhout waar een olieverf portret van zijn vader boven de schoorsteenmantel hing. Hij ging geen associatie aan met iemand anders want, zei hij, hij wilde zijn eigen zoons als partner hebben en niet zo maar de eerste de beste. Caleb had het pakhuis van zijn vader weer opgebouwd, groter en beter dan tevoren. Hij had een splinternieuw cilinderbureau met twee keer zo veel opberghokjes.

Wanneer Caleb zou besluiten om te gaan trouwen, zou er nog een huis naast de eerste twee gebouwd worden, maar intussen woonde hij thuis bij zijn ouders. Hij was een stille man die ieder jaar nog stiller werd. Het was bekend dat hij soms dronk, maar hij viel nooit iemand lastig en hij maakte nooit herrie of lawaai. Het was zelfs zo dat Margaret Rose zei dat ze wou dat hij *wel* eens lawaai maakte, af en toe. Ze was zeer op Caleb gesteld. Ze maakten samen grapjes waar Margaret om moest lachen op de intense, gniffelende manier die haar eigen was, totdat Caleb ondanks zichzelf een verlegen plooi om zijn mondhoeken kreeg. Hij ging wel eens een babbeltje met haar maken in haar schaduwrijke tuin, en wachtte dan geduldig wanneer al haar kinderen hen in de rede vielen met hun vragen en kleine valpartijen. En ze gaf verschillende malen een feestje 's avonds, speciaal om Caleb aan een van haar knappe nichtjes te kunnen voorstellen. Meisjes waren altijd dol op Caleb. Maar alhoewel hij wel eens met hen danste of een ritje ging maken, leek hij niet in trouwen geïnteresseerd te zijn. Hij bleef nu vaker thuis op zijn kamer, of hij liep kroegen af, of hij ging ergens anders heen, niemand wist waar naartoe. Zelfs Margaret Rose kon niet met zekerheid zeggen wat Caleb uitspookte.

Op een keer, ter gelegenheid van Kerstmis, haalde Margaret Rose Daniël over om voor Caleb een Graphofoon te kopen. Ze vond dat een volmaakt cadeau voor iemand die zo muzikaal was. Er hoorden schijven bij van opnamen van Caruso, Arturo Toscanini, en Jan Kubelik op de viool. Maar deze platen hadden op Caleb dezelfde uitwerking als formele concerten; hij werd er onrustig van en verstrooid en ongelukkig. Dan begon hij over het tapijt te ijsberen en liep hij heen en weer in de gang tot hij uiteindelijk de voordeur uitliep en uit het gezichtsveld verdween en voor de rest van de dag niet gezien werd. Dus werd de Graphofoon nooit op Calebs kamer gezet, wat de bedoeling van Margaret was geweest, maar in plaats daarvan werd hij naar Justins kamer gebracht, waar de oude man er urenlang van genoot. Hij scheen vooral Caruso te appreciëren. Hij gaf Margaret de opdracht om naast zijn bed te staan en de machine aan te slingeren en de zware zwarte schijven te verwisselen. Margaret was verbaasd. Als hij er zo tegenover stond, waarom had hij dan Calebs muziek verboden in huis?

Want Caleb besteedde nog steeds al zijn geld aan muziekinstrumenten – houten fluiten en harmonica's en cello's en zelfs kalebassen met snaren die eigenlijk alleen door negers werden bespeeld. Hij bewaarde ze op zijn kamer, maar het was hem niet toegestaan er ook maar één noot op te spelen binnen het bereik van Justins oor. Zelfs de piano was nu verboden en was uitgewezen naar Daniëls huis; dan kon Margaret Rose er Czerny op pingelen zonder haar schoonvader te storen. Als Caleb muziek wilde maken, dan moest hij ver weg gaan, gewoonlijk naar de oude Samson-stal aan de andere kant van een veld. Dan zat hij in de deuropening te zagen en woeien er alleen flarden muziek op het huis af, nooit zover als de met gordijnen verdonkerde ziekenkamer van Justin. Toch scheen Justin altijd te weten wanneer Caleb had gespeeld en dan wendde hij zijn gezicht geprikkeld af wanneer Caleb later langs kwam om zijn nauwgezette, geduldige relaas af te steken over de zaken van de afgelopen week.

Intussen raakte het huis van Daniël steeds voller met kinderen, en groeide zijn klantenkring en hij was van plan om op een goeie dag rechter te worden, wanneer zijn zoons zijn advocatenkantoor zouden overnemen. Wanneer hij 's avonds thuis kwam en Margaret in haar ruisende, gebloemde jurk op hem afrende om haar armen om hem heen te slaan, was hij afstandelijk en soms geïrriteerd. Dan was hij in gedachten nog bezig met overtredingen en eisen en bepalingen. Dan schoof hij haar zachtjes terzijde en hij liep door naar zijn werkkamer aan de achterkant van het huis. Om aanspraak te hebben probeerde Margaret 's middags theepartijtjes te organiseren. Ze nodigde haar nichten en haar vriendinnen uit, die naar binnen stoven en 'Maggie! Maggie Rose!' uitriepen en haar op beide wangen kusten op die nieuwe manier die ze van Tante Alice Bell hadden overgenomen, die onlangs naar Parijs was geweest. Maar Daniël zei dat hij daar niet aan meedeed. O, misschien 's avonds, als er van tijd tot tijd cliënten of zakenrelaties kwamen . . . hij wilde niet onredelijk zijn, zei hij, maar hij verwachtte in feite dat zijn huis een schuilplaats voor de buitenwereld zou zijn. En tegenwoordig was het zo dat, als hij van een dag hard werken thuiskwam, hij er zeker van kon zijn dat er een of andere onbekende vrouw in zijn leren stoel zat, of dat er een spectaculaire hoed met veren op het buffet in de eetkamer onder Sarah Cantleigh's portret lag, en een keer was de koperen pressepapier verschoven naar de andere kant van zijn vloeiblad, terwijl iedereen wist dat zijn bureau verboden terrein was. Vond ze overigens niet dat ze haar tijd beter kon besteden aan haar kinderen?

Ze hadden zes kinderen. In 1905 werd Justin II geboren, in 1906 Sarah, in 1907 Daniël Jr., in 1908 Marcus, in 1909 Laura May, in 1910 Caroline.

In 1911 verliet Margaret Rose het huis.

Ze had met de kinderen per trein naar Washington willen gaan voor haar moeders verjaardag. Daniël vond dat ze dat niet moest doen. Ze was nu uiteindelijk een Peck. Wat had ze nog met de Bells te maken? Die troep ongedisciplineerde, frivole, giechelende mensen. Ze zei dat ze toch ging. Daniël wees erop dat ze natuurlijk haar eigen baas was, zoals iedereen in zijn familie meer dan eens had opgemerkt, maar dat de kinderen van *hem* waren. En ja hoor, daar zaten al Daniëls kinderen in een groepje bijeen haar aan te staren, helemaal Peck, blauwe Peck-ogen en haar in dezelfde kleur als hun huid, en een ernstige berekenende Peck-uitdrukking, zonder enig spoor van Margaret Rose. Ze kon gaan, zei Daniël, maar ze mocht de kinderen niet meenemen. En hij verwachtte haar op zaterdagavond terug, want er was zondagochtend een kerkdienst.

Ze ging.

Op zaterdagavond ging Caleb haar van de trein halen, maar Margaret zat er niet in. Toen Daniël het hoorde perste hij alleen maar zijn lippen op elkaar en liep weg. Later hoorde men hem de meid van zijn moeder, Sulie, opdracht geven om de kinderen in bed te stoppen. Er zou zo te zien niet verder geïnformeerd worden.

Op woensdag ontving Daniël een brief van de vader van Margaret. Hij was met bruine inkt geschreven. Iedereen kende die inkt, want als Margarets vader had geschreven rende ze altijd door het hele huis en las stukjes voor aan verschillende mensen en lachte om de grappige dingen. Maar Daniël las deze brief in stilte en ging toen naar boven naar zijn kamer. Toen hij weer beneden kwam sprak hij er met geen woord over.

Na ongeveer een maand vroegen de kinderen niet meer om hun moeder. De baby hield op met huilen en de ouderen speelden weer hun spelletjes en zongen hun zomerversjes. Het leek of alleen Caleb zich Margaret Rose nog herinnerde. Op een dag ging hij op Daniël af en vroeg hem ronduit waarom hij niet achter haar aan ging. Of anders zou Caleb dat doen, hoewel het beter zou zijn als Daniël het deed. Daniël keek recht door hem heen. Toen ging Caleb op Justin af, die zeker ook van Margaret Rose hield, en iedere dag had liggen wachten op het fladderend geluid dat haar bloemblaadjesrok maakte tegen de trapleuning. Maar Justin sloot nu alleen maar zijn ogen en deed net of hij niets hoorde. 'Maar waarom?' vroeg Caleb hem. 'Kan het u niets schelen? Het is hier niet meer hetzelfde nu Maggie Rose weg is.'

Van alle verhalen in de geschiedenis van de familie van alle tantes en ooms en meiden van boven, was dat het enige directe citaat van Caleb dat ooit doorverteld werd. Twee generaties later klonk het Justine als poëzie in de oren, waardoor het waarschijnlijk meer diepte en bedoeling kreeg dan Caleb had bedoeld. Maar Justin was er niet door geroerd en hij hield zijn ogen stevig dichtgeknepen en wachtte tot zijn zoon zou vertrekken.

Nu bestierde Laura beide huishoudens, rechter en energieker dan ooit tevoren in haar lelijke bruine jurken en met haar haar zo strak naar achteren getrokken dat ze er spleetogen van kreeg. Voor de Peck kinderen was zij het middelpunt van de wereld, soms het enige familielid dat ze in dagen te zien kregen. Justin was te oud en te ziek om zich ermee te bemoeien en Daniël kwam zelden thuis voordat ze in bed lagen. Wat Caleb betrof: hij bleef teruggetrokken leven. Ze zagen hem wel eens het veld oversteken in de richting van de Samson-stal, met het vale zonnetje op zijn Panama-hoed; of als hij het huis verliet om naar zijn werk te gaan in de ochtend, er al moe en verslagen uitzend; of als hij 's avonds laat thuis kwam met zijn vreemde zorgvuldige manier van lopen. Hij speelde nooit met hen. Soms haalde hij hun namen door elkaar op bepaalde labiele avonden. Hij deed niets om hun aandacht te trekken. Dus hadden zij niet in de gaten dat hij leek te verflauwen en weg te trekken, totdat hij bijna transparant was; en hoe zijn enige vrienden nu de twijfelachtige figuren uit de kroegen waren, en hoe de muziek uit de stal ijler was geworden zodat je er nauwelijks nog flarden van kon opvangen. Laura had het wel in de gaten. Maar wat zou dat kunnen betekenen? Ze peinsde over zijn lange, onverbreekbare stilzwijgen, dat erger was dan ze ooit had meegemaakt en nooit weer zou meemaken tot de dagen van Calebs achterneef Duncan, tot nu toe nog ongeboren en ongedacht. Ze probeerde hem ertoe te brengen om zich normaler te gedragen. 'Waar is die *hoffelijkheid* van je gebleven? Denk tenminste eens aan de familie.' Maar dan liep hij alleen maar weg zonder het te horen en soms kwam hij dagenlang niet opdagen.

Op een zaterdagmiddag in het voorjaar van 1912 stond Daniël bij het raam van de serre naar Justin Twee te kijken die aan het fietsen was. Het was een zware ijzeren fiets, waar Twee moeite mee had, maar hij begon net de slag te pakken te krijgen en reed schommelend maar trots de oprijlaan af. Uit het niets zag Daniël een klein, duidelijk beeld voor zich van Caleb op zijn fiets die vrolijk achter een fluitspeler op straat aanreed in het oude Baltimore. Het was zo'n heldere herinnering dat hij het huis uitliep en de tuin doorliep naar zijn moeders huis en de trap opging naar Calebs kamer. Maar Caleb was er niet. Hij was ook niet in de keuken, waar hij meestal zijn maaltijden at; ook was hij niet elders in huis, noch buiten, noch in de stal. En de Ford stond in de tuin aan de zijkant van het huis geparkeerd; hij was dus ook niet de stad in. Daniël voelde zich niet op zijn gemak. Hij informeerde bij de kinderen van Laura. Die wisten ook niet waar hij was. De laatste keer dat ze met zekerheid konden zeggen was drie dagen geleden, toen ze hem de oprijlaan uit zagen lopen met zijn fiedel. De kinderen hadden hem zien gaan. 'Ik ga hoor,' had hij naar hen geroepen.

'Dag, oom Caleb.'

Maar dat zei nog niets, hij was vast . . . Daniël ging naar de kamer van Justin. 'Ik kan Caleb nergens vinden,' zei hij. Justin wendde zijn gezicht af. 'Vader? Ik kan –' Een grote glinsterende traan gleed langs Justins versteende wang naar beneden.

De man was nu werkelijk seniel aan het worden.

Jaren later, wanneer hij een of andere familie gebeurtenis in de juiste tijd probeerde te plaatsen, stond Daniël nog wel eens stil bij het jaartal 1912 om het belang daarvan te overwegen. Zou er zoiets als een ongeluksgetal bestaan? (Dan keek Justine even op, maar zei niets.) Want in 1912 leek het alsof de familie Peck plotseling barstte en in stukken uiteen viel, als een oud porseleinen kopje. Om te beginnen was daar de verdwijning van Caleb zonder spoor achter te laten, behalve een slaapkamer vol holle, galmende muziekinstrumenten en een cilinderbureau met een lege whiskyfles in de onderste lade. Toen moesten ze dus de zaak verkopen, Justins laatste schakel met de buitenwereld. En daarna begon Justin met sterven, zijn familie verlatend op dezelfde geleidelijke vervagende manier als Caleb, tot het haast in het geheel geen schok meer was hem op een ochtend levenloos in bed aan te treffen, met zijn blauwige neus hemelwaarts wijzend.

In de winter van 1912 kwam er opnieuw een envelop uit Washington, geadresseerd met bruine inkt. Nadat Daniël hem had gelezen vertelde hij zijn kinderen dat Margaret Rose bij een brand was omgekomen. Dat ze voor haar vergiffenis moesten bidden. Nu droegen de kinderen bruine kleren naar school en konden ze met recht moederloze weeskinderen genoemd worden, hoewel ze verbaasd bleven kijken wanneer een of andere goedbedoelende dame dat tegen hen zei. Het waren kalme, gehoorzame kinderen, die een tekort hadden aan verbeeldingskracht, maar ze haalden mooie cijfers. Ze leken niet te hebben geleden onder alles wat ze hadden meegemaakt. Laura ook niet, die bleef even kwiek en flink als tevoren. En Daniël natuurlijk ook niet – dat was zo'n gelijkmatige, bedaarde man. Soms echter, reed hij 's avonds laat wel eens doelloos in de Ford door de maanverlichte straten en vaak eindigde zo'n rit dan in de oude binnenstad, waar hij niets meer te zoeken had en niemand meer kende en niets meer hoorde behalve het vage, muzikale gefluit van de tramkabels in de donkere hemel boven zijn hoofd.

VIJF

De jeugd van Justine was duister en fluweelachtig en rook naar stof. Er zaten baardmannen onder alle meubelen, speciaal onder haar bed. Wanneer 's nachts de deur van haar kamer dicht was, kronkelden er blauwe wormen door de duisternis, maar als hij open stond was de deurknop net de loop van een geweer dat op haar hoofd gericht was en dan moest ze urenlang bewegingloos blijven liggen en net doen alsof ze een plooi in de dekens was.

Haar vader was 's morgens al naar zijn werk of de stad uit, en haar moeder lag dan in bed met migraine en Justine zat in de woonkamer met de gordijnen dicht, zodat ze zelfs voor zichzelf nog maar een vage schim was. Ze zat op de meid te wachten. Eerst was het krassen van de sleutel te horen en dan licht, lucht, beweging, het ruisen van Claudia's boodschappentas en haar ijle, boze muggenstem. 'Wat zit je daar te zitten? Wat ben je aan het doen? Wat doe je daar in die stoel?' Dan rukte ze de gordijnen open en daar lag Philadelphia, een uitgestrektheid van zwart geworden bakstenen flatgebouwen en stervende gekooide bomen en in de verte de rookpluimen van de fabrieken. Dan kleedde ze Justine in een gesmokt jurkje en vlocht haar haar in twee dunne vlechtjes. 'En waag het niet om je jurk vuil te maken. *Waag* het niet om smerig te worden, dan zeg ik het tegen juffrouw Caroline.' Tegen die tijd was de hoofdpijn van haar moeder misschien weggetrokken, of althans zo veel dat ze met haar droge stem uit de slaapkamer riep 'Justine? Kom je niet eens even goedemorgen zeggen?' Hoewel ze nog geen uur geleden haar gezicht in het kussen had verborgen en Justine had weggewuifd met een bevende, met parels versierde hand.

Justine's moeder droeg vederlichte nachtjaponnen met opengewerkte roesjes aan de hals. Ze had dezelfde kleur haar als Justine, maar gepermanent. Ze was de jongste van de zes kinderen van Daniël Peck, de baby. Zelfs mensen die haar niet kenden konden dat op een of andere manier raden, door haar kleine, getuite mondje en haar gewoonte om haar kin naar beneden te drukken wanneer ze tegen iemand sprak. Helaas had ze de neiging om dik te worden wanneer ze zich ongelukkig voelde, en ze was een mollige, gepoederde, vormeloze vrouw geworden, met ringen die voor goed in haar vingers vastzaten. Dat ze ongelukkig was kwam door het feit dat ze verbannen was naar Philadelphia. Toen ze haar ja-woord gaf aan Sam Mayhew, had ze nooit kunnen vermoeden dat nauwelijks zes maanden na hun huwelijk het filiaal van zijn zaak in Baltimore gesloten zou moeten worden vanwege de Depressie. Als ze daar ook maar een flauwe notie van had gehad, zei ze – maar ze maakte die zin niet af. Ze pakte nog een chocolaatje, of een petit four, of een van die gebakjes met roze glazuur waar ze zelf steeds meer op begon te lijken.

Maar Justine was dol op de zachte huid van haar moeder en haar gewelfd gemoed en de kuiltjes bovenop haar handen. Ze vond het heerlijk om onder het hangende fluweel van het hemelbed, dat haar moeders echte woning was, te kruipen, omringd door dozen chocola, lege theekopjes, damestijdschriften en roomkleurige brieven uit Baltimore. Er waren natuurlijk ook dagen dat haar moeder op stond, maar Justine zag haar alleen voor zich in de vage rozige glans van het lampje naast haar bed. Ze peinsde lang over hoe spannend het was om die kamer in te gaan: was ze dit keer welkom, of niet? Op sommige dagen zei haar moeder 'O, Justine, kun je me niet met rust laten?' of ze huilde met haar hoofd in haar kussen en sprak in het geheel niet; maar op andere dagen riep ze uit, 'Ben jij daar Justine? Is mijn kleine engeltje daar?' Dan ging ze zitten en hield haar in een donzige, geparfumeerde omhelzing gekneld, zodat ze een ogenblik nauwelijks kon ademen, maar dat gaf niets. Dan sloeg ze de fladderige roze mouwen van haar bedjasje op en leerde Justine spelletjes die zij had gespeeld toen ze zelf een kind was – kop-enschotel maken met een touwtje om haar vingers en komt een muisje aangelopen en het verhaaltje, waarbij je een landkaart tekent die een gans blijkt te zijn. Of dan liet ze Justine de schaar halen en dan maakte ze, uit de Baltimore krant, sterren en poppen met paardestaarten en engeltjes uit cirkels waar ze heel knap hier en daar stukjes uitknipte, zoals alleen zij het kon. Ze vertelde verhalen die echt gebeurd waren, spannender dan een boek: Hoe Oom Twee de Landloper Verdreef, Hoe Grootvader Peck de Inbreker voor de Gek hield, Hoe de lelijke hond Buttons van Mayhew mijn Trouwjapon opat. Dan vertelde ze hoe Justine in Baltimore was geboren dankzij het feit dat ze het tot op de seconde had uitgerekend, en niet in Philadelphia waar iedereen bang voor was geweest. 'Gelukkig heb ik mijn zin gekregen,' zei ze. 'Je weet hoe je vader is. Die begreep er helemaal niets van. Toen jij je, twee maanden te vroeg, aankondigde zei ik, "Sam, zet me maar op de trein," maar hij weigerde. Ik zei, "Sam, wat zal Vader ervan zeggen, die heeft alles geregeld bij het Johns Hopkins ziekenhuis!" "Dan hoop ik dat hij nog geen aanbetaling heeft gedaan," zei je vader. Dus pakte ik mijn koffer die ik al klaar had staan en ik zei, "Nu moet je eens goed naar me luisteren, Sam Mayhew . . ." '

's Avonds om zes uur ging Claudia weer weg en sloeg de deur hard achter zich dicht, en dan keek Justines moeder op de klok en sloeg ze haar hand voor haar mond. 'Hemeltje lief, wat is die tijd weer omgevlogen!' zei ze dan en dan schoof ze naar de rand van het bed en tastte met haar voeten naar haar roze satijnen pantoffels. 'Je vader mag niet zien dat we zo aan het luieren zijn.' Dan deed ze een marineblauwe jurk met schoudervullingen aan en deed donkere lippenstift op haar roze mondje, waardoor ze van het ene moment op het andere van roze-met-goud in een zware, scherp afgebakende vreemdeling veranderde, net als een van die mensen die je vier verdiepingen lager over het trottoir zag snellen. 'Maar mijn hoofdpijn is nog lang niet weg,' zei ze dan. 'Ik zou wel weer naar bed willen gaan, maar dat zou je vader nooit begrijpen. Hij gelooft niet in hoofdpijn. En zeker niet in naar bed gaan als je hoofdpijn hebt. Hij is dat niet gewend, neem ik aan. Die gewoonte kent hij niet.'

Als je haar zo hoorde praten zou je denken dat Sam Mayhew zo anders en zo exotisch was als een Aziatische prins, maar hij was maar een klein pafferig mannetje met een Baltimore accent.

Soms werd Justine dagen achtereen helemaal niet in haar kamer toegelaten en dan vroeg ze zich steeds maar af wat het toverwoord was dat haar eerder toegang had verschaft. Niemand mocht erin, behalve Claudia die de laatste doos met strik van Banketbakkerij 'Parijs' binnendroeg. Justine werd aan haar lot overgelaten op een prikkelige met brocade beklede stoel in de woonkamer en de baardige mannen eronder lagen er alleen maar op de loer tot zij een van haar voeten zou laten zakken zodat ze haar bij haar enkel konden vastpakken en haar omlaag trekken. Dan kwam ze zelfs niet uit bed als Sam Mayhew thuis was. 'O, Sam, ga weg, laat me met rust, kun je niet zien dat ik tot achter mijn oren gebarsten ben?' Sam en Justine aten dan samen van de borden met gouden rand waarmee Claudia voor hen gedekt had in de eetkamer. 'Nou, Justine, wat heb jij vandaag gedaan?' vroeg Sam dan. 'Ben je met Claudia naar de speeltuin geweest? Heb je lekker geschommeld?'

Maar dan raakte hij al gauw in de war van haar beteuterde, verbaasde blik.

Dag in dag uit keek Justine op haar brocade eilandje in haar moeders oude *Boeken der Kennis* – beduimelde donkerrode delen met broze pagina's, het enige waar ze bij kon zonder een voet op de grond te zetten. Ze verdiepte zich in een prent van een trein die door het luchtruim reed. Men had haar verteld dat deze voorstelling bewees dat het onmogelijk was voor de mens om ooit de maan te bereiken. Zie je hoe lang het zou duren, zelfs per trein, om die afstand af te leggen? Maar het leek Justine maar al te gemakkelijk toe en ze voelde zichzelf licht worden en slinken en duizelig worden iedere keer wanneer ze dat kleine eenzame treintje door de oneindige duisternis zag kronkelen.

Dan kwam er uiteindelijk een moment waarop ze haar ogen van de pagina kon opslaan en merkte dat de lucht vol verwachting uiteen ging om ruimte te maken voor een of andere verandering; ze voelde altijd aan wanneer er een verandering op komst was. En dan rinkelde de telefoon kort daarop en bracht Claudia hem uit de hal naar de slaapkamer en maakte ze Justine's moeder wakker om een luid gesprek met Baltimore te voeren. 'Hallo? O, Vader! Waarom heeft Sam soms gezegd dat u moest bellen? Wat? O, niet zo best, helaas. Ik zei, niet zo *best*. Het lijkt wel of alles mis gaat, ik weet niet . . .'

Justine luisterde zorgvuldig, om er achter te komen wat nou precies de reden was dat haar wereld in elkaar was gestort. Ze hoorde dat haar moeder het op haar zenuwen had, dat ze verscheurende hoofdpijn had en dat geen dokter er iets aan kon doen, dat de kroonluchter met één klap van het plafond was gevallen, dat de huisbaas onmogelijk was, dat Claudia geen respect toonde, dat er een heel treurig bericht in de krant van zondag had gestaan, dat Justine pruilerig werd, dat Sam veel te vaak de stad uit was en dat dat allemaal aan de stad Philadelphia lag. Als hij ook maar een greintje gevoel had, als hij ook maar iets om haar gaf, ze wist dat het teveel gevraagd was, maar ze wou zo graag dat hij kwam om het een en ander recht te zetten.

Hij kwam altijd. Zij was uiteindelijk zijn jongste dochter en ver van huis weg, de enige van zijn kinderen die de veiligheid van Roland Park had verlaten. Wat niet wilde zeggen dat hij haar levenswijze goedkeurde. Helemaal niet. Zodra hij, laat diezelfde avond, de deur binnenkwam, krulde hij zijn mondhoeken afkeurend omlaag bij de aanblik van de stapel gebakdozen en haar met kruimels bezaaide, uitgewoonde bed, en zei hij haar recht in het gezicht dat ze veel te dik was geworden.

De ochtend daarop, toen Justine ongebruikelijk laat opstond, na een ongebruikelijk rustige, droomloze slaap, trof ze het huis badend in het zonlicht aan met alle gordijnen open. Claudia droeg een gesteven wit sjaaltje en was kwiek het stof in de kussens aan het bestrijden. Haar moeder zat volledig aangekleed in de eetkamer verse grapefruit te eten. En haar grootvader stond in de gang te telefoneren en zei dat hij, rechter Peck, de huisbaas persoonlijk voor alle rechtbanken van de Verenigde Staten zou slepen als die kroonluchter niet voor morgenmiddag klokslag twaalf uur weer opgehangen werd. Toen hing hij op en legde zijn rechterhand op Justine's voorhoofd, wat zijn manier was van haar begroeten. Hij was een knokige man in een driedelig kostuum met een krijtstreepje, met verschoten haar als de kleur van oude gardenia-blaadjes en een gouden horloge, zo dun als ouwelblaadje dat zij van hem mocht opwinden. Hij had een zakje haverstroballetjes voor haar meegenomen en hij liet nooit na zijn hand dan op die weloverwogen manier van hem op haar hoofd te leggen zoals hij deed als hij aankwam.

Gewoonlijk verdween Sam Mayhew tijdens die bezoeken, of, als hij wel thuis was, dan had hij een vriendelijke, suffe glimlach op zijn gezicht en probeerde hij niemand in de weg te lopen. De grootvader bleef nooit erg lang. Hij had het druk. Hij kwam meestal voor een weekend, net lang genoeg om zijn dochter weer op de been te helpen en ging dan zondagavond weer weg. Maar een keer kwam hij door de week. Dat was voor Justine. Zij zou voor het eerst naar de kleuterschool gaan, voor de eerste keer zou ze alleen van huis zijn. Ze weigerde om te gaan. Ze wilde zich niet eens aankleden. Ze werd heel wit en haar gezicht stond gespannen en haar moeder gaf het op, omdat ze wel aanvoelde dat er niet met haar te praten viel. Toen Justine wakker werd de volgende ochtend stond haar grootvader naast haar bed met haar geruite jurk in zijn hand, haar onderbroek met roesjes waarop 'dinsdag' geborduurd was en haar met kant afgezette sokjes. Hij kleedde haar heel langzaam en zorgvuldig aan. Justine zou het haar grootvader ook niet hebben toegestaan, alleen waren zijn handen zo dik en onhandig toen hij haar nachtjapon losknoopte, en toen hij bukte om haar schoenen te pakken kon ze zijn roze schedel door zijn dunne, doffe haar heen zien schemeren. Hij vlocht zelfs haar haar, hoewel niet erg goed. Hij zat tegenover haar terwijl ze met haar ontbijt treuzelde. Toen hielp hij haar in haar jas en gingen ze weg, langs haar moeder die handenwringend in de deuropening stond. Ze liepen de grimmige, vertrouwde straten door waar zij met haar moeder boodschappen had gedaan in de goede oude tijd dat er nog niet eens aan school werd gedacht. Haar grootvader stond stil bij een vierkant bakstenen gebouw. Hij wees waar Claudia die middag op haar zou wachten. Hij legde eventjes zijn hand op haar hoofd en drukte haar toen, na enig gerommel en geritsel, een zakje haverstroballetjes in de hand en gaf haar een duwtje in de richting van het gebouw. Toen ze de trap was op geklommen keek ze om en zag ze hem daar nog staan, met zijn ogen toegeknepen tegen het zonlicht. Voor eeuwig en altijd daarna deed de donkere, vertrouwde, geneeskrachtige smaak van haverstro haar denken aan de liefde en verdriet achter in haar keel op die eerste dag in de buitenwereld.

's Zomers werden de leren koffers met de lift naar boven gebracht om gepakt te worden en dan namen Justine en haar ouders de avondtrein naar Baltimore. Hun aankomst beleefde Justine nooit helemaal bewust. Ze werd half slapend van de trein gedragen en in de armen van een van haar ooms in een wit pak gelegd. Maar als ze dan de volgende ochtend wakker werd, was ze in Roland Park, vol met ruisende bomen en tsjilpende vogels, in het witte stenen huis van haar overgrootmoeder, en dan wist ze dat, wanneer ze uit het raam keek, alle huizen in het gezichtsveld aan de familie Peck toebehoorden evenals de vloot zwart glanzende V-8 Fords die aan een kant van de straat stonden en dat al die blonde hoofdjes als spikkels op het grasveld neven en nichten Peck waren die wachtten tot ze naar buiten kwam om te spelen.

Haar moeder zat dan in de eetkamer te praten, maar het was een totaal andere moeder – die knipoogde en kuiltjes in haar wangen kreeg en vreselijke giechelverhalen vertelde over Philadelphia. Tantes hadden zich om haar heen gegroepeerd, en ze dronken hun vijfde of zesde kopje koffie. Tante Sarah en tante Laura May waren ongetrouwd en woonden nog in het huis van grootvader, samen met oom Dan, de vrijgezel. Lucy, de vrouw van oom Twee en Bea, de vrouw van oom Mark waren aangetrouwde Pecks, maar die waren *wel* de moeders van de neven en nichten. En dan was er vanzelfsprekend de overgrootmoeder, een nette, bruinige dame, die heerste over iedereen. Grote randen oogwit gaven haar een verwijtend uiterlijk, maar zodra ze Justine ontwaarde glimlachte ze en verdwenen de witte randjes. Ze bood Justine een enorm Baltimore ontbijt aan – twee soorten vleesbeleg, drie soorten brood, en een bordvol roereieren – maar Justine had geen trek. 'Ze kan zeker niet wachten,' zei haar moeder met haar zomerse lach, 'ze wil naar haar neefjes en nichtjes toe,' en toen strikte ze de ceintuur van haar jurkje, gaf haar een tikje en stuurde haar weg.

Justine had zes neven en nichten. Ze zagen er allemaal uit zoals zij en spraken net als zij en ze kenden allemaal het verhaal over hoe grootvader Peck de inbreker voor de gek hield. Het was er heel anders dan in Philadelphia, waar haar moeder bij de toneeluitvoering op school het had over 'dat *donkere* jongetje' en vroeg 'wie was dat kind met dat nasale stemmetje?' Bij haar neven en nichten was er geen reden om je ongerust te maken. Baltimore was de enige plek ter wereld waar Justine niet naar de vijand overliep als ze meedeed met diefje-met-verlos.

Maar toch, was ze zelfs hier niet op een bepaalde manier een buitenstaander? Haar achternaam was Mayhew. Ze woonde in Philadelphia. Ze snapte de grappen van haar neefjes niet altijd. En hoewel ze met alle spelletjes mee mocht doen, had ze het gevoel dat ze voor haar op een of andere manier iets langzamer aan deden. Ze benijdde hen hun snelle, opborrelende lach en hun goudverbrande huid. Af en toe stond ze zichzelf toe voor een ogenblikje te fantaseren dat haar ouders een pijnloze dood waren gestorven en dat een oom haar zou adopteren, zodat haar naam veranderd werd in Peck en ze voor altijd in Roland Park zou wonen, waar de schaduwen donker en kronkelig waren en het zonlicht hen overgoot.

Tante Bea, die op de veranda voor het huis, met haar handen boven haar ogen tegen de zon, even naar de kinderen kwam kijken, glimlachte en slaakte een zucht om die arme gewone Justine, wier scherpe gezichtje van angst vertrokken was zodat het eruit zag als craquelé of iets met spinrag erop. Die zo krampachtig, zo vol verwachting meerende aan de rand van het spel van de andere kinderen, waarbij zij haar hielen veel te hoog achter zich opgooide.

's Avonds gingen ze allemaal naar hun eigen huis. De vier huizen gaven de illusie aan vier aparte families te behoren, maar na het avondeten kwamen ze allemaal weer naar buiten en gingen ze op het grasveld van overgrootmoeder zitten, de mannen in hun overhemd en de vrouwen in frisse katoentjes. De kinderen raakten echter over hun toeren van het met z'n allen naar beneden rollen van de heuveltjes. Ze begonnen te kibbelen, er werd gedreigd dat ze vroeg naar bed moesten en het slot van het liedje was dat ze bij de volwassenen moesten komen zitten tot ze gekalmeerd waren. Ze probeerden hun gegiechel in te houden, ze hadden jeuk van de grassprietjes die op hun huid bleven plakken en zo, bezweet en hijgend, zakten ze naast hun ouders neer op de grond en keken omhoog naar de sterren terwijl zachte, gematigde stemmen om hen heen voortkabbelden. Het oudste nichtje Esther, de dochter van oom Mark had haar kleine broertje Richard op schoot en kietelde hem stiekem met een paardebloempluisje. Daar vlakbij lagen de tweelingzusjes van Esther, Alice en Sally, naast elkaar opgerold als jonge hondjes met Justine ertussen in omdat ze nieuw en bijzonder was. En de jongens van oom Twee, Claude en Duncan waren geluidloos en zonder een waarneembare beweging aan het stoeien zodat ze niet gesnapt zouden worden en naar bed gestuurd. Niet dat het de volwassenen veel kon schelen. Ze waren er nu mee bezig om een herinnering bij elkaar te zoeken, een ieder droeg zijn eigen kleine stukje aan de puzzle bij en leunde dan achterover om te zien hoe het zou uitvallen. Lang nadat de kinderen gekalmeerd waren en ontspannen en een voor een in slaap dommelden, waren de grote mensen in het donker nog bezig met het leggen van de familiegeschiedenis.

In de winter van 1942, toen Justine negen jaar oud was, ging haar vader in dienst. Het appartement werd ontruimd, er kwam een verhuiswagen en Justine en haar moeder namen de trein naar Baltimore. Haar moeder huilde gedurende de gehele reis. Toen ze arriveerden liet ze zich uit de trein in de armen van haar zusters vallen, nog steeds in tranen, haar krullen op haar gezicht geplakt en haar neus zo roze als die van een konijn. Haar zusters keken onthutst en bleven maar zoeken naar schone zakdoekjes in hun handtasjes. Dit was iets nieuws voor hen; nog nooit was er een Peck in het leger geweest. Volgens de overlevering had de oude Justin de Burgeroorlog geheel vermeden, terwijl al zijn nakomelingen zo'n duidelijk geval van hartgeruis hadden gehad dat ze waren vrijgesteld van zelfs de mildste sport; de vrouwen werden gewaarschuwd voor het baren van kinderen en de mannen bleef het strijden en lange marsen en het geweld van reizen bespaard door het onmiskenbare, holle gestotter in hun borstkas. Dat weerhield hen er echter niet van opgewekt, gezond en verlegen in een halve cirkel om hun kleine zusjes heen te komen staan. Hun vader nam het eindelijk over. 'Kom, kom,' zei hij, en hij leidde hen als een kudde het station uit naar de rij Fords geparkeerd aan de stoeprand. Justine en haar moeder reden mee in zijn auto, vooraan in de stoet. Justine's moeder bleef maar snotteren. 'Luister eens even, Caroline. Mensen zoals wij *huilen* niet. Beheers je,' zei hij.

'Ik kan er niets aan doen, vader. Ik kan er echt niets aan doen. Ik denk er steeds maar aan dat ik aardiger tegen hem had moeten zijn. Ik bedoel, ik was nooit wat je noemt – en ik weet gewoon zeker dat hij zal sneuvelen.'

'Hij sneuvelt niet,' zei Justine.

Maar niemand luisterde.

Ze installeerden zich in het huis van overgrootmoeder, omdat daar de meeste ruimte was. Justine werd ingeschreven op de meisjesschool waar Esther en de tweeling ook op zaten. Bij beetjes vergat ze de donkere, bebaarde wereld van Philadelphia bijna geheel, en werd haar moeder zorgeloos en meisjesachtig. Haar moeder had het zelden meer over Sam Mayhew maar ze schreef hem plichtsgetrouw iedere week een brief, waarin stond dat het met iedereen goed ging en dat hij de groeten van ze moest hebben. Alleen Justine, als ze soms opkeek van De Drie Biggetjes of van een spel trictrac, zag plotseling Sam Mayhews trieste, vriendelijke gezicht voor zich en vroeg zich af of ze niet iets tekort kwam nu ze gekozen had alleen het kind van haar moeder te zijn.

Maar ze was bij haar neven en nichten, die altijd met een of andere nieuwe onderneming bezig waren. Esther schreef toneelstukken waarin haar tweelingzusjes samen één rol vervulden, precies tegelijk sprekend. Justine was de prinses, met bloedrode lippenstift van tante Laura May op. Kleine Richard accepteerde iedere rol die je hem maar gaf, want hij was al lang blij dat hij mee mocht doen. En Claude, de zoon van oom Twee was dik en leergierig; daar had je op regenachtige dagen wat aan, want dan vertelde hij op fluisterende toon griezelverhalen waarvan je de haren ten berge rezen in de schemer van het trappehuis in de bijkeuken.

Maar Duncan Peck was een duivelse jongen en al zijn neven en nichten vereerden hem.

Duncan haalde kattekwaad uit en was roekeloos en wild. Hij was regelmatig zoek. (Toen ze allang volwassen was kon Justine nog steeds haar ogen sluiten en zijn moeder horen roepen – zij was een zachtgevooiste dame uit het zuiden van Virginia maar goeie genade, wat kon ze haar stem verheffen als het moest! 'Dun-KUNN? Dun-KUNN?' klonk het over het schemerige grasveld heen, met als enige reactie een geheimzinnig geritsel verderop of een glimp geel achter de bomen, die er haastig vandoor ging). Terwijl de rest van de neven en nichten er genoegen mee namen elkaar als vriend te hebben, bracht Duncan voortdurend vreemde kinderen mee naar huis en ook nog van het verkeerde soort, jongetjes van een jaar of tien die naar tabak roken en over luchtdrukpistolen en een zeer gebrekkige grammatica beschikten. Zijn neven en nichten zaten op pianoles en tokkelden braaf *Country Gardens* een half uur lang iedere dag, maar het enige waar Duncan op wilde spelen was een gedeukte Hohner harmonica – *Chattanooga Choo Choo*, compleet met fluit-toon en tsjoeke-tsjoeke en een country-achtige uithaal die de kinderen prachtig vonden en waarvan de grote mensen huiverden. Zijn overgrootmoeder beklaagde zich erover dat hij brutaal was en oneerlijk. Het was duidelijk dat hij tegen iedere volwassene die hem een vraag stelde loog, en zijn leugens raakten kant noch wal, een belediging voor het verstand. Hij kreeg ook vaak een ongeluk. Dat was voor zijn neven en nichten nog wel het allermooiste. Hoe was het mogelijk dat hij zoveel verschillende ongelukken kreeg? En dan nog van die enge bloederige ongelukken! Als hij een arm of een been brak was dat nog niet genoeg, nee, dan moest dat bot er ook nog *uitsteken*, en stonden al zijn neven en nichten om hem heen en deden alsof ze moesten overgeven en vroegen of ze er aan mochten komen. Hij liep altijd rond met een vinger die nog maar aan een draadje hing, of met een hersenschudding die maakte dat hij vreemde taal uitsloeg en een hele dag lang uit de losse hand perfecte cirkels kon tekenen, of met een blauw oog of een open slagader of een tand die horizontaal in zijn mond stond en zwart werd. En daar kwam nog bij dat hij zich nooit verveelde. *Hem* zag je nooit thuis rondlummelen om aan zijn moeder te vragen wat hij moest doen; hij had zijn eigen ideeën, die zijn moeder niet goedkeurde. Zijn brein was een lichtflits. Hij kon Richards blikken speelgoedautootje laten rijden met de elektrische ventilator, hij kon vallen bouwen voor allerlei soorten dieren, mensen inbegrepen, hij had een vlieger uitgevonden die niet steeds omlaag dook en een geheime code ontworpen die bestond uit ophaaltjes en krabbeltjes. Verwarrende ontwerpen voor allerlei soorten machines lagen kris-kras door zijn kamer en al die neven en nichten hingen aan zijn lippen en wilden graag de nodige klusjes voor hem opknappen. Als hij een gemene jongen was geweest, hadden ze dat nooit gedaan, maar dat was hij niet. In ieder geval niet tegen hen. Hij was wreed tegen grote mensen.

Justine zag hem een keer ondersteboven aan een tak hangen, toen de familie weg was op een picknick. Hij was niet in gevaar, maar tante Lucy ging desondanks toch tekeer. 'Dun-kunn? Ik wil dat je eruit komt!' riep ze. Het enige wat Duncan deed was met één been de tak loslaten. Nu hing hij er hachelijk bij, in een onmogelijke hoek, met zijn armen over elkaar gevouwen. Tante Lucy stond op en begon in belachelijke kringetjes vlak onder hem rond te rennen, met uitgestoken armen. Duncan greep de tak weer – zou hij zich gewonnen geven? Wat zou dat een teleurstelling zijn! – maar nee, hij schikte zich alleen maar, zodat hij nu alleen aan zijn voeten hing. Het enige waar hij zich aan vasthield was de wreef van zijn voeten, en de tak was daar niet geschikt voor. Hij vouwde zijn armen weer over elkaar en keek zijn moeder aan met een koele, uitdagende, ondersteboven blik waar Justine plotseling koud van werd. Maar stelde tante Lucy zich eigenlijk niet vreselijk aan – zoals ze daar heen en weer fladderde, terwijl ze steeds maar 'Oh! Oh!' kraste. Alle neven en nichten moesten er om lachen. Hun grootvader legde zijn gevulde ei neer en kwam overeind. 'Duncan Peck!' schreeuwde hij. 'Kom daar *onmiddellijk* uit!'

Duncan kwam op zijn hoofd terecht en moest met spoed naar het ziekenhuis.

Tante Lucy, die samen met haar schoonzusters soldatensokken aan het breien was, bleef zich voortdurend afvragen hoe het kwam dat haar zoon zo geworden was. Ze nam al zijn karakterfouten in overweging, zijn schandelijke rapporten en de klachten van zijn onderwijzers. (Zijn spelling was waardeloos, zeiden ze, en hij had nooit geleerd dat netheid meetelt. Wat zijn opstellen betrof die – zonder enige twijfel, eh, fantasierijk waren, tenminste die gedeelten die leesbaar waren – lieten zijn haastig gekrabbel en zijn gebrek aan ordening en zijn wilde uitlopende uitweidingen twijfel bestaan over zijn mentale stabiliteit.) Waar kwam dat toch allemaal vandaan? Ze dacht terug aan de tijd dat ze zwanger was: tijdens haar middagdutjes hadden zij en haar toen nog ongeboren zoon Duncan, wel, een *strijd* gevoerd kon je wel zeggen om een comfortabel plaatsje. Iedere keer wanneer ze op haar rug lag, met de baby op de knobbels van haar ruggegraat, dan schopte hij en protesteerde hij tot ze toegaf en op haar zij ging liggen. Natuurlijk kon ze hem alleen maar met Claude vergelijken, maar ze had zich toen zelfs al afgevraagd: zou de gemiddelde baby zich niet hebben geschikt en haar hebben laten rusten?

Haar zusters slaakten een zucht en schudden hun hoofd. Alle neven en nichten, die in een rij onder het raam hadden staan luistervinken, waren zeer in zwangerschap geïnteresseerd, maar Duncan had beloofd dat hij al hun fietsen aan elkaar zou lassen om er één gigantische tandem van te maken, dus konden ze niet langer blijven luisteren.

Toen Sam Mayhew terugkeerde, had zijn bedrijf weer een kantoor in Baltimore geopend. Het was niet nodig om terug te verhuizen naar Philadelphia. Zoals zijn vrouw al zei, was het ook niet nodig om een huis te kopen. Waarom zouden ze dat doen, als overgrootmoeder toch een huis had met drie verdiepingen waar ze helemaal alleen in rondwandelde, met alleen maar de oude meid Sulie als gezelschap. Dus bleven ze in het witte stenen huis in Roland Park wonen en reed Sam Mayhew iedere dag in een V-8 Ford achter zijn zwagers aan de stad in. Hij had de Ford als welkomstgeschenk gekregen van de grootvader, die zelf altijd een Ford had gehad en altijd een Ford zou hebben. Eerlijk gezegd had Sam liever een De-Soto willen hebben. En had hij een huis willen kopen in Guilford, waar zijn ouders woonden. Om de een of andere reden kwam hij haast nooit meer bij zijn ouders. Maar hij was niet koppig en ging uiteindelijk overal mee akkoord, maar hij smolt steeds meer samen met de achtergrond en begon steeds langer te werken. Op een keer was hij drie dagen weg geweest op zakenreis en alleen Sulie had in de gaten gehad dat hij weg was geweest. En *dat* was omdat zij iedere avond het aantal plaatsen moest tellen bij het tafeldekken.

Zijn dochter Justine, die een zielig, schriel meisje was geweest toen hij wegging, was nu lang, dun en beigekleurig. Ze was ook een verdomde Peck geworden, geheimzinnig en kliekerig, met een ge-sluierde blik in haar ogen en een soort van binnenpret wanneer ze een buitenstaander opnam. Niet dat ze *onbeleefd* tegen hem was. Alle Peck meisjes hadden zeer goede manieren. Maar hij wist des-ondanks dat hij haar kwijt was.

'Wat doen die verrekte kinderen de hele dag? Hebben ze geen vrienden buitenshuis?' vroeg hij zijn vrouw.

'Och, laat ze maar. *Wij* waren ook zo,' zei ze bedaard.

En ze glimlachte voor zich uit naar het grasveld en haar breekbare ongetrouwde zusters en haar bekrompen broers die er allemaal het-zelfde uit zagen, en die allemaal advocaat waren zoals hun vader gewild had, en naar hun twee echtgenotes die alleen uitgekozen hadden kunnen zijn om hun vermogen zich aan te passen. Die daar ook voor waren uitgekozen. Ineens keek hij naar zijn eigen kleurlo-ze pak, dat zo om hem heen slobberde dat het onbewoond leek. Toen zuchtte hij en liep weg. Niemand merkte dat hij wegging.

Geen van de nichtjes ging met jongens uit toen ze op de middelbare school zaten. Op de gemengde feestjes die samen met de jongens-school aan het eind van de straat werden gehouden, vond men dat ze uit de hoogte deden. Vooral Justine, wier gespannen, spichtige gezicht de meeste jongens er van weerhield om haar ten dans te vragen. Soms draaide Sally, de knapste van de tweeling, op de dans-vloer rond met iemand, maar ze hield haar bekken stijfjes naar ach-teren en leek opgelucht te zijn wanneer de muziek stopte. Wat de neven betreft had alleen Duncan een vast vriendinnetje.

Duncans vriendinnetje was een verkoopster die Glorietta de Me-rino heette. In een tijd waarin nette meisjes korte rokken droegen, hing die van Glorietta net boven de enkels. Haar haar viel als een waterval omlaag en ze had een prachtig levendig gezicht. Het leek alsof ze suikerkristallen op haar wimpers had. Ze had een smalle taille en puntige borstjes, net als de kegelvormige luidsprekers die Duncan in zijn souterrain voor zijn radio aan het bouwen was. Iedereen die tegen haar praatte leek recht in de luidsprekers te spreken – inclusief grootvader Peck, zoals Justine opmerkte toen Glorietta op een zondag te eten kwam. Duncan was de enige die zich het eten liet smaken. Zelfs Glorietta moest hebben gevoeld dat er iets mis was. Want daarna werd zij nooit weer in het huis van een Peck gezien. In plaats daarvan nam zij haar intrek in Duncans auto, een Graham Paige uit 1933 die verdacht naar bier rook en die hij voor veertig dollar had gekocht. Iedere keer wanneer de Graham Paige buiten geparkeerd stond, een groene schandvlek tussen het rijtje Fords, kon je door een van de raampjes een glimp ontwaren van Glorietta's rode jurk. Wanneer Duncan Justine rijles gaf, reed Glorietta altijd mee achterin, alsof ze een plaid was of een thermosfles, iets wat bij de auto hoorde. Ze zat te neuriën en bellen te blazen met haar kauwgum en negeerde de gierende remmen en de ruzies en de ongelukken die op het nippertje voorkomen konden worden. Later, toen Justine de eerste beginselen van het autorijden had geleerd, reed Duncan ook achterin mee. Dan kon Justine in het achteruitspiegeltje zien hoe Duncan achteloos een arm om de hals van Glorietta had geslagen, en hoe tevreden zijn gezicht stond terwijl hij naar het voorbijgaande landschap keek. Ze dacht niet dat *zij* zo ontspannen zou kunnen omgaan met iemand van buiten de familie.

Op een keer werd Justine gevraagd om op een school-bazaar de waarzegster te zijn; maar ze wist niets af van waarzeggen. Een zeer eigenaardige oude biologielerares stuurde haar naar een waarzegster genaamd Olita. 'Dat is *mijn* waarzegster,' zei ze alsof iedereen er een zou moeten hebben, 'en zij kan je genoeg uitleggen om je mee te kunnen redden.' Duncan en Glorietta brachten Justine naar een wasserij in Baltimore-Oost en parkeerden en bleven op haar wachten. Olita had een kamer boven, achter een raam waarop stond MADAME OLITA OPENBAART UW LOT. Justine vond het opeens toch niet zo'n goed idee meer. Ze keerde terug naar de auto en was van plan om tegen Duncan te zeggen dat ze er toch maar van af zag, maar ze zag dat Duncan haar recht aankeek, half glimlachend, met een vonk in zijn oog. Het deed haar denken aan die keer toen hij aan die tak hing. Ze liep de trap op.

Madame Olita was een grote, gewelfde vrouw met kort stoppelig grijs haar, die een oma-jurk aan had met een vest erover heen. Haar kamer, die op twee krukken en een tafel na leeg was, rook naar de stoom uit de wasserij. Aangezien de biologielerares van te voren opgebeld had, wist ze waar Justine voor kwam. Ze had een lijstje gemaakt van wat ze tegen mensen kon zeggen. 'Handpalmen zijn het eenvoudigst,' zei ze 'Het lezen van een hand gaat veel sneller dan het leggen van de kaart en dat is belangrijk op een bazaar. Je moet zelfverzekerd klinken. Je moet hun hand pakken, kijk zo.' Ze greep Justine's hand en draaide hem krachtig om. 'Begin bij de – jij zou ook de toekomst kunnen voorspellen als je dat zou willen,' zei ze.

'Maar dat ga ik ook doen,' zei Justine.

'Ik bedoel *echt*. Je hebt er aanleg voor.'

'O', zei Justine. 'Nou, ik geloof niet –'

'Heb je ooit een voorgevoel dat er iets gaat gebeuren?'

'Nee! Eerlijk niet,' zei Justine. Ze trok haar hand terug.

'Goed, goed. Hier is mijn lijstje van de voornaamste handlijnen. Levenslijn, verstandslijn, liefdeslijn, noodlotslijn . . .'

Maar later, toen ze zich omhoog hees om Justine uit te laten, zei ze: 'Dit is heus niet zo maar een spelletje voor de huiskamer, dat snap je wel.'

'Nee, dat zal wel niet,' zei Justine beleefd.

'Dat weet *jij* ook wel.'

Justine wist niet wat er van haar verwacht werd. Ze stond daar maar haar jas dicht te knopen. Madame Olita helde voorover en porde de bovenkant van Justine's linkerhand met een van haar stobbelige vingers. 'Jij hebt een kromme gebogen Solomon-ring, een gedegen intuïtielijn en een mystiek kruis,' zei ze.

'O ja?'

'Zelfs één van de twee is voldoende om een voortreffelijke waarzegster te worden.'

Justine zette haar muts recht.

'Ik heb ook een mystiek kruis,' zei Madame Olita, 'maar ik heb er nog nooit een bij iemand anders aangetroffen. Het is heel zeldzaam. Mag ik alsjeblieft je rechterhandpalm zien?'

Justine stak hem onwillig uit. De handen van Madame Olita voelden aan als warm schuurpapier.

'En?' zei Justine eindelijk.

'Je bent erg jong,' zei Madame Olita.

Justine deed de deur open om te vertrekken.

'Maar je gaat een huwelijk aan dat alles op z'n kop zal zetten en waarvan het hart van je ouders zal breken,' zei Madame Olita, en toen Justine zich omdraaide gaf Madame Olita haar een kleine, gele glimlach en hief haar hand om haar te groeten.

Buiten in de auto zaten Duncan en Glorietta op klaarlichte dag te zoenen. 'Hou daar mee op,' zei Justine geprikkeld en Duncan maakte zich los en keek haar verbaasd aan.

Justine vroeg zich af of er wat van Duncans uitstraling op haar overgekomen was, zodat Madame Olita de toekomst van de verkeerde persoon had voorspeld.

Op een zondag na de preek vroeg een jongen die Neely Carpenter heette Justine in de hal hoe laat het was. 'Het is ongeveer dertien en een halve minuut over twaalf,' zei ze tegen hem.

'*Ongeveer* dertien en een *halve* minuut over twaalf?'

'Ja, dat heb ik, zie je, maar mijn horloge loopt niet helemaal gelijk,' zei Justine. 'Dat is toch logisch.' Ze begon te lachen. Neely Carpenter, die haar altijd een meisje met een oude-vrijstersgezicht had gevonden, keek een ogenblik verbaasd en vroeg toen of ze met hem mee wilde rijden naar huis.

Later gaf hij haar iedere zondag een lift en ging iedere zaterdagavond met haar naar de film. Justine's moeder zei dat ze dat heel aardig vond. Het was tenslotte het laatste half jaar van haar eindexamenjaar; ze was zeventien. Het werd tijd dat ze een vast vriendje kreeg. En Neely was de zoon van een dokter die kortgeleden in Roland Park was komen wonen, een jongen met een ernstig gezicht, steil zwart haar en uitstekende manieren. 'Waarom nodig je die jongen Neely niet eens uit om zondag te komen eten?' vroeg haar moeder.

Op zondag werd er altijd bij overgrootmoeder gegeten, met vier tussenbladen in de tafel, zodat er plaats was voor iedereen. Neely keek een beetje verbouwereerd toen hij zag hoeveel Pecks er waren, maar hij kreeg een plaatsje aangewezen tussen tante Sarah en oom Dan en deed zijn best om aan de gesprekken mee te doen. 'Ja, mevrouw,' 'Nee, mevrouw,' zei hij steeds maar. Justine vond dat hij zich uitstekend gedroeg. Ze was ook trots op haar familie – haar tantes in hun nieuwe roestkleurige herfstkleren, haar knappe neven, haar statige grootvader wiens haar zilverwit werd en op wiens gezicht voortdurend een uitdrukking van verwarring stond, want hij was begonnen moeite te hebben met te verstaan wat iedereen zei. Dus keek ze ervan op toen Duncan zei, nadat Neely naar huis gegaan was, '*Die* zie je hier nooit weer terug.'

Ze stonden op overgrootmoeders grasveld, waar Justine heengegaan was om afscheid te nemen van Neely en waar Duncan, bezig met een of ander project, een gigantische kluwen katoen over het gras aan het uitrollen was. Toen hij zijn hoofd ophief om tegen haar te spreken werd Justine getroffen door de uitdrukking op zijn gezicht, die zo op die van zijn grootvader leek. 'Waarom zeg je dat?' vroeg ze hem.

'Iemand die een keer bij de Pecks heeft gegeten komt nooit weer terug.'

'Hoe kom je daarbij! Zeker vanwege *Glorietta*! En je hebt het trouwens mis. Hij heeft me al uitgenodigd om naar Sue Pope's verjaarsfeestje te gaan.'

'Dan is hij gek,' zei Duncan. 'Nee, ik bedoel niet omdat jij het bent, Justine, maar ik bedoel, wie zou er nou willens en wetens wat te maken willen hebben met dat groepje mensen in de eetkamer?'

'Ik wel,' zei Justine. 'Ik vond dat ze heel aardig tegen hem deden.'

'Ja, ja! "Vraag je vriendje eens even of hij nog een aardappel wil, Justine". *Vriendje!* En, "Vertel eens, is het waar dat je op een openbare school zit? Hoe zijn die openbare scholen eigenlijk?" En, "Ik heb begrepen dat je vader dokter is, eh, Reilly. Wat mooi zeg! Een dankbaar beroep, heb ik begrepen, maar ietwat *mechanisch*, vind je ook niet? *Wij* zijn allemaal advocaat, dat wist je wel, neem ik aan –"'

'Wat is daar nou verkeerd aan? Ze toonden alleen maar belangstelling,' zei Justine.

'Kom nou! En toen hij overgrootmoeder vroeg of hij kon helpen afruimen, toen kreeg hij *dubbel op*! "Oh, gunst, nee, we hebben een bediende hoor." "En, bovendien," zegt tante Caroline, "is het ons beste servies!"'

'Nou en?' zei Justine. 'We hebben ook een bediende. En het is ook ons beste servies.'

Duncan stopte met het uitrollen van het katoen. Hij kwam overeind en veegde zijn gezicht aan zijn mouw af. 'Je hebt het echt niet door, hè?' zei hij.

Maar Justine weigerde antwoord te geven. Ze vouwde haar armen over elkaar tegen de herfstwind en keek naar de vier bakstenen huizen achter hen, waar iedereen het zich gemakkelijk maakte met kranten en borduurwerkjes en kopjes kruidenthee. 'Weet je waar die huizen me aan doen denken?' zei Duncan, die met haar mee staarde. 'Hamsters. Of jonge muizen, of marmotten. Van die kleine diertjes die over elkaar heen klimmen en in een hoekje bovenop elkaar gaan liggen zelfs al hebben ze een grote kooi met ruimte genoeg om zich te verspreiden.'

'Oh, Duncan,' zei Justine.

Ze wist dat hij alleen maar zo praatte omdat hij een moeilijke tijd doormaakte. Volgend jaar zou hij gaan studeren en hij wilde naar Hopkins in plaats van de universiteit om daar wis- en natuurkunde te studeren, in plaats van rechten. Maar grootvader Peck en de ooms bleven erover debatteren en zeuren en aandringen. Natuurlijk kon hij één van de exacte vakken kiezen, het was een vrij land, zeiden ze, maar toch was er iets materialistisch aan de exacte vakken, terwijl rechten . . . 'Peck, Peck, Peck & Peck', zei Duncan met een verwijzing naar de familiefirma, die in werkelijkheid Peck & Zonen heette. 'Wat een toepasselijke naam.' En dan sloot hij zich in zijn kamer op of ging in het wilde weg rondrijden met Glorietta zo dicht naast hem dat ze, als de Graham Paige een lucifersdoosje was geweest (waar hij sterk op leek) allang gekanteld zouden zijn.

Dus trok Justine het zich niet zo aan toen hij zich zo bitter uitliet. En jawel, Neely bleef haar uitnodigen. Hij kwam nooit weer op zondag eten, maar dat was omdat hij thuis bij zijn *eigen* familie moest eten, zei hij. Hij ging wel met haar naar de film en naar verjaarsfeestjes en danspartijtjes. Hij bracht haar dan langs een omweg naar huis en parkeerde op een afstandje van de Pecks zodat hij haar ten afscheid kon kussen. Hij vroeg of ze op de achterbank wilde gaan zitten zodat ze meer ruimte zouden hebben.

'Oh, nou, nee –,' zei Justine, die niet precies wist wat je in zo'n situatie moest zeggen. Ze wist absoluut niet wat ze moest doen. Geen van haar nichtjes konden haar daarmee helpen. Alles wat ze van sex afwisten hadden ze van Duncan gehoord toen hij acht was; dat, en de vage, botanisch klinkende informatie die ze van hun moeder gekregen hadden. Justine werd dan een beetje zenuwachtig en dacht erover na, maar ze zei ten slotte altijd, 'Nou, ik zit hier eigenlijk wel gemakkelijk hoor, maar bedankt –' Neely, die wellicht ook in onzekerheid verkeerde, keek dan haast opgelucht. Op weg naar huis neuriede hij *Goodnight Irene* mee met de radio. Hij begon het te hebben over dat ze op een goeie dag zouden trouwen, nadat hij zijn medicijnen-studie afgemaakt zou hebben. Justine vond hem de leukste jongen in Roland Park en ze bewonderde zijn ogen, die grijs waren en doorzichtig als kwarts, en zijn rustige, gelijkmatige manier van spreken. Misschien was ze zelfs wel verliefd op hem, maar ze wist niet wat haar moeder daarvan zou zeggen.

In het najaar van 1951 ging Justine naar een *college* voor meisjes vlakbij. Ze had het idee om Engels te gaan studeren of opvoedkunde of zoiets. Het deed er niet zo veel toe. Hoewel ze altijd redelijke cijfers had gehaald, had ze eigenlijk nergens echt belangstelling voor en ze kon zich geen enkele carrière voorstellen waar ze zich op zou willen richten. Dus reden zij en Esther iedere dag naar *college* in de Ford die grootvader voor ze had gekocht om mee te forenzen, met felgekleurde wapperende sjaaltjes en haar dat zwiepte in de wind. Bijna iedere avond kwam Neely langs (hij zat nu op Hopkins) om samen met haar in de eetkamer te werken. En ze gingen nog steeds door met de etentjes op zondag, waarbij de volwassenen en de neven en nichten om en om zaten om ondeugendheden te voorkomen, en Claude's ronde gezicht glom van opluchting omdat hij een dagje thuis was van de universiteit.

Maar Duncan!

Er gebeurde iets met Duncan dat jaar. Niemand kon er precies de vinger opleggen. Hij had toch zijn zin gekregen? Hij studeerde toch wis- en natuurkunde op Hopkins? Toch leek hij ontevredener dan ooit, bijna alsof hij het jammer vond dat hij gewonnen had. Hij klaagde er over dat hij thuis moest wonen, wat hij wel moest omdat Hopkins zo duur was. Hij zei dat dat maar een smoesje was; dat de familie hem gewoon op deze manier strafte. Een straf! Thuis wonen bij je eigen dierbare familie? Hij was nukkig en er viel niet met hem te praten. Hij scheen helemaal geen vrienden te hebben, of tenminste niemand die hij thuis kwam voorstellen, en Glorietta was ook van het toneel verdwenen. Nou, hij was natuurlijk altijd al een probleemkind geweest. Dit was zeker weer een van zijn groeistuipen, zeiden zijn tantes tegen zijn moeder.

Maar toen begon hij Dostojewski te lezen.

Vanzelfsprekend hadden ze allemaal Dostojewski gelezen – de ooms in ieder geval op school. In ieder geval *Schuld en Boete*. In ieder geval in de verkorte versie. Maar nu lagen de zaken anders. Duncan *las* niet alleen Dostojewski; hij zonk erin weg, hij begroef zichzelf in Dostojewski, hij volgde helemaal geen colleges meer en bleef op zijn kamer duistere romans en dagboeken verslinden, waar de rest van de familie nog nooit van gehoord had. Op een zachte voorjaarsavond, midden in een vredige discussie over de voordelen van het kopen van een vrieskast, kon het gebeuren dat het gezin van oom Twee opgeschrokken werd door een enorm gebons van voetstappen op de trap, waarna Duncans opgewonden, pezige gestalte de huiskamer binnenstormde en met een boek naar hen zwaaide. 'Moet je horen! Moet je horen!' en vervolgens las hij een of andere passage te hard en te snel voor zodat ze het niet eens konden volgen. Een stortvloed van overdreven Russisch proza, waarin emoties onomwonden op een verrassende wijze werden uiteengezet en een groot aantal extreme bijvoegelijke naamwoorden werden gebezigd en koortsige schimmen er steeds maar op los flitsen en stormden. Alineas in lagen, die zo onbevattelijk en ingewikkeld waren als brokjes mica. 'Hebben jullie dat *gehoord*?' riep hij uit. Zijn ouders knikten en glimlachten met een uitdrukking vol schaamte op hun gezicht waardoor het leek alsof ze door een fel licht uit hun slaap waren opgeschrikt. '*Nou*, dan!' zei hij en dan draaide hij zich weer om en ging naar boven toe. Zijn ouders staarden elkaar aan. Zijn vader ging met de grootvader spreken, die er ook niets van begreep. 'Maar ik dacht dat hij aanleg had voor de exacte vakken!' zei hij. 'Waarom leest hij dan?' En toen, 'Nou, ja het geeft niets. Hij leest tenminste de klassieken, dat kan nooit kwaad.'

Maar dat was voor Paaszondag. Op Paaszondag, aan tafel, zaten de tantes de uitgebreide collectie beschilderde paaseieren van Mevrouw Worth te bespreken. De ooms discussieerden over een academische kwestie in het recht: als een boer, terwijl hij het water aanzet om zijn land te irrigeren, per ongeluk de muilezel van een andere boer laat schrikken waardoor die, op zijn beurt de omheinig stuk trapt waarachter een Angus kampioenstier staat, die daarop . . .

'Dit zijn geen van beide gepaste onderwerpen van gesprek voor aan tafel,' zei Duncan.

Iedereen dacht hier een ogenblik over na.

'Waarom dan niet, jongen,' zei zijn moeder eindelijk.

'Ze zijn niet echt.'

Overgrootmoeder, die het langst had geleefd en het moeilijkst was te shockeren, schonk zichzelf nog wat water in. 'Voor *jou* misschien niet,' zei ze, 'maar ikzelf vind beschilderde paaseieren geweldig interessant, en als ik niet zo beefde, dan zou ik ze ook gaan verzamelen.'

'Je bent ons een excuus verschuldigd, Duncan, jongen,' zei oom Twee.

'Jullie zijn *mij* een excuus verschuldigd,' zei Duncan. 'Achttien jaar lang ben ik hier stukje voor beetje doodgegaan door te moeten luisteren naar jullie oppervlakkige prietpraat en toe te kijken hoe jullie je druk maken over hoe je de blauwe zee om een bootje schildert en je voorzichtigheidshalve wat wit moet overlaten –'

'*Wat?*'

'Kunnen jullie nooit eens over een *zinnig* onderwerp praten?' vroeg Duncan.

'Wat dan bijvoorbeeld?' zei zijn moeder.

'Kan me niet schelen. Wat dan ook. Alles behalve de vedersteek en de verjaringswet. Willen jullie de dingen dan niet uitdiepen? Praat eens over of God wel of niet bestaat.'

'Maar dat weten we al,' zei zijn moeder.

Waarom was dat nou zo erg? Niemand zag dat in. Maar Duncan stond op, met ogen zo wild als de eerste de beste Rus, en zei: 'Ik ga weg. Ik ga voorgoed weg.'

Hij sloeg de deur van de eetkamer achter zich dicht. Justine sprong op om achter hem aan te gaan, maar bleef weifelend in de deuropening stilstaan. 'Die komt wel weer terug,' zei oom Twee op z'n gemak. 'Het zijn alleen maar groeistuipen. Over tien jaar praat hij net zo als wij allemaal.'

'Ga achter hem aan,' zei de grootvader.

'Wat, vader?'

'Nou, blijf daar niet zo maar zitten – *iemand* moet er achter aan. Ga jij maar, Justine. Ga vlug achter hem aan.'

Justine ging. Ze vloog overgrootmoeders huis uit en stopte even, omdat ze dacht dat ze hem al kwijt was, maar toen zag ze hem met een kartonnen doos uit oom Twee's huis komen. Hij stak het grasveld over en tilde de doos op de achterbank van de Graham Paige. Toen stapte hij zelf in. 'Duncan! Wacht! riep Justine.

Tot haar verbazing wachtte hij. Ze rende hijgend naar hem toe, met haar servet nog in haar hand. 'Waar ga je naar toe?' vroeg ze aan hem.

'Ik ga verhuizen.'

'Echt waar?'

Ze keek naar de achterbank. Het was echt iets voor hem om zijn kleren achter te laten en er met een doos vol schroot en gereedschap vandoor te gaan.

'Maar Duncan,' zei ze, 'wat moeten we zonder jou beginnen?'

'Daar zullen jullie geen moeite mee hebben.'

'En als we je ergens voor nodig hebben? Waar kunnen we je dan bereiken?'

Intussen verdrongen de andere familieleden zich op de veranda van overgrootmoeder. Dat kon ze opmaken uit de blik die hij over haar schouder wierp. 'Dag Justine,' zei hij. 'Ik heb al een kamer naast de boekwinkel in St. Paul Street, maar zeg het niet tegen de anderen.'

'Maar *Duncan* –'

'Dag Justine.'

'Dag Duncan.'

In het begin nam de familie aan dat hij wel gauw weer thuis zou komen. Het was alleen maar de leeftijd. Iedereen van de leeftijd van achttien verwachtte diepzinnige dingen van mensen, maar het *duurde* nooit lang. Maar de dagen verstreken en ze hoorden niets van hem. Ze begonnen Justine nauwkeuriger uit te horen. 'Hij redt zich wel. Hij heeft een kamer,' was alles wat ze eerder gezegd had, maar nu kon ze daar niet meer mee volstaan. Had hij haar verteld waar? Want dit was geen kinderspel meer, ze was toch zeker wel oud genoeg om zich dat te realiseren. Dat was ze toch?

Maar ze had het aan Duncan beloofd.

Tante Lucy zei dat Justine wreed was en dat ze alleen aan zichzelf dacht. Justine's moeder zei dat het niet nodig was om *zo* te praten en toen barstte tante Lucy in tranen uit. 'Hoor nou 's even. Beheers je een beetje,' zei de grootvader, waardoor ze zich tegen hem keerde. Waarom mocht je je niet eens één keertje laten gaan? Wat was daar nou verkeerd aan? Waarom mocht een vrouw van vierenveertig haar tranen niet eens de vrije loop laten in haar eigen huis en haar gevoelens eens spuien, zonder dat er een groepje Pecks om haar heen ging staan om haar te vertellen dat ze niet voldoende waardigheid bezat, of elegantie, of smaak, of eerbiedwaardigheid?

'Wel heb ik van mijn leven, Lucy Hodges!' zei tante Sarah.

Tante Lucy wierp haar een blik toe vol pure haat, je kon het niet anders noemen.

Justine voelde zich beroerd. Ze zou het veel liever vertellen, dan was ze er van af. Maar zelfs al hadden de volwassenen hun eigen regels, Duncan hield zich nog aan de oude spelregels en hij zou woedend zijn als ze zijn verblijfplaats verklapte. Ze hoopte dat hij uit eigen vrije wil naar huis zou komen – 'zich zelf aan zou geven' was wat ze dacht. Of dat oom Twee, terwijl hij met gemaakte onverschilligheid tijdens de pauze over het Hopkins campus wandelde, Duncan zelf zou tegen komen. Maar Duncan verscheen niet en werd niet op het campus waargenomen, en oom Twee wilde niet naar het kantoor van de dekaan gaan en andere mensen bij een familiezaak betrekken. 'Je bent het ons verplicht om het te vertellen, Justine,' zei hij. Zijn gezicht zag er vermoeid en weggetrokken uit en er zaten schaduwen onder zijn ogen. Tante Lucy zei helemaal niets. Zelfs de andere neven en nichten keken naar Justine op een nieuwe gespannen manier. Hoe was zij hierin verzeild geraakt? Het enige wat zij wenste was dat de familie gelukkig met elkaar was. Ze was uitsluitend om die reden achter Duncan aangehold.

Ze voelde zich als iemand die een voorzichtige stap doet op ijs dat dik genoeg is en dan hoort hoe het kraakt. Ze stond met één voet op een schots, die zeewaarts getrokken werd, terwijl de andere nog op de wal stond.

Toen zei haar grootvader: 'Ben *jij* bij hem geweest?'

'Oh, ik denk niet dat hij dat zou willen, grootvader.'

'Waarom niet? Jij bent zijn nicht.'

'Dat weet ik.'

'Nou dan,' zei haar grootvader, en hij trok aan zijn neus. 'Ach, laat ook maar. Je moet toch eens gaan. Het is de enige manier waarop de vrede hier weer zou kunnen terugkeren.'

'Als ik bij hem langs ging?'

'Je hebt toch niet beloofd dat je *dat niet* zou doen? Toe maar. Maak je geen zorgen, niemand zal je achterna gaan.'

Maar Justine hoopte half en half dat iemand dat *wel* zou doen. Dan zou alles weer normaal worden.

Ze wist waar het was, want ze was vaak samen met Duncan in de

boekwinkel geweest – een rommelige winkel met krakende vloerplanken en enorme overhellende stapels tweedehandse technische
boeken. Links van de winkel hing een papier met oranje letters op
een zwarte ondergrond: KAMERS. Toen ze de deur open deed, zag
ze een smalle houten trap, en bovenaan de trap een donkere overloop met aan een kant een toilet. De deuren deden haar aan school
denken, ze waren allemaal bedekt met een dikke laag bruine, kras-
bestendige verf en van een sierlijk metalen nummer voorzien. Maar
ze had een zaklantaarn mee moeten nemen om de nummers te kunnen lezen. Ze bewoog zich heel langzaam door de overloop, met
opgetrokken schouders tegen onbekende dingen achter haar rug, en
tuurde naar de namen die op stukjes gelinieerd papier of plakband
waren gekrabbeld: Jones, Brown, Linthicum, T. Jones, geen Peck.
Rechts van haar was een deur waar geen nummer op stond en waar
geen naamkaartje in het gleufje zat. Daar woonde Duncan vast.

Ze klopte aan. Toen hij de deur opendeed hield ze haar muts vast,
als iemand die zojuist het spookhuis in was gegaan en niet wist wat
hem te wachten stond. Maar Duncan zei alleen maar: 'Justine.'

'Hallo,' zei ze.

'Wat is er?'

'Ik moest gaan kijken hoe het met je ging.'

'Nou, dan heb je dat nu gezien.'

'Goed,' zei ze, en draaide zich om, om weg te gaan.

'Maar nu je er toch bent, kun je net zo goed even binnen komen,
vind ik.'

Zijn kamer was klein en somber, met bevlekt behang, een flap-
pend, gescheurd gordijn, in de spiegel zat het weer en op het metalen bed lag een doorgezakte matras. In een hoek stond zijn kartonnen doos. Hij had de kleren aan waarin hij van huis weggelopen
was, de broek die bij zijn bruine pak hoorde en een wit overhemd
zonder das. Hij leek magerder te zijn geworden. 'Je ziet er niet uit
alsof je goed eet,' zei Justine.

'Ben je daarvoor gekomen?'

'Nee.'

Ze ging voorzichtig op de rand van het bed zitten. Ze bracht beide
handen naar haar muts om er zeker van te zijn dat die recht stond.
Om een of andere reden moest Duncan lachen.

'Zo!' zei ze eindelijk.

Duncan ging naast haar zitten.

'Je moedert trekt het zich vreselijk aan, Duncan. Ze huilt waar iedereen bij is. Je vader is –'

'Ik wil er niets over horen'

'Oh. Nou –'

'Ik weet wel wat ze doen. Dat hoef je me niet te vertellen, ik weet het, ik zie het voor me, alsof ik erbij ben. Ze hebben het over iemand in de buitenwereld. Ze zijn de slotgracht wat aan het uitdiepen. Ze wijzen op alle fouten van alle buren, hun uitvallende tanden en de woorden die ze verkeerd uitspreken, ze trekken zich nog meer terug om de vijand af te weren. Waarom dacht je dat mijn moeder huilde? Omdat ze me mist? Heeft ze dat gezegd? Denk eens even goed na. Zei ze dat echt? Heeft iemand van hen dat gezegd? Nee. Ze zijn bang dat ik met de verkeerde mensen omga. Ze krijgen het benauwd wanneer ze er aan denken dat er ergens in de wereld zo maar een Peck los rondloopt. Ik heb de ophaalbrug neergelaten.'

'Oh, *nee*, Duncan –' zei Justine.

'Alles wat ze doen is er op berekend om anderen op een veilige afstand te houden. Alles. Kijk maar 's naar je muts!'

Onzeker bracht Justine haar handen weer omhoog.

'Nee, nee, hij zit goed. Het is een leuke muts,' zei hij tegen haar. 'Maar waarom heb je hem op?'

'Nou, ik heb *altijd* –'

'Ja, maar waarom? Heb je ooit goed om je heen gekeken? Alleen oude vrouwen dragen nog iets op hun hoofd buiten de kerk. Maar iedere vrouw in jouw familie, zelfs kleine meisjes, hebben altijd iets op, zelfs als ze alleen maar even een luchtje gaan scheppen in de tuin. "Een dame gaat nooit zonder muts uit, liefje. Alleen gewone mensen." Gewone mensen! Wat is er zo ongewoon aan ons? We zijn niet beroemd, we horen niet bij de betere kringen, we zijn al niet rijk meer sinds 1930 en we staan niet bekend om schoonheid of verstand. Maar onze dames zullen een muts dragen. We hebben allemaal perfecte manieren! We mogen met buitenstaanders over niets interessanters spreken dan het weer, maar we doen dat tenminste op een beleefde manier! En we hebben allemaal geleerd dat we niet houden van sportauto's, golf, vrouwen die een broek dragen, kauwgom, de kleur chartreuse, emotionele uitbarstingen, ranchhuizen, bridge, mascara, huisdieren, gesprekken over godsdienst, plastic, politiek, nagellak, doorzichtige edelstenen van welke kleur dan ook, sieraden in de vorm van een dier, geruite stof . . .

we hebben allemaal van de wieg af aan te horen gekregen dat geen Peck in de opgetekende geschiedenis sinds mensenheugenis ooit een gaatje in zijn kiezen heeft gehad of een tand is kwijtgeraakt; dat we altijd stipt zijn, zelfs wanneer er verwacht wordt dat we te laat komen; dat we onze bedankbriefjes niet later versturen dan een uur na elke betreffende visite; dat we altijd "Baltimore" zeggen, in plaats van "Balmer"; dat zelfs als we onze haveloze oude tuinkleren aan hebben je nog het merkje van Brooks Brothers kunt waarnemen als je in onze kraag loert, en dat onze laarzen uit Engeland komen en bedoeld zijn om mee te rijden, hoewel geen van ons ooit op een paard heeft gezeten . . .'

Hij liep af als overgrootmoeders oude Graphophone en liet zich plotseling voorover zakken met zijn lange handen tussen zijn knieën.

'Maar oom Twee is zo *treurig*,' zei Justine. 'Hij loopt de hele dag over het Homewood campus in de hoop dat –'

'Justine. Wil je alsjeblieft *weggaan*?'

Ze stond onmiddellijk op en hield haar suède tasje stevig in haar hand vast. Maar in de deuropening zei Duncan: 'Bedankt dat je geweest bent in ieder geval.'

'Oh, niets te danken.'

'Ik meen het, Justine. Het spijt me dat ik . . . echt, als je weer eens langs wilt komen, dan zou ik dat niet erg vinden.'

'Nou, goed dan,' zei Justine.

Natuurlijk was iedereen woedend op haar toen ze thuis kwam omdat ze achter geen enkel concreet feit was gekomen. Waar leefde hij van? Waar ging hij eten? Ging hij nog naar school? Met wie ging hij om?

'Ik weet bijna zeker dat hij met – tinnef omgaat, hij heeft zo'n rare smaak in vrienden,' zei tante Lucy.

En iedereen vroeg zich af waarom Justine er plotseling zo verdrietig uitzag.

Waar Duncan van leefde was het luttele bedrag dat een professor van Hopkins hem betaalde voor het nakijken van droge feiten in de bibliotheek om die dan in te vullen op de plekken die de professor daarvoor had opengelaten in een heel lang en vervelend boek over paleo-botanie. Hij at crackers met pindakaas, die hij wegspoelde met een liter melk. Hij had met niemand contact, zelfs niet met

Glorietta, met wie hij verscheidene maanden geleden vreselijke ruzie had gehad over haar gewoonte om te zeggen 'onder ons gezegd en gezwegen'. Hij was van plan om na verloop van tijd heel ver weg te gaan, misschien wel naar Brits-Columbië, maar op het ogenblik kon hij daar de energie niet voor opbrengen. En, nee, naar college ging hij niet meer. Hij las niet eens Dostojewski meer, wiens werk hem ineens zo voor zijn inspannende ogen krioelde als het weefsel van plantcellen. Hij dacht eigenlijk dat hij bezig was gek te worden. Dat idee stond hem wel aan. Hij wachtte op die krankzinnigheid als op een of andere kleurrijke figuur waar zijn ouders hem altijd voor hadden gewaarschuwd, maar iedere ochtend wanneer hij wakker werd, bleken zijn hersens nog steeds dezelfde efficiënte machine die ze altijd geweest waren en dat stelde hem teleur.

Een paar keer per week kwam zijn nicht Justine met irritante, aandoenlijke cadeaus – belachelijke pantoffels, zijn gestreepte beddesprei van thuis, en een keer zelfs zijn oude blauwe tandenborstel met aangekoekte Macleans tussen de haartjes. Wanneer hij de deur voor haar open deed was hij heel blij haar spitse, lieve gezicht te zien en haar muts met linten, maar voordat ze goed en wel vijf minuten binnen was, wilde hij haar er uit gooien. Ze bezat de gave om de verkeerde dingen te zeggen. 'Mag ik de andere neven en nichten vertellen waar je zit? Zij willen ook komen.'

'Mijn god, nee.'

'Heb je geld nodig?'

'Ik kan best voor mezelf zorgen, Justine.'

'Grootvader heeft me wat geld voor je meegegeven.'

'Zeg maar tegen hem dat ik voor mezelf kan zorgen.'

'Maar ik kan het niet teruggeven, Duncan. Hij was zo – hij drukte het zo onhandig en geheimzinnig in mijn hand. Terwijl hij net deed alsof er niets aan de hand was.'

'Laten we het over iets anders hebben.'

'Net als vroeger toen hij ons haverstroballetjes gaf.'

'Justine, ik wou maar dat je wegging.'

Dan ging ze altijd. Maar ze kwam ook altijd weer terug en wanneer ze enkele dagen later weer in de deuropening stond was hij nog meer geroerd door haar stomme, komische koppigheid. Van jongs af aan was zij zijn favoriete nichtje geweest – wellicht omdat ze wat verder van de rest verwijderd was, zij was een Mayhew, uit Philadelphia, het was niet zo gemakkelijk om haar te leren kennen. Maar hij verbaasde zich erover dat zij zijn donkere trap en zijn grofheden durfde trotseren. Ze had altijd zo volgzaam geleken! Hij deed extra zijn best voor haar, streek de sprei glad en bood crackers aan uit zijn kakkerlakbestendige trommeltje en stelde voor dat ze haar muts afzette, wat ze natuurlijk nooit deed.

'Justine, ik ben blij dat je er weer bent,' zei hij.

'Nou, dank je.'

'Ik krijg wel eens de kriebels van je, maar jij laat alles in ieder geval zien zoals het is, je zegt het openlijk, jij vindt dat niet een zonde. Jij was de enige die me wou tegenhouden die zondag dat ik wegging.'

'Maar grootvader zei dat ik dat moest doen,' zei Justine.

Meteen had zij het voor elkaar gekregen dat hij weer de kriebels van haar kreeg.

Ze had overal een antwoord op. Ze dreef hem door het behang. Op een gegeven moment was het zo ver dat hij haar aanviel zodra ze binnenkwam en een stortvloed van argumenten, die hij had opgespaard, op haar afvuurde. 'Weet je waar ze op lijken?' (Het was niet nodig om uit te leggen over wie hij het had.) 'Weet je waar ze me aan doen denken? Mensen die een bepaald programma op de radio zoeken. Zij negeren alles wat niet Peck is, net als ze snel langs radiostations gaan waarin ze zich niet interesseren, maar een fractie van een seconde horen ze jazz of voetbal of een progressieve dominee en ze huiveren en draaien verder en blijven op het laatst bij het enige aannemelijk programma waar Mantovani gedraaid wordt. Niets dat onaangenaam is, niets dat extreem is, niets dat ze niet kunnen tolereren . . .'

'Ze hebben jou getolereerd tijdens het eten die zondag,' zei Justine. 'Je was echt zo onbeschoft als het maar kan en ze probeerden het van jouw kant te bekijken en redelijk te zijn. Wie denk je wel dat je bent om te kunnen zeggen dat er niet over beschilderde paaseieren gesproken mag worden?'

Duncan zei: 'Nooit eens over iets anders dan over familiezaken. Niemand telt mee als ze niet Peck heten. Zelfs de buren niet. Zelfs Sulie niet. Ach, Sulie is bij ons in dienst sinds onze ouders klein waren, maar weet iemand hoe ze van haar achternaam heet?'

'Boudrault.'

'Hè?'

'Ze was getrouwd met de oude Lafleur Boudrault, de tuinman.'

'Oh, kleinigheden,' zei Duncan.

'Hij is in negentienveertig gestorven.'

'De kleinigheden van dames van het "Hoe-hoort-het-eigenlijk"-type zonder enige diepgang. En je bent net zo, Justine, en zo zul je altijd blijven. Hoe kom je erbij om hier te komen en je met mijn leven te bemoeien?'

Maar als ze weer weg was hing haar geur van warm gras in de lucht en de herinnering aan haar onverstoorbare Peck-gezicht. 's Nachts babbelde haar koele stemmetje dat debatteerde, redeneerde en logica aanvoerde, door zijn hoofd, zelfs in zijn dromen. Als hij dan wakker werd stompte hij in zijn geplette kussen en woelde hij onder de sprei die ook nog naar haar rook, hoe kort ze die ook maar in haar armen had gehouden. Dan wilde hij wel dat ze er was om mee te debatteren; dan wilde hij dat ze er was om haar zijn verontschuldigingen aan te bieden; dan wilde hij dat ze er was zodat ze met haar lange koele lichaam naast het zijne kon komen liggen op de doorgezakte matras en hem dicht tegen haar aan te drukken de hele diepe, klamme Baltimore-nacht lang.

Justine was zichzelf niet; iedereen had het in de gaten. Zelfs in de zomervakantie kon ze zich niet ontspannen. Ze gedroeg zich vreemd en afstandelijk tegen haar familie. Ze mat haar ooms en tantes met een berekenende blik waaronder zij zich erg ongemakkelijk begonnen te voelen. 'Wat is er met haar aan de *hand*?' zei haar vader op een keer, maar zijn schoonfamilie glimlachte alleen maar op een nietszeggende manier; zij geloofden niet in het stellen van al te veel vragen.

Het scheen dat ze Duncans afwezigheid nu accepteerden. Soms, wanneer Justine terugkeerde van een bezoek aan hem, vergaten ze te vragen hoe het met hem ging. Of ze zeiden: 'Naar Duncan geweest zeker?' en gingen dan verder met waar ze mee bezig waren. Zelfs tante Lucy scheen zich erbij te hebben neergelegd. Maar op een dag in augustus, een uitzonderlijk hete zaterdagochtend, verscheen tante Lucy op de trap voor het huis van overgrootmoeder met een kleine electrische ventilator. Justine zat buiten haar haar te drogen en *Mademoiselle* te lezen. 'Justine, schat,' zei tante Lucy.

Justine keek op, met haar gedachten nog bij haar tijdschrift. De uitdrukking op het gezicht van haar tante was er een van iemand die kalm en glimlachend de ondergang tegemoet gaat.

'Justine, dit is voor Duncan,' zei tante Lucy.

'Wat? Oh, een ventilator. Die kan hij best gebruiken.'

'O, dat dacht ik al! Ik ben zo blij, ik – nou, als je weer naar hem toe gaat, dan. Ga je vandaag?'

'Vandaag ga ik met Neely picknicken. Maar morgen denk ik wel.'

'Kun je vanochtend niet even langs gaan? Zou dat er niet even tussendoor kunnen?'

Tante Lucy glimlachte weifelend.

'Natuurlijk wel,' zei Justine, en ze nam de ventilator uit de trillende hand van haar tante.

Pas toen ze voor de boekwinkel geparkeerd had zag ze de kleine envelop die aan het rooster van de ventilator hing.

De kamer van Duncan was bloedheet en hij had het zo warm dat het leek alsof hij met olie ingesmeerd was. Hij had een groezelig hemd aan. Zijn broek was gekreukeld en slap. 'Oh, ben jij het,' zei hij alleen maar en toen ging hij weer op zijn bed zitten en veegde zijn gezicht af aan zijn opgerolde overhemd.

'Duncan, ik heb een ventilator van je moeder meegebracht.'

'Je hebt haar over mijn kamer verteld.'

'Nee, dat heb ik niet. Ze heeft alleen maar *geraden* dat je hem nodig zou kunnen hebben.'

'Wat zit er in die envelop?'

'Weet ik niet.'

Hij brak het touwtje en haalde er een opgevouwen briefje uit. Eerst las hij in stilte en toen kreunde hij en las het aan haar voor.

Lieve Duncan,

Ik ben zo vrij om je de ventilator uit mijn slaapkamer te zenden, nu het zo warm is.

Met iedereen gaat het goed, hoewel ik zelf weer last heb van hoofdpijn. De dokter zegt dat het van de spanning komt, dus ik hou me goed!

Je vader werkt heel . . .

'En hoe zit het dan met de ventilator in *mijn* kamer?' zei Duncan. 'Daar staat er ook een.'

'Ze heeft je die van haar gegeven om te tonen dat ze om je geeft, ze wist niet hoe ze het anders moest laten merken,' zei Justine.

'Dat weten ze geen van allen. Oh, het is zo duidelijk met welke familie ze getrouwd is. Ze is nu precies als alle anderen. Met heel weinig woorden een heleboel zeggen, zodat ze kunnen zeggen, als je er tegenin gaat, "Maar waarom? Wat heb *ik* gedaan?" en dan sta je met een mond vol tanden. Het gebeurt allemaal in die geheime taal van ze, ze zeggen nooit iets op een directe manier.'

'Maar dat is tact. Ze willen je niet in verlegenheid brengen.'

'Ze willen zichzelf niet in verlegenheid brengen,' zei Duncan tegen haar.

Ze zweeg.

'Zo is het toch?'

'Waarschijnlijk wel,' zei Justine. 'Maar het omgekeerde is ook waar. Er *is* geen juiste manier of onjuiste manier. Ik observeer ze steeds en probeer een beslissing te nemen. Nou, alles wat jij beweert is waar, maar alles wat ik zeg ook. En wat zou het uiteindelijk? Het is je eigen familie.'

'Weet je hoe je nou klinkt? Net als tante Sarah, Justine. Jij wordt een ouwe vrijster. Of je trouwt met een kwast als die Neely en laat zijn naam veranderen in Peck. Ik zie het al aan komen. Ik zie het al op dat uitgestreken, eerlijke gezicht van je, let op mijn woorden.'

Maar nu was hij te ver gegaan. Dat had zelfs hij moeten weten. Toen Justine zich van hem afkeerde en iets in haar tasje begon te zoeken zei hij: 'Ach!' Hij sprong op en begon te ijsberen. 'Nou, vertel me al het nieuws dan maar,' zei hij.

'Oh . . .'

'Toe nou!'

'Er is niet zo veel te vertellen.'

'Niets? Niets te zeggen over die vier enorme huizen?'

'Nou, tante Bea moest een bril,' zei Justine.

'Ah.'

'Ze schaamt zich er ontzettend voor, ze draagt hem aan een touwtje weggestopt in haar blouse. En ze zet hem zelfs af tussen twee zinnen door in de krant.'

'Dus tante Bea draagt nu een bril.'

'En mama heeft een televisie gekocht.'

'Een televisie. Ik had kunnen weten dat het zo ver zou komen.'

'O, zo erg is het niet, Duncan. Het is erg handig, vind je niet, om een echte film in je eigen huis te hebben? Ik vraag me af hoe het werkt.'

'Dat is eigenlijk heel eenvoudig,' zei Duncan. 'Het *beginsel* bestaat al tientallen jaren. Heb je een potlood? Dan zal ik je het laten zien.'

'O, ik begrijp er toch niets van,' zei Justine.

'Natuurlijk wel.'

'Maar ik ben helemaal niet technisch. Ik begrijp niet hoe je die dingen weet.'

'Die dingen betekenen niets,' zei hij, 'Maar juist die andere dingen begrijp ik niet, de dingen die je als vanzelfsprekend aanneemt zoals spiegels, bij voorbeeld,' en hij hield op met ijsberen om naar de spiegel aan de andere muur te wijzen. 'Een paar nachten geleden kon ik niet slapen en heb ik me suf gepiekerd. Ik heb uren liggen puzzelen over de wetten van weerspiegelende beelden. Ik kon de hoeken van straalbreking niet opmeten. Begrijp jij het? Kijk.'

Ze stond op en keek. Ze zag zichzelf in het gespikkelde glas, niets bijzonders.

'Hoe komt het dat je mijn spiegelbeeld kunt zien en niet het jouwe?' vroeg hij haar. 'Waarom het jouwe en niet het mijne? Hoe kan het dat ogen elkaar kunnen ontmoeten wanneer je niet werkelijk naar elkaar kijkt? Begrijp jij het beginsel?'

Hun ogen ontmoetten elkaar in de spiegel, even blauw en afstandelijk, alsof de spiegel beeltenissen terugkaatste die al weerkaatst waren.

Duncan draaide zich om en legde zijn handen op haar schouders en kuste haar op de mond. Hij rook naar zout en zonlicht. Hij hield haar gewichtloos vast alsof hij iets in zich tegenhield. Toen ze zich terugtrok liet hij zijn handen langs zijn lichaam omlaag vallen. Toen ze de kamer uitrende probeerde hij haar niet tegen te houden.

Justine ging niet meer naar Duncan toe. Haar grootvader kwam steeds naar haar toe en drukte briefjes van twintig dollar in haar hand, maar ze wist niet wat ze tegen hem moest zeggen dus nam ze het geld zwijgend aan. Ze propte het op goed geluk in haar bijouteriedoosje en voelde zich net een dief, hoewel ze het nooit uitgaf. Ze bekvechtte met haar moeder over een katoenen jurk en zei dat het een ouwe-wijven-jurk was, hoewel ze voorheen altijd had aangetrokken wat haar moeder voor haar uitkoos. Toen de colleges weer begonnen had ze haar hoofd er niet bij en had er moeite mee om op tijd in de klas te zijn. Esther was geslaagd en gaf les op de kleuterschool, maar nu reed de tweeling met Justine mee en zij maakten bezwaar tegen haar late vertrektijd. 'Noemen jullie dat nou een levensdoel? Om klokslag negen uur in de klas te zitten?'

De tweeling keek elkaar aan. Ze hadden toch zeker nooit beweerd dat dat hun *levensdoel* was.

Op een zaterdagavond in oktober zat Justine met Neely naar de televisie te kijken in de studeerkamer van haar overgrootmoeder. Neely zat haar nek te aaien op een nogal irritante manier, maar ze had hem de laatste tijd zo afgesnauwd dat ze niet wilde tegenstribbelen. Ze concentreerde zich in plaats daarvan op de televisie: een mahoniehouten doos met een sneeuwerige blauwe postzegel in het midden waarop een meisje te zien was dat haar verloving dankte aan het feit dat ze haar gezicht twee maal per avond met cold cream had gereinigd. Ze flitste met een diamanten ring naar haar vriendinnen.

'*Jouw* diamant wordt twee maal zo groot,' zei Neely. 'Mijn vader heeft me het geld ervoor al beloofd.'

'Ik hou niet van diamanten,' zei Justine.

'Waarom niet?'

'Ik hou niet van doorzichtige edelstenen.'

Op de televisie hield een man een horloge omhoog dat altijd gestadig door tikt, zelfs tijdens een heel programma van de wasmachine.

'En ik dan?' vroeg Neely.

'Wat?'

'Hou je van mij?'

Zijn vinger bleef haar nek irriteren. Justine huiverde en ging een eindje van hem vandaan zitten.

Een man interviewde mensen die uit de film kwamen in de binnenstad van Baltimore. Hij wilde nagaan of zij van zijn produkt hadden gehoord, een bacteriedodende tandpasta. 'Hemeltje, nee hoor,' zei een dame.

'Nou, denkt u eventjes goed na. Laten we zeggen dat u verkouden bent geweest en dat u nu weer beter bent. Dan wilt u toch zeker niet meteen weer besmet worden door uw eigen tandenborstel?'

'Hemeltje, nee.'

Hij hield een man in een regenjas aan.

'Meneer? Heeft u er wel eens over nagedacht hoe riskant het is om de tandenborstel te gebruiken die u ook gebruikte toen u ziek was?'

'Nou, nee daar heb ik nooit bij stil gestaan, maar daar zit wel wat in.'

Hij hield Duncan aan.

'Hé!' zei Neely. 'Is dat niet die neef van je?'

Duncan had een of andere donkergekleurde jas aan die Justine nog nooit eerder gezien had. Zijn gezicht stond vertrokken van de kou. Er bestond niemand in de hele wereld die zo'n uitgesproken standvastig gezicht had. Hij boog een beetje vooróver om de vraag beter te kunnen verstaan en concentreerde zich op een hoffelijke manier, terwijl hij zijn ogen op iets in de verte gericht hield. Toen de man klaar was ging Duncan rechtop staan en dacht een ogenblik na.

'Het is een feit,' zei hij, 'Dat als je lichaam genoeg weerstand heeft opgebouwd om die bacterieën in de eerste plaats van zich af te gooien, het zeer te betwijfelen is dat –'

De man onderbrak de conversatie en rende achter een dikke dame aan.

Justine liep naar de hal om haar jas op te halen. 'Justine?' riep Neely. Ze negeerde hem. Hij dacht waarschijnlijk dat ze hem niet gehoord had of wellicht naar de keuken was gegaan om een glaasje frisdrank op te halen. In ieder geval riep hij haar niet nog eens.

Ze dacht alleen maar dat ze Duncan een bezoek verschuldigd was. Hij was toch haar neef? En ze moest hem echt haar grootvaders geld geven. (Wat nog steeds in haar bijouteriedoosje thuis zat). Ze had zichzelf overtuigd. Maar Duncan moest precies hebben geweten hoe haar brein werkte, want toen hij de deur opendeed stond hij daar een minuut naar haar te kijken en toen trok hij haar naar binnen en kuste haar en zei: 'Luister eens, ik kan de lagen langs je ogen omhoog zien glijden als bij jaloezieën zoals je bij jezelf hier rekenschap van aflegt.' Toen legde hij haar op zijn bed neer, waar in het midden een holle plek in zat zodat ze naar hem toe rolde en ze zijn warme botten door de dunne witte stof van zijn overhemd kon voelen. Hij deed haar kleren uit en zijn eigen kleren. Nog steeds wierp ze niet tegen, ze zei geen van de dingen die ze tegen Neely had gezegd. Ze voelde zich gelukkig en zeker, alsof alles wat ze deden al vertrouwd was. Het was alsof ze straalde van de binnenpret om dit nieuwe, zoveel aangenamere kattekwaad dat ze uithaalden of om het snaakse gezicht van Duncan dat plotseling teder werd, of om haarzelf weerspiegeld in zijn ogen, een naakt meisje met een muts op.

ZES

In maart 1953 kwam Duncan thuis. Hij liep overgrootmoeders eetkamer binnen op een zondag tijdens het eten. 'Duncan!' zei zijn moeder, terwijl ze half overeind kwam. En toen, 'Wat heb je in hemelsnaam aan?'

Hij had een jekker aan die hij bij de Marine-dumpwinkel had gekocht. Zijn haar moest nodig geknipt worden. Hij was bijna een jaar weg geweest en in die tijd was zijn gezicht op een ondefinieerbare wijze veranderd, waardoor hij een buitenstaander was geworden. De volwassenen staarden hem aan en zijn neven en nichten wierpen hem zijdelingse, zelfbewuste blikken toe. Behalve Justine, die haar gezicht als een lichtbaken ophief en vanaf de andere kant van de kamer naar hem lachte. Hij lachte terug.

'Zo, jongen,' zei zijn grootvader. 'Dus je bent weer thuis.'

'Nee,' zei Duncan, terwijl hij naar Justine keek.

Maar ze geloofden hem niet. 'Pak een stoel,' zei zijn moeder. 'Neem de mijne maar. Pak een bord. Je zult wel niet behoorlijk gegeten hebben sinds je bij ons weggegaan bent.'

'Ik ga trouwen,' zei Duncan.

'Trouwen?'

De schim van Glorietta flitste scharlakenrood door hun hoofd. Alle volwassenen gingen ongerust verzitten.

'Ik ga met Justine trouwen.'

Eerst dachten ze dat het een grapje was. Een smakeloos grapje, maar dat was net iets voor hem. Toen zagen ze hoe ernstig en stil ze allebei waren. 'Mijn God,' zei de moeder van Justine. Ze greep plotseling een handjevol roesjes aan haar borst vast. 'Mijn God, wie had dat ooit gedacht?'

Alhoewel ze nu allemaal ineens vonden dat ze dat al lang geleden hadden kunnen bedenken. De bezoeken die Justine aan hem had gebracht! Al die tochtjes! Iedereen wist dat ze reizen net zo verafschuwde als alle andere Pecks. Maar deze winter had ze dag in dag uit boterhammen staan klaarmaken in Sulie's keuken en gezegd dat ze pas 's avonds weer thuis zou komen. 'Ik ga een tochtje maken met Duncan. Naar buiten.' 'Ja, ja, ga maar,' hadden ze tegen haar gezegd. 'Hou maar een oogje op hem.' Ze had gespijbeld van school en van belangrijke familiebijeenkomsten; ze was niet meer met Neely uit geweest; ze was afstandelijk geworden tegenover haar eigen nichtjes – 'Maar het is goed dat ze met Duncan omgaat,' hadden ze tegen elkaar gezegd. 'Ze heeft vast een goede invloed op hem.' Wat had ze hen bedrogen!

Alleen Sam Mayhew, traag van begrip, leek er niet in te slagen de mentale sprong te maken die de Pecks zojuist hadden volbracht. Hij keek de tafel rond, van de een naar de ander, bereid tot lachen zodra hij de grap zou snappen. 'Wat? Wat is er?' zei hij.

De anderen wuifden hem terzijde en waren druk bezig zich aan te passen aan de schok. Maar Duncan liep naar hem toe en ging recht voor hem staan en sprak heel rustig, alsof hij het tegen een kind had.

'Oom Sam, ik ga met Justine trouwen.'

'Maar – dat kan niet!'

'Ik zeg toch net dat ik het wèl doe. Ik *zeg* het tegen u, ik vraag het niet. Niets kan mij er vanaf brengen.'

'Dat kan niet.'

'Ach, het is vast tegen de wet!' zei Caroline.

'Dat is zo, ja,' zei Duncan.

'*Reken* maar,' zei zijn grootvader.

'Maar –,' zei Caroline.

'Wie is er nou advocaat hier, jij of ik? De jongen heeft gelijk. Het is waar. En er zitten een heleboel nadelen aan vast. Maar bekijk het eens zo: had hij een aardiger meisje kunnen uitzoeken? Zij zal hem wel wat tot bedaren brengen. En op deze manier hoeft er niets geregeld te worden, geen problemen met een schoonfamilie –'

'Ze moesten u opsluiten,' zei Sam Mayhew.

'*Pardon!*' zei grootvader Peck.

'Heeft u nog nooit van inteelt gehoord?'

'Niet aan tafel, Sam.'

'Heb jij nog nooit van *genen* gehoord?'

'Ach, we komen uit een degelijk geslacht,' zei de grootvader. 'Daar hoeven we ons niet bezorgd over te maken.' Hij nam het vleesmes in zijn hand. 'Trek in een plak ham, Duncan, jongen?'

'Hij is een bloedverwant,' zei Sam Mayhew. 'En hij is nog maar twintig jaar oud en hij heeft geen greintje verantwoordelijkheid in zijn hele lichaam. Nou, ik laat dit niet toe. Justine trouwt niet met Duncan, en ook niet met een andere Peck.'

'Dan gaan we er samen vandoor,' zei Duncan.

'Er vandoor!' riep Justine's moeder uit. 'Oh, dat niet!'

'Je bent gek, Caroline,' zei Sam Mayhew. Toen stond hij op, pakte Justine bij haar pols vast en sleurde haar mee. Maar ze bleef kalm en Duncan ook. Niets scheen hen te deren. Toen Justine langs Duncan kwam keek hij haar lang en diep in de ogen, zodat de rest van de familie hun ogen moesten afwenden. '*Kom mee*, Justine,' zei haar vader. Hij leidde haar door de woonkamer naar boven, naar haar slaapkamer. Zonder te protesteren ging ze mee. Hij zette haar in haar slaapkamer neer en deed de deur op slot en legde de sleutel op het richeltje voordat hij weer naar beneden ging.

Justine zat in haar schommelstoel met strookjesbekleding te wachten. Doelloos in haar kamer opgesloten te zijn leek haar eerder komisch dan vervelend en ze maakte zich geen zorgen over haar familie. Had Duncan het niet allemaal voorspeld? 'Je vader zal het ergst van de kaart zijn. De anderen komen er wel overheen. Hij heeft er altijd veel moeite mee gehad om aan vrouwen van buiten de familie te wennen. Maar je vader geeft zich wel gewonnen, omdat hij wel zal moeten. Het zal heus geen probleem zijn.'

'Dat weet ik.'

'En helemaal niet als je gewoon met me wegloopt.'

'Ik wil dit op de juiste manier aanpakken heb ik gezegd.'

'Maakt dat nou zo veel uit? Justine, wat maakt het uit? Het is maar een stelletje *mensen*, een stelletje gewone mensen met geel haar. Waarom moet je hun goedkeuring vragen?'

'Omdat ik van ze hou,' zei Justine.

Daar had hij geen antwoord op. Hij had het nooit over houden van, zelfs niet tegen haar.

Ze zat te schommelen en tuurde naar de winterse grijze lucht, terwijl beneden de strijd doorwoedde. Overgrootmoeder kalmeerde iedereen, een droge bruine draad die in en uit weefde. Ze was buitengewoon ingenomen met dit huwelijk; ze had nog nooit van genen gehoord. Toen Sam Mayhew tekeer ging, bekte grootvader hem af en snoerde hem de mond. Ooms dreunden en tantes kweelden en kookten inwendig. En over dat alles heen dreef de praktische en zelfverzekerde stem van Duncan. Justine kon precies zeggen op welk moment hij begon te winnen. Hij ging alleen verder, de anderen bleven achter. Het heetst van de strijd was voorbij. Alleen moesten de verliezers het aanzien nog terugvinden.

Justine voelde zich ineens gesmoord en verveeld. Ze ging naar haar badkamer om haar tandenborstel te halen en nam een doosje lucifers uit haar ladenkast. Ze was niet voor niets samen met Duncan opgegroeid: ze maakte het handvat van de tandenborstel langzaam warm, duwde het beetje bij beetje in het slot van haar deur, draaide hem toen om en liep de kamer uit. Toen ze in de eetkamer terugkwam, leek het niemand te verbazen haar weer te zien. Alleen Duncan, die de tandenborstel in haar hand in de gaten had, leunde met zijn stoel achterover en keek geamuseerd, maar hij werd weer ernstig toen Justine's vader opstond en om de tafel heen naar haar toe liep.

'Justine,' zei hij.

'Ja, papa.'

'Men heeft mij erop gewezen dat ik je niet kan tegenhouden. Nu hoop ik alleen maar dat je naar reden zult luisteren. Kijk, Justine. Zie je zelf niet in waarom je dit doet? Het is alleen maar de nabijheid, jullie hadden niemand anders, *niemand* in deze familie heeft iemand anders. Jullie waren gedwongen veel te veel samen te zijn, op een leeftijd wanneer natuurlijk . . . en jullie durfden niet op een of andere buitenstaander af te gaan. Geef het maar toe. Zo is het toch?'

Justine dacht er over na. 'Nou,' zei ze uiteindelijk, 'ik denk het wel, ja.'

'Nou dan.'

'Maar *beide* kanten lijken juist. Ik ben het altijd eens met degene naar wie ik luister.'

Hij pauzeerde, want hij verwachtte dat ze verder zou gaan. Ze glimlachte alleen maar. 'Ach!' zei hij plotseling en keerde zich om terwijl hij zijn handen omhoog gooide. 'Je praat zelfs net als hij. Je bent een marionet. Ik heb iets geleerd vandaag: als je een goed iemand en een slecht iemand naast elkaar zet, dan wint de slechte het altijd. Daar heb ik me altijd over verwonderd.'

'Zeg dat nog eens?' zei tante Lucy. 'Zei je dat Duncan slecht was?'

'Wie anders?'

'*Duncan* is geen slechte jongen.'

Zelfs Duncan keek daarvan op.

'*Justine* is degene die Duncan voor ons heeft verstopt. *Justine* wilde zijn eigen moeder niet eens vertellen waar hij was! Geef je dochter maar de schuld!'

'Nou, zeg, Lucy!' zei Justine's moeder.

Duncan ging rechtop zitten. Dit kon nog interessant worden. Maar nee, ze werden door een nieuwe ontwikkeling afgeleid: Sam Mayhew die zijn jas aan het dichtknopen was. Zijn ellebogen staken naar buiten en zijn klokvormige gezicht was onverstoorbaar op een punt ergens boven hun hoofden gericht. Ze wisten direct dat er iets ernstigs gaande was.

'Ik zal de bruiloft niet bijwonen,' zei hij eindelijk.

'O, Sam!' riep zijn vrouw uit.

'En ik blijf hier niet.'

'Wat?'

'Ik ga bij mijn ouders wonen. Ik ga een huis in Guilford zoeken.'

Hij was klaar met zijn knopen. Hij begon zijn manchetten omlaag te trekken, nette randjes wit boven zijn mollige rode handen. 'Jij mag ook mee komen natuurlijk, Caroline. En Justine ook, als ze van dit huwelijk afziet. Maar ik waarschuw je: als je meegaat dan kun je maar eens per maand bij je familie op bezoek.'

'Een keer per *maand*?'

'De eerste zondag van iedere maand, voor het middageten. Dan gaan we om drie uur weer weg.'

'Maar *Sam* –' zei zijn vrouw.

'Kies maar, Caroline.'

Hij bleef naar een punt boven haar hoofd turen. Caroline wendde zich tot haar familie. Ze had nog steeds een babygezicht, hoewel de jaren als zwaartekracht aan haar wangen hadden getrokken. Haar gewicht had zich bij haar geïnstalleerd. Ze zag eruit als een ingezakte taart. Ze wierp een verloren blik in het rond naar elk van haar broers en zuster, terwijl ze de parels aan haar vingers ronddraaide.

'Wat heb je besloten, Caroline?'

'Ik kan zomaar niet *weggaan*.'

'Goed dan.'

'Sam?' zei ze.

Hij liep naar Justine toe. Duncan sprong onmiddellijk op. 'Justine,' zei Sam Mayhew, 'je bent op elke manier een teleurstellende dochter geweest, je hele leven lang.'

Justine deinsde terug alsof ze geslagen was, maar Duncan stond al achter haar om haar op te vangen.

Het huwelijk zou gesloten worden in de kerk. Daar stond de hele familie op. Duncan was al jarenlang niet naar de kerk geweest en had een vreselijke hekel aan dominee Didicott, een dikke man die in dezelfde plaats geboren was als tante Lucy en een zuidelijk accent had dat er zeker voor zou zorgen dat de ceremonie twee keer zo lang zou duren; maar hij zei dat hij aan alle wensen van Justine zou voldoen. En Justine, omdat ze het toch al half wilde, gaf de anderen hun zin, en onderwierp zich aan een lange satijnen jurk, de ivoorkleurige voile van Sarah Cantleigh en een klein oud dametje als consultante met een sigarenkistje vol spelden en wit garen en spiritus en een staafje krijt voor vlekken. 'Oh, Duncan!' zei Justine toen ze langs hem heen rende op weg naar de fotograaf. 'Het spijtme, ik weet hoe je dit allemaal verfoeit.' Maar hij was verbazingwekkend verdraagzaam. Hij had erin toegestemd zijn kamer op te zeggen en de maand vóór de bruiloft thuis te komen wonen; hij ging zonder te protesteren een zwart pak kopen waarin hij er streng en anders uitzag. Tijdens stille perioden in de opwinding leek hij Justine scherp gade te slaan. Dacht hij dat ze zich zou bedenken? Terwijl ze een nummer van *Bruid* las voelde ze zijn afwegende ogen op haar gericht, alsof hij ergens voor op zijn hoede was. 'Wat is er?' vroeg ze hem, maar hij wou nooit iets zeggen.

Haar moeder was overal. Ze rende en vloog heen en weer, gaf orders, zong de tijden waarop ze moest passen uit met zo'n vrolijke stem dat het leek alsof haar toon zich ieder moment zou losmaken en wegvliegen. 'Je kunt absoluut niet aan haar zien dat haar man net bij haar weggelopen is,' zei Justine tegen Duncan.

'Het is nog te vroeg om daar iets over te zeggen.'

'Waarom?'

'Nu heeft ze het druk met de bruiloft. Maar straks?'

Straks zou Justine ver weg zijn. Met één ding ging Duncan niet akkoord en dat was gaan wonen in Roland Park. Of zelfs in Baltimore, zelfs niet voor de tijd dat het zou duren om haar studie af te maken. En zelf zou hij ook zijn studie staken. Dus hadden ze een huisje met een stukje land gehuurd een uur rijden van Roland Park vandaan, waar ze wel eens tochtjes naartoe hadden gemaakt. Duncan was van plan om melkgeiten te fokken. Dat had hij altijd al willen doen, zei hij. O ja? Justine had hem er nooit eerder over gehoord. Maar hij kon niet eeuwig doorgaan met het opzoeken van gegevens voor professoren; bovendien werd hij steeds weer ontslagen, want hij kon de verleiding niet weerstaan om hun materiaal te herschrijven en het kleurrijker te maken door zijn eigen stukjes verbazingwekkende kennis en enige onwaarheden toe te voegen. En hij en Justine beschikten ieder over een deel van het in bewaring gehouden spaargeld van de oude Justin. Vanwege het grote aantal erfgenamen was dat niet veel, maar ze zouden zich kunnen redden tot de geitenfokkerij rendabel was geworden. 'Je legt jezelf aan banden, jongen,' zei zijn grootvader. 'Je moet geschoold zijn. En *huren* moet je ook niet doen, dat is iets voor parvenu's.'

'Ja, grootvader.'

Maar Duncan las verder in het *Tijdschrift voor Geitenfokkers*, en woelde door zijn haar zoals hij altijd deed als hij ergens in opging. Een week voor de bruiloft hielp hij bij het overzien van het inladen van een Mayflower verhuiswagen waarin oude, massieve familiestukken en opgerolde tapijten, kratten met kristallen glazen, cadeaus van porselein en zilver, lakens en slopen van een monogram voorzien door tante Laura May en zware damasten gordijnen werden gehesen, allemaal bestemd voor hun drie-kamer hutje. Justine was er niet zeker van of alles geschikt zou zijn, maar hoe moest je anders een huis inrichten? Ze had geen idee. Duncan onthield zich van commentaar, maar keek met verbazing toe, terwijl zij de verhuizers aanwijzingen gaf voor een bureau met klauwpoten, een staande schemerlamp met kwasten, een ledikant met knoppen in de vorm van een ananas.

'Bereid je moeder nu al voor,' zei hij tegen haar. 'Ik meen het. Ze zal het zonder jou moeten doen, bereid haar daarop voor, want het zal een schok voor haar zijn als het zover is.'

'Dat zal ik doen.'

'Bereid *jezelf* voor, Justine.'

'Waarop?'

'Besef je dat je werkelijk hier weggaat?'

'Natuurlijk doe ik dat,' zei ze.

Vanzelfsprekend zou ze liever *niet* weggaan. Ze werd treurig als ze er aan dacht. Maar wat het belangrijkste voor haar was, was het plotselinge gevoel in haar maag wanneer ze hem zag. Wanneer ze apart in overgrootmoeders studeerkamer zaten, leken hun innerlijke personen op te stijgen en naar elkaar toe te zweven, terwijl zij zelf bleven zitten. In gangen en bijkeukens en trappehuizen stonden ze te zoenen tot ze er misselijk en duizelig van werden. Ze miste Duncans kamer in de stad, zijn rammelende bed, de warme hartslag in de holte van zijn hals, de leerachtige buiging van zijn rechtervoet die precies om haar kuit heen paste terwijl ze in slaap vielen.

'Maar toch,' zei Duncan, 'ik wou maar dat ik zeker wist dat je echt besefte wat je te wachten staat.'

Om geluk te brengen was Esther de bruid op de generale repetitie. Het was vreselijk om haar daar zo dicht bij Duncan te zien. In haar strakke smaragdgroene jurk kwam haar figuur, dat mooier was dan dat van Justine, heel aantrekkelijk uit. 'Zeg 's,' zei Justine later tegen Duncan, 'heb je er ooit aan gedacht om met Esther te trouwen?'

'Nee.'

'Maar waarom met mij?'

'Waarom met *mij*?'

'Ik weet het niet,' zei ze.

'Waarom trouw je met me Justine?'

'Oh, nou, Claude is te dik en Richard is te jong.'

Ze begreep niet waarom hij haar zo vreemd aankeek.

Op de ochtend van Justine's trouwdag, een vale koele dag in april, werd ze wakker toen haar moeder de gordijnen opentrok. 'Justine,' zei ze, 'hoor eens. Ben je wakker?'

'Ja.'

'Je moet even naar mij luisteren.'

Ze had een gladde roze kamerjas aan en haar poppegezicht was al perfect opgemaakt, haar krullen nauwkeurig geplet. Een afgescheurd stukje papier hield ze in haar handen vast. Ze ging op de rand van Justine's bed zitten en stak haar het papiertje toe, terwijl ze aanmoedigend glimlachte als iemand die medicijnen kwam toedienen. 'Het telefoonnummer van je vader,' zei ze.

'Wie?' zei ze.

'Luister naar wat ik zeg. Ik wil dat je op de gang gaat telefoneren. Ik wil dat je dit nummer belt. Het is het nummer van oma Mayhew. Vraag naar je vader. Zeg, Papa, vandaag is mijn trouwdag.'

'Oh, mama.'

'Luister! Zeg, Papa, dit zou de gelukkigste dag van mijn leven moeten zijn. Wil jij het niet volmaakt maken en ook komen?'

'Maar zo kan ik niet praten,' zei Justine.

'Natuurlijk kan je dat wel. En hij heeft een mooi pak dat net gestoomd is. Ik weet dat hij het heeft meegenomen. Ach, Justine, dat is toch niet te veel gevraagd! Ik smeek het je, Justine.'

'Mama –'

'Alsjeblieft, ik heb er op gerekend. Ik weet zeker dat het lukt. Kijk, ik heb het nummer netjes opgeschreven. Pak het nou maar.'

Ze drukte het papiertje in haar hand. Justine stapte onwillig uit bed.

'Doe het nu maar, Justine.'

De telefoon stond op de gang op een tafeltje met een gegolfde rand. Het raam erboven stond op een kier, zodat Justine rilde in haar dunne katoenen nachtjapon terwijl ze het nummer draaide.

'Hallo,' zei Sam Mayhew.

Ze had haar grootmoeder verwacht, een oude dame met een statische stem, die ze nauwelijks kende. Ze was nog niet op haar vader voorbereid.

'*Hallo*,' zei hij.

'Papa?'

Het was even stil. Toen zei hij, 'Dag Justine.'

'Papa, vandaag – vandaag is mijn trouwdag.'

'Ja, dat heb ik in de krant gelezen.'

Ze zweeg. Ze nam zijn zachte, vragende stem in zich op; ze moest denken aan zijn vergeefse pogingen tot toenadering lang geleden in Philadelphia. Ze realiseerde zich voor het eerst dat hij weg was. Alles was uit elkaar gevallen en veranderd en zou nooit weer hetzelfde zijn.

'Lieve kind,' zei hij. 'Je kunt altijd nog van gedachten veranderen.'

'Nee, papa, ik wil niet van gedachten veranderen.'

'Ik sta op het punt om een huis in Guilford te kopen. Zou jij dat niet leuk vinden? Er zit een kamer in met blauw behang. Ik weet dat je van blauw houdt. Je zou naar de universiteit kunnen gaan, een goeie. Je was altijd zo'n goede leerling! Die Peck-meisjes gaan studeren om de tijd te doden maar – het is nog niet te laat. Dat weet je. Je kunt het nog annuleren.'

'Papa, kom je ook?'

'Nee, dat kan ik niet doen.'

'Ik zou het echt graag willen.'

'Dat spijt me.'

Haar moeder trok aan Justine's nachtjapon. 'Zeg het van de gelukkigste dag van je leven,' siste ze.

'Wacht even –'

'Wie is daar?' vroeg haar vader.

'Mama.'

'Wat doet ze daar?'

'Ze zegt dat ik tegen jou moet zeggen –'

'Heeft je moeder je hiertoe aangezet?'

'Nee, ik – zij –'

'Oh,' zei haar vader. 'Ik dacht dat jij het zelf vroeg. Was dat maar zo.'

'Ik *vraag* het toch ook.'

'Justine, ik kom niet naar je bruiloft. Je hoeft er niet weer over te beginnen. Maar luister, want dit zijn de laatste zinnige woorden die je vandaag of zelfs de rest van je leven zult horen: je moet daar weggaan.'

'Weg, papa . . .'

'Je denkt dat je weggaat, hè. Je gaat kippen fokken of zoiets.'

'Geiten.'

'Maar je gaat niet echt weg en binnen een jaar ben je weer terug.'

'Maar we gaan –'

'Ik weet wel waarom je met Duncan trouwt. Jij denkt van niet. Maar heb je jezelf wel eens afgevraagd waarom Duncan met *jou* trouwt? Waarom hij met zijn nicht trouwt?'

'Omdat we –'

'Een van twee redenen. Of hij wil een Peck om zich heen hebben om te pesten of om op te steunen. Of hij zal je ervoor laten betalen of hij is erger vergroeid met zijn familie dan hij denkt dat hij is. Maar wat dan ook, Justine, wat dan ook. Je moet je er niet mee bemoeien.'

'Ik kan niet meer praten,' zei Justine.

'Wat? Blijf nog even aan de lijn –'

Maar ze hing op. Ze stond te klappertanden. 'Wat is er gebeurd?' vroeg haar moeder. 'Wat is er *gebeurd*? Komt hij niet?'

'Nee.'

'Oh, nou.'

'Ik voel me niet lekker.'

'Dat is van de zenuwen over je bruiloft, dat is normaal,' zei haar moeder. 'O, ik had je nooit moeten vragen om te bellen. Het was alleen maar voor *hem*.'

Toen bracht ze Justine weer naar haar kamer en bedekte haar met een gewatteerde deken die door overgrootmoeder met de hand vervaardigd was en bleef een poosje bij haar zitten. De deken straalde een diepe, zachte warmte uit. De geur van koffie en kaneeltoostjes kwam uit de keuken naar boven zweven en Sulie neuriede een gezang met een afdwalende melodie. Justine's kaakspieren ontspanden en ze voelde zichzelf tot rust komen en ontdooien.

'We kunnen het best zonder hem af,' zei haar moeder. 'Ik wilde hem alleen maar laten denken dat hij erbij hoorde.'

Later zei dominee Didicott tegen zijn assistent dat de Peck-Mayhew bruiloft de vreemdste bedoening was die hij ooit had meegemaakt. In de eerste plaats de manier waarop de gasten werden geplaatst: de vrienden bij elkaar achterin en de gezamenlijke familie van de bruid en bruidegom voorin. Het had iets van een droom, het feit dat bijna iedere persoon in de voorste rijen hetzelfde blanke, nogal uitdrukkingsloze gezicht had – zowel de een als de ander, precies hetzelfde gezicht, alleen onderscheiden door leeftijd en geslacht. Toen liep de bruidegom, die toch al ongepast luchthartig was, hem voor de ceremonie overal achterna terwijl hij beweerde dat het Christendom een uitstervend geloof was. ('Het is het enige geval voor zover ik weet, waarbij geestelijke zonden ook gelden; dat kun je nooit verkopen,' zei hij. 'Neem dat van mij aan, stap er uit, neem die kans waar nu het nog kan.' Toen al had Reverend Didicott moeten weigeren om het huwelijk in te zegenen, maar dat kon hij Lucy Hodges, wier familie hij in het zuiden gekend had, niet aan doen.) De bruid verscheen aan de arm van haar grootvader, een onblijmoedige man met een behoorlijk snauwerige manier van spreken, alhoewel voor zover bekend was de vader van de bruid een uitstekende gezondheid genoot. De bruidegom weigerde de bruid in het openbaar te kussen. Maar de moeder van de bruid gedroeg zich nog het vreemdst van allemaal. Tijdens de ceremonie volkomen rustig, hoewel een beetje trillerig van mond, vrolijk en flirterig op de receptie erna, verkoos zij in elkaar te storten toen het bruidspaar op het punt stond te vertrekken. Net toen de bruidegom de bruid in zijn auto sloot (die auto was weer een heel ander verhaal, een schandelijk groenachtig voorwerp met een afgekapt achtereind), slaakte de moeder plotseling een kreet. 'Nee!' schreeuwde ze. 'Nee! Hoe kun je me zomaar alleen laten? Het is *jouw* schuld dat je vader is weggelopen! Hoe kun je zo harteloos wegrijden?' De bruid maakte aanstalten om uit de auto te komen, maar de bruidegom legde een hand op haar arm en hield haar tegen, en toen reden ze weg in hun automobiel, die door zijn eigen neus geleid leek te worden. De moeder wierp zich in de armen van de grootvader en weende hardop. 'Mensen zoals wij *huilen* niet, Caroline,' had hij gezegd. De alleroudste mevrouw Peck van allemaal glimlachte beschaafd en begon te neuriën. Dominee Didicott keek in de envelop die de bruidegom hem had overhandigd en trof er obligaties ter waarde van vijftig dollar aan.

Duncan had tegen iedereen gezegd dat ze op huwelijksreis zouden gaan, maar dat was niet zo; hij loog gewoon graag. Ze gingen rechtstreeks naar de boerderij. Twee weken werden ze met rust gelaten. Duncan werkte ononderbroken en installeerde acht Toggenburger geiten en een raszuivere bok die naar het circus rook, vervoerde balen hooi en zakken Purina geitebrokjes, een blok roze zout en een vat stroop waarvan hij beweerde dat het de melkproduktie stimuleerde als je het aan het drinkwater toevoegde. Het weer was onverwacht zacht en hij liep erbij in zijn hemd, *The Wabash Cannonball* fluitend, terwijl Justine binnen in hun kleine huisje alle ramen opengooide en de damasten gordijnen opbond, zodat de bries ongehinderd naar binnen kon waaien. Ze had van het huisje een kopie van overgrootmoeders huis gemaakt, het groene behang en de vergeelde plafonds buiten beschouwing gelaten. Het gebloemde linoleum werd bedekt met tapijten en het hemelbed verborg de schimmel die onder een van de ramen woekerde. Ze bestreed de vreemde geuren van petroleum en gerookt spek door overgrootmoeders porseleinen reukbal in de hal op te hangen. Ze besteedde iedere dag uren aan het bereiden van maaltijden uit Fannie Farmer's Kookboek, dat al haar tantes hadden gebruikt. 's Avonds zaten ze naast elkaar op de veranda voor het huis in rotan schommelstoelen die van hun grootvader waren geweest. Ze keken over hun sjofele, schrale stukje land naar het schuurtje met het schuine dak waar de geiten stonden met holle ruggen. Ze zaten als een oud boerenechtpaar te schommelen en keken naar het grintpad waar af en toe een vrachtwagen naar de boerderij van de Jordans op de heuvel reed of een stelletje kinderen met takjes en wilde bloemen treuzelend naar huis wandelden. Justine dacht dat ze eeuwig zo wilde blijven zitten: geïsoleerd, bewegingloos, nauwelijks ademhalend, los van alles en iedereen. Ze waren net mensen in een stolpglas. Ze schommelden zij aan zij in harmonie, elkaar net niet aanrakend, alsof er dunne draden tussen hen gespannen waren.

Toen begonnen de brieven te komen. 'Ik hou mezelf bezig, ik wandel veel,' zei haar moeder. 'Niet ver van huis natuurlijk. Alleen maar op en neer in de tuin van overgrootmoeder.' Tante Lucy schreef, 'We denken vaak aan jullie. Vooral Caroline, dat kun je merken hoewel ze het voor geen goud zou toegeven.' 'Afgelopen zondag,' schreef overgrootmoeder, 'hebben we de tafel gedekt met twee plaatsen extra omdat we dachten dat jullie van je huwelijksreis terug zouden zijn en eraan zouden denken om te komen eten, want dat zou zo fijn zijn voor Caroline, maar jullie konden kennelijk niet komen.'

Justine voelde zich tot in haar ziel gegriefd. 'Lieve mama,' schreef ze, 'ik mis je ontzettend. Ik wil gauw komen. Duncan zegt dat we dat doen zodra het even kan, maar we kunnen de geiten niet zomaar achterlaten. Ze moeten twee keer per dag gemolken worden en water krijgen en Duncan moet thuis blijven want hij heeft een advertentie in de krant gezet dus er zullen wel gauw klanten komen . . .'

'Lieve Mam,' zei Duncan op een ansichtkaart. 'Hoi! Het gaat hier prima. Met vriendelijke groeten, Duncan.'

De familie gebruikte zwarte inkt, op roomkleurige enveloppen. Bijna iedere avond lag er een roomkleurige accordeon te wachten in de brievenbus aan het eind van het pad. Een keer was Duncan Justine voor en hij schepte de brieven uit de bus en gooide ze in de lucht. 'Joepie!' zei hij en hij gooide zijn hoofd achterover als een kind in een sneeuwbui terwijl de enveloppen overal om hem heen dwarrelden. Justine kwam aanrennen en bukte zich om ze op te rapen. 'O, Duncan, doe dat nou niet,' zei ze tegen hem, 'hoe weet ik nou of ik ze allemaal heb?'

'Wat maakt dat nou uit? Ze zijn toch allemaal hetzelfde.'

Dat was waar. Maar toch las ze ze nauwkeurig en vaak bewoog ze zich of begon ze iets te zeggen, terwijl Duncan naar haar gezicht keek. Uit iedere envelop kwam de geur van Lux Toiletzeep, de geur van thuis. Ze zag voor zich hoe de schaduwen van de bladeren zich schikten buiten het raam van haar slaapkamer en zag in gedachten de trage, innige glimlach van haar grootvader wanneer hij haar 's - morgens groette. Ze miste haar grootvader heel erg.

'Als je het leuk vindt,' zei Duncan, 'kunnen we er zondag gaan eten. Wil je dat graag?'

'Ja,' zei Justine.

Maar op de een of andere manier kwam het er niet van. Duncan was de schuur aan het schoonmaken of de nieuwe omheining van schrikdraad aan het voorzien. Of ze versliepen zich gewoon; ze werden heel langzaam wakker met hun benen omstrengeld en hun blauwe ogen gingen tegelijk open en ze staarden elkaar aan van hun kussen en toen blaatten de nog ongemolken geiten en er waren altijd zoveel klusjes om op te knappen. 'Misschien volgende week zondag,' schreef Justine dan. Wanneer de nieuwe stapel enveloppen kwam voelde ze zich gekastijd en schuldig zelfs voordat ze ze geopend had. Maar toen ze de brieven naar Duncan in de schuur bracht, lachte hij alleen maar. Net als een onderwijzer met een stok, wees hij met een grassprietje naar losse zinnen hier en daar – verwijten, doorzichtig vertoon van dapperheid, frasen met een dubbele, driedubbele en vierdubbele betekenis. 'Natuurlijk vonden wij het erg jammer dat jullie niet konden komen, maar we begrijpen het volkomen, en ik had je tantes al gezegd dat we maar niet op jullie moesten rekenen.' 'Huh!' zei hij.

Langzaamaan ontspande Justine's gezicht dan, maar ze nam de brieven terug en stapelde ze zorgvuldig op voor ze het huis weer in ging.

Toen rammelde er op een dag een vrachtwagen hun pad op waar een man uitklom, die een telefoon op de palm van zijn hand droeg. 'Telefoon,' zei hij, alsof Justine zo de haak ervan kon opnemen om te antwoorden. Maar hij liep om haar heen de veranda trap op, met een riem vol gereedschap, dat om zijn heupen rinkelde. Duncan stond hem in de deuropening op te wachten. 'Die hebben *wij* niet besteld,' zei hij.

'Iemand heeft hem besteld.'

'Wij niet.'

De man haalde een opgevouwen papier uit zijn broekzak en schudde het open. 'Peck & Zonen,' zei hij.

'Dat is iemand anders.'

'Uw naam is Duncan Peck?'

'Ja.'

'Dan is deze telefoon voor u. U hoeft niet te klagen, de rekening wordt naar Peck & Zonen gestuurd. Ik wou dat *ik* zo'n cadeau kreeg.'

'Als we telefoon hadden willen hebben dan hadden we er zelf wel een besteld,' zei Duncan.

Maar Justine zei: 'Duncan, het is een cadeau. We kunnen ze niet beledigen.'

Duncan bestudeerde haar een ogenblik. Toen zei hij: 'Vooruit dan.'

Nu ging de telefoon een, twee, zelfs drie keer per dag en kwam Justine van het veld of uit de schuur gerend om op te nemen.

'Justine,' zei haar moeder, 'ik ben boven. Ik sta hier in de gang en kijk je kamer binnen naar je plank met poppen langs de muur, de Spaanse met haar mantilla van echt kant die je van je grootvader hebt gekregen in Philadelphia toen je nog maar vier was, weet je nog? Ze heeft zo'n lief, treurig gezichtje.'

'Mama, ik ben Duncan aan het helpen met het onthoornen van een geit.'

'Weet je nog toen je die Spaanse van je grootvader kreeg? Je moest en zou haar mee naar bed nemen, hoewel het geen knuffelpop was. Je vader en ik gingen iedere nacht je kamer in om haar weer op je kastje te zetten. O, wat zag je er onschuldig en vredig uit! We bleven altijd een poosje naar je kijken! Je vader hoefde toen nog niet zo veel op reis en het leek alsof we toen zo veel tijd samen konden doorbrengen.'

'O, mama,' zei Justine dan, 'ik wou dat ik bij jullie was. Trek het je niet zo aan, huil niet alsjeblieft.'

Tante Sarah belde, met tante Laura May die meeluisterde via het toestel boven. 'Ze blijft steeds in bed, Justine, ze kleedt zich haast nooit meer aan. Ze heeft vreselijke hoofdpijnen. Ik heb je vader opgebeld, maar ik geloof dat die man bezeten is. Hij zei dat hij niet kwam, dat zij in *zijn* huis moest komen wonen maar dat is natuurlijk onmogelijk, hij heeft maar een keer per week een werkster. Ze heeft veel meer hulp nodig, we doen alles voor haar, het is het enige wat we voor haar kunnen doen, ondanks de hulp van Sulie lopen we onze voeten stuk.'

'We brengen haar alle maaltijden op een dienblad,' zei tante Laura May.

'We hebben de televisie op haar slaapkamer gezet.'

'En de radio voor overdag. Voor de *Stella Dallas* hoorspelen.'

Justine zei: 'We komen zondag.'

'Hoor ik dat goed?'

'We komen tegen twaalven,' zei Justine. 'Maar we kunnen niet blijven logeren, want de geiten moeten –'

'De geiten, ja.'

'Tot dan.'

Ze liep terug naar buiten. 'Duncan,' zei ze, 'ik vind dat we zondag moeten gaan eten.'

'O ja, vind je dat?'

'We zijn er al zes weken niet geweest, weet je. En ze zeggen dat mama –'

'Je hoeft niet zo op hetzelfde aambeeld te blijven hameren, we gaan.'

Maar die avond in bed, toen hij net naast haar was gaan liggen en haar hoofd in zijn handen had genomen, rinkelde de telefoon weer en zei hij: 'In de roos.'

'Ik neem wel op,' zei ze.

'O, die moeder van jou met haar röntgen-ogen. Ze heeft het zo gepland, ze heeft het getimed. Ze kan niet gewoon bellen wanneer je *Woman's Day* aan het lezen bent, nee –'

'Laat me los, dan neem ik wel even op,' zei Justine.

'Nee, niet doen. We laten gewoon bellen.' Maar toen zei hij: 'Hoe kun je dit nou negeren? Negen keer, tien.'

'Ik ben zo weer terug.'

'Elf,' zei Duncan. Hij had een arm over haar heen gelegd om haar tegen te houden maar hij hield zijn hoofd overeind en zijn ogen op de zwarte glans van de telefoon gericht. 'We gaan buiten in het veld slapen,' zei hij tegen haar.

'In het *veld*, Duncan!'

'Waar anders? Als we opnemen, wint zij. Als we hier liggen luisteren wint ze ook. Hoor je dat? onzedelijk gerinkel. Kom mee, Justine.'

'Nou, laat me even een deken pakken.'

'Hier is een deken.'

'Ik heb ook een badjas nodig.'

'Waarvoor?'

'Wil je je kussen mee?'

'*Nee*, ik wil mijn kussen niet mee.'

'En een muggenstift.'

'Oh, alsjebl –'

Toen sprong hij uit bed en verdween door de deur. 'Duncan?' zei ze. 'Duncan, ben je van gedachten veranderd?' Maar voordat ze hem achterna kon gaan was hij alweer terug, zwaaiend met de enorme ijzeren tang waarmee hij de hoeven van de geiten bijknipte. Justine hoorde een enkele klik. De telefoon murmelde even en was toen stil.

'Oh, Duncan,' zei Justine, maar ze lachte toen ze weer ging liggen.

De hele volgende ochtend stond de telefoon daar zwijgend op de kast met zijn komische afgeknipte staartje eruit. Toen ze die middag boodschappen gingen doen in het dorp, deed Duncan de voordeur op slot zodat er geen reparatieman in kon terwijl zij weg waren. 'Je kunt wel op je vingers natellen dat zij er achterheen gaan,' zei hij. 'Ze sturen vast geheime agenten met gereedschap.' En ja hoor, toen ze terug kwamen hing er een kaartje aan de deurknop. 'Wat jammer, onze telefoonreparateur is voor niets geweest,' zei hij. Justine lachte er om.

Maar 's avonds, toen ze op de veranda zaten, hield ze ineens op met schommelen. Ze ging plotseling overeind zitten en fronste haar wenkbrauwen. 'Duncan,' zei ze.

'Mmm?'

'Ik heb een vreemd voorgevoel.'

Duncan begon een boek te lezen over het opzetten van een kippefokkerij en scheen met een zaklantaarn over de pagina's want het was al donker geworden. Hij hief de zaklantaarn omhoog en scheen in haar gezicht.

'Er is iets vreselijks aan de hand thuis,' zei ze tegen hem.

'Er is thuis altijd iets vreselijks aan de hand.'

'Ik meen het. Dit is ernstig. Ik meen het echt.'

'Wat? Ben je helderziend geworden?'

'Nee, maar ik voel het altijd aan wanneer er een *verandering* op komst is.'

Hij schommelde en wachtte af.

'We moeten er heen,' zei ze.

De zaklantaarn werd uitgeklikt.

'Het spijt me, Duncan. Ik ga wel alleen als je dat liever hebt. Maar ik moet gewoon –'

'Goed, goed.'

Terwijl ze een tas inpakte reed hij de heuvel op om aan Junior Jordan te vragen of hij voor de geiten wilde zorgen. Dat hadden ze altijd al kunnen doen! Maar Justine wist dat net zo goed als Duncan. Ze stond op de veranda te wachten met haar tas in haar hand geklemd en rilde, hoewel het een milde nacht was. Toen ze zijn koplampen op haar af zag hobbelen, rende ze de trap af en deed het portier open. 'Alles is geregeld,' zei Duncan. 'Stap maar in.'

Het leek alsof de auto door twee gele kegels de weg op getrokken werd. Justine moest denken aan andere tochten, van voordat ze getrouwd waren, toen ze zich naar huis moesten haasten om voor de avondklok binnen te zijn. Gedurende de hele reis had ze het gevoel dat ze een jongere, kleinere versie van zichzelf was. Ze zat angstig op de linten van haar muts te kauwen en vroeg zich af of ze een standje zou krijgen omdat ze te laat was.

Om acht uur die ochtend was in Guilford Sam Mayhew dood in zijn keuken aangetroffen door zijn werkster. Hij had een badjas aan en er lag een doosje Rennies op de vloer naast hem. Hij had kennelijk een hartaanval gehad. De oude heer Mayhew had om tien uur de Pecks gebeld, maar 's avonds om vijf uur wist Caroline nog nergens van. Niemand wilde het haar vertellen. In plaats daarvan stonden ze in kleine groepjes beneden in overgrootmoeders huis, en fluisterden bulletins over en weer. 'Ze ligt in bed chocolaatjes te eten die Marcus voor haar heeft meegenomen.' 'Ze kijkt naar een programma over bloemschikken.' 'Ze probeert Justine weer aan de telefoon te krijgen.' 'O, konden we het maar voor haar verzwijgen en net doen alsof er niets gebeurd is!'

Toen kwam de grootvader thuis van zijn werk. Hij was nu met pensioen maar hij hield ervan om op het kantoor van zijn zoons rond te zwerven en een oogje in het zeil te houden. 'Wat is er aan de hand?' zei hij toen hij overal groepjes vrouwen ontwaarde. Toen zij het hem vertelden schudde hij heftig met zijn hoofd, alsof hij een vlieg probeerde kwijt te raken. 'Wat? Maar hoe oud was hij dan? Nog geen vijftig! En dan een *hart*aanval? Waar is hij in godsnaam van geschrokken?'

Toen ging hij het nieuws aan Caroline overbrengen. De anderen stonden bij de trap en deden net alsof ze druk in gesprek waren, maar braken dan hun zinnen af. De een na de andere oom kwam zijn vrouw zoeken en toen moest hen ook het nieuws verteld worden. Richard kwam thuis met een vriendinnetje dat beleefd gevraagd werd te vertrekken omdat er iets naars was gebeurd in de familie. Tante Lucy, die tegelijk met Sam en Caroline verkering had gehad, raakte een beetje over haar toeren en bleef aan de arm van haar man hangen tot tante Laura May opperde dat ze haar naaiwerk ging halen om haar gedachten wat af te leiden. Toen kwam de grootvader naar beneden, eenvoudig en waardig, en keek op zijn zakhorloge. 'En?' vroegen zij. 'Hoe nam ze het op?'

'Goed.'

'Wat zei ze?'

'Ze zei niets.'

'Mogen wij nu naar boven gaan?'

'Jullie mogen doen wat je wilt,' zei hij en hij vertrok naar zijn eigen huis en nam Esther mee om zijn avondeten voor hem klaar te maken.

De anderen liepen op hun tenen de trap op. Caroline zat rechtop in bed tegen een stapel kussens geleund. Toen ze binnenkwamen leunde ze voorover om de televisie wat zachter te zetten. 'Caroline, we vinden het zo erg,' zeiden ze en Caroline zei: 'Nou, dank je. Wat aardig van jullie om belangstelling te tonen.'

'Als we iets kunnen doen –'

'Ik zou niet weten wat! Maar ik stel het zeer op prijs dat jullie het vragen.'

'Wil je naar de aula? Natuurlijk waren jullie niet meer *samen* of zo, ik weet niet wat je behoort te doen in zo'n geval, maar als je –'

'Nou, later misschien. Maar nu nog niet.'

'Het is waarschijnlijk niet de gewoonte.'

'Nee.'

'Nou, mocht je iets nodig hebben dan –'

'O, zeker hoor! Dan horen jullie het direct.'

Ze liepen weer op hun tenen de trap af. Hoewel ze eigenlijk naar hun eigen huis zouden moeten gaan om te eten, bleven ze in plaats daarvan nog even in de woonkamer van overgrootmoeder ronddraaien. Ze wisten niet helemaal zeker hoe ze zich moesten gedragen. Het laatste stervensgeval in de familie was in 1912 geweest, veel te lang geleden om te herinneren. 'Toch,' zei tante Sarah eindelijk, was het niet zo dat Sam Mayhew echt –'

'Nee, nee.'

'En uiteindelijk heeft hij zich –'

'Oh, hij heeft zich gedragen als een bezetene.'

'Probeerde haar altijd tegen ons op te stoken.'

'Deed geen *enkele* poging om haar te begrijpen.'

'En Caroline is zo gevoelig. Zo is ze nou eenmaal.'

'Om te weigeren bij het huwelijk van zijn eigen dochter aanwezig te zijn.'

'Maar toch,' zei tante Lucy, die soms over-emotioneel werd, 'hield Caroline van hem! Dat weet ik zeker, dat moet wel, je kon zien dat ze er kapot van was. En nu is hij dood. Wat moet ze nu beginnen?'

'*Lucy*,' zei haar man. 'Wordt het zo langzamerhand geen tijd om het eten klaar te maken?'

'Nou, goed dan.'

'We proberen Justine wel thuis te pakken te krijgen, grootmoeder. Als de telefoon nog niet gerepareerd is dan rijd ik er morgen heen.'

'O, die Justine. Hoe zal ze zichzelf ooit kunnen vergeven?'

Boven zongen cowboys eenzame liedjes om een kampvuur en rolde het buitelkruid met een zwiepend geluid door de woestijn.

Diezelfde avond om negen uur stond Caroline op in haar roze zijden kamerjas en deed haar pantoffels met pluimen aan. Voordat ze de kamer uitging, zette ze de televisie af. Ze liep statig en ruisend de trap af, ze liep door de hal en de deur uit. Ze sukkelde over het grasveld en toen de weg op, waar ze midden op de weg ging lopen met haar armen gespreid en haar trippelende voeten zo zorgvuldig als een koorddanser neerzette. Aan de eerste auto die aan kwam rijden verscheen ze zo monsterlijk en onverwacht als een enorme klont roze bubble-gum. De bestuurder hield zijn adem in en week op het laatste moment uit. De tweede bestuurder was niet zo gauw verrast. 'Hé, dame, thuis blijven als je aan de drank bent!' riep hij uit het raampje en gleed toen netjes langs haar heen.

Ze moest zes auto's afwachten, al met al, voordat ze er een tegenkwam die haar wilde overrijden.

Duncan bracht Justine een kom runderbouillon en een zilveren lepeltje en een linnen servet. Hij trof haar aan in de huiskamer bij overgrootmoeder, waar ze voor zich uit zat te staren. 'O, dank je,' zei ze. Ze zette de kom op de koffietafel neer.

'Ik heb het zelf klaargemaakt.'

'Dank je.'

'Mam zei koffie, maar koffie heeft geen voedingswaarde.'

Ze streek haar jurk glad.

'Er zitten eiwitten in bouillon,' zei Duncan tegen haar. Je kunt maandenlang zonder eiwitten en je er goed bij voelen, maar onder de oppervlakte brengt het schade toe die nooit weer hersteld kan worden. Eiwitten zijn opgebouwd uit aminozuren, die –'

'Duncan, ik begrijp niet dat je dit allemaal kunt zeggen.'

'Ik ook niet,' zei hij.

Hij wachtte tot ze de bouillon zou proeven. Dat deed ze niet. Hij hurkte bij haar neer. 'Justine –' zei hij.

Maar nee hoor, te laat, de tantes waren hen weer op het spoor. 'Justine? Je moet hier niet zo maar blijven zitten, liefje –'

Ze deden hem aan schepen denken. Ze verplaatsten zich in vloten. Hun wijde zomerjurken stonden bol en ploften in elkaar toen ze om hen heen gingen zitten en hem daardoor buiten sloten. Maar hij gaf zich niet zo snel gewonnen. 'We zaten net te praten,' zei hij tegen hen.

'Ze moet eigenlijk naar bed.'

'Waarom?'

'Ze ziet er *helemaal* niet goed uit.'

Dat was zo. Zelfs haar haar leek veranderd; het hing slap en levenloos langs haar gezicht. In slechts vier dagen tijd had ze een nieuwe holte tussen haar sleutelbeenderen gekregen. Het bruin van het buitenleven ging al van haar huid af. Kon hij haar maar meenemen naar huis, naar de zonovergoten velden en hun kleine huisje met de belachelijke damasten gordijnen! Maar de tantes ruisden en verschikten zich en kwamen dichterbij zitten. 'Ze moet een poosje bij ons blijven, Duncan. Ze heeft zo'n *verdriet*, zie je. Ze gedraagt zich net als haar arme moeder. Je mag haar niet meenemen naar die afgelegen plek waar ze alleen is.'

'Alleen?'

'Er moet voor haar gezorgd worden.'

'*Ik* zorg toch voor haar,' zei Duncan.

'Ja, maar – en ze kan weer in haar oude kamer terug, of als daar teveel herinneringen aan vastzitten die van jou. Jij kan weer naar je koeien of wat dan ook terug gaan en dan zorgen wij wel dat – Justine, vind je Duncans kamer leuk?'

'Duncans kamer? Ja.'

'Zie je wel?'

'Of ze zou bij ons kunnen intrekken,' zei tante Bea. 'Bij ons gebeurt er zo veel, zie je, Esther en Richard rennen in en uit en de tweeling kletst zo veel, dan komt ze er wel gauw overheen.'

'Misschien wil ze er wel helemaal niet overheen komen,' zei Duncan. 'O, het scheelt als er mensen om je heen zijn! Allemaal jonge mensen die vrolijk zijn. Justine?'

Justine zat er bij als een steen. De oude geheime olijke glimlach die ze altijd naar Duncan flitste leek voorgoed verdwenen te zijn. Toen ze opstond keek ze niet eens zijn kant uit, en ze merkte het waarschijnlijk niet eens toen hij de kamer uit ging.

Als ze nu door het donkere huis doolde was ze zich ervan bewust dat alles met elkaar in verband stond. Zelfs een eenvoudig, onbetekenend theekopje bestond niet. Dat werd altijd aangereikt door een naast familielid, ter gelegenheid van een of andere blije gebeurtenis, het barstje erin was tijdens een of ander moment van schrik gebeurd, de roosjes werop waren doorzichtig geworden van Sulie's geschrob, er zat een vlek in van de thee die Sam Mayhew er eens uit had gedronken, er was een stukje uit van die keer dat Caroline, toen ze vreselijke hoofdpijn had, het te hard op het schoteltje had neergezet.

Ze liep de voordeur uit, waar een kras op zat uit het najaar van 1905 van Justin Pecks ziekbed. Ze liep langs de veranda van haar grootvader, waar Maggie Rose eens in de schemer op een T Ford had staan wachten. Ze beklom de trap van oom Twee, omringd door griezelig gefluister en liefdesgemurmel en standjes en verwijten. Boven trof ze Duncan aan in zijn kamer tussen de meccano machines die hij had gebouwd toen hij twaalf jaar was, een kleuren-poster van Dorothy in het Land van Oz, het Monopoly spel waarop alle zeven neven en nichten een marathon kampioenschap hadden gespeeld in het voorjaar van 1944. Maar Duncan – die voorgoed in het heden leefde! – zat *The Wabash Cannonball* te fluiten en met een stuk loodkleurig metaal te knoeien.

Ze begreep niet hoe hij nu kon fluiten.

Toen ze zijn kamer binnenkwam hield hij op. 'Wil je gaan liggen?' vroeg hij haar. Hij begon alles van zijn bed te ruimen, een kluwen verward ijzerdraad en lasapparaten, tubes lijm en verf. Ze ging op de rand van de matras zitten, maar wilde niet gaan liggen. Het was pas acht uur. Als ze nu ging slapen zou ze later uren wakker liggen zoals de afgelopen nacht en de nacht daarvoor.

'Wou je iets zeggen?' vroeg Duncan.

'Nee.'

'Nou.' Hij ging door met wat hij aan het doen was, maar floot niet meer. 'Dit is een buigtang,' zei hij tegen haar.

Ze reageerde niet.

'Deze palletjes kun je bewegen, zie je? Dan kun je er de draadjes op allerlei manieren omheen winden. In allerlei bochten en hoeken. Ik zou een armband voor je kunnen maken. Wil je een armband? Of een halsketting, als je dat leuk vindt.'

Ze legde haar vingers voor haar ogen voor de koelte.

'Nou heb ik het,' zei hij. 'Een neusring. Wil je een neusring?'

Toen ze haar ogen opende hing er een stukje draad, dat een scherpe reuk had, pal tegen haar neus. Ze sloeg het weg. 'Wat probeer je me *aan* te doen?' zei ze.

Hij keek verbaasd.

'Probeer je me met opzet kwaad te maken?' vroeg ze aan hem.

'Wel, nee, niet met opzet –'

'Waarom doe je dan zo?'

'Justine, ik doe helemaal niet zó.'

'Hoe kun je met stukjes draad spelen terwijl allebei mijn ouders dood zijn en jij degene bent die me hier vandaan heeft gedreven en de telefoondraad hebt doorgeknipt en om mama's brieven heeft gelachen en me niet op bezoek wilde laten gaan?'

'Justine.'

'Papa heeft me *gewaarschuwd*,' zei ze. 'Hij heeft me ronduit gezegd dat jij met me ging trouwen om me te martelen.'

'O ja?'

'Dat zei hij, of dat je op me wilde steunen, maar dat zie ik nog niet zo een, twee, drie gebeuren.'

'Nou, hij heeft overal aan gedacht, hè?' zei Duncan.

Hij ging door met het verbuigen van ijzerdraad. Hij verzette een palletje op zijn tang en maakte een rechte hoek.

'Het spijt me,' zei Justine ten slotte.

'Laat maar'.

'Ik voel me zo –'

'*Laat* maar.'

'Duncan, kunnen we hier niet een poosje blijven?'

Hij keek haar aan.

'We kunnen bij overgrootmoeder wonen,' zei ze. 'Zou dat niet leuk zijn?'

'Nee.'

'Alsjeblieft?'

'Ik had het kunnen weten,' zei hij tegen haar. 'Ik geloofde toch al niet dat je met me mee zou gaan.'

'Maar het is alsof er aan me *getrokken* wordt. Ik zou het vreselijk vinden om zomaar weg te gaan en ze achter te laten. Maar ik kan hier met jou ook niet blijven, en jij zei geen woord toen ze het aanboden.'

'*Ik* wil je niet dwingen, Justine.'

'Maar dan zijn zij de enigen die dat doen en dan winnen zij.'

'Is dat de enige manier waarop jij iets doet? Door gedwongen te worden?'

Ze zweeg.

'Goed,' zei Duncan. 'Ik wil dat je met mij meegaat. Het is belangrijk. Het is belangrijker dan zij allemaal.'

Maar ze bleef hem aankijken.

'Nou, hoe moet ik het anders aanpakken?' vroeg hij haar. 'Ik ben veel te goed getraind. Ik vind het *moeilijk* om iets onomwonden te zeggen. Ze hebben mij ook een beetje verpest, weet je.'

'O, Duncan,' zei Justine. 'Je hebt alles onomwonden gezegd sinds de tijd dat je vier was en tegen tante Bea zei dat ze broccoli-haar had.'

'Nee,' zei Duncan. 'Ik Peck zijn. Ik niet goed praten, maar mooie cadeaus geven.'

Toen overhandigde hij haar zijn ijzerdraadje, een figuurtje met net zo'n platte muts als Justine en een driehoekig jurkje, dat er zo vief en luchthartig uitzag dat zelfs een stamlid uit het diepst van donker Afrika meteen zou zien dat er iemand om haar gaf.

De familie stond in de rij om hen uit te zwaaien, hun gezichten papierachtig in de ochtendzon. 'Ik sta ervan te kijken dat jullie er zo maar weer vandoor gaan,' zei tante Lucy. Justine kuste haar. Ze kuste tante Sarah, die zei: 'Denk je dat je ouders het zouden begrijpen? Er weer snel vandoor alsof een kudde geiten het enige belangrijke op de wereld was?' Justine kuste de hele rij af, en sloeg niet eens Richard over, die wegdook en bloosde, en toen ze bij haar grootvader aankwam hield ze hem een ogenblik lang en stevig vast, alsof dit pas het echte afscheid was en niet toen ze trouwde. 'Oh, um, nou, Justine,' zei haar grootvader.

'Dag grootvader.'

Duncan deed het portier van de auto open en ze stapte in. Door de hitte stonk de bekleding naar vis en toen ze uit het raampje leunde om te zwaaien voelde het metaal lekker warm aan haar arm. Boven hun hoofden zaten spotvogels in de boom te zingen. Zelfs toen de motor raasde hielden ze niet op. 'Biologen,' zei Duncan, 'hebben onderzocht wat de stimulans is die ervoor zorgt dat een vogel 's morgens zingt. Tot dusverre zijn ze achter één stimulans gekomen. Ze zingen omdat ze blij zijn.'

ZEVEN

Duncan kocht een dozijn koperkleurige hennen en installeerde ze in een schuurtje dat hij zelf had gebouwd, compleet met een doos oesterschelpen, die de eierproduktie moesten stimuleren en een waterbak van zink waarin ze allemaal onmiddellijk verdronken. Maar de geiten floreerden en aangezien er maar twee klanten hadden gereageerd op de advertentie waren er liters melk per dag over. Justine maakte boter en roomijs. Duncan bereidde ketels vol Noorse kaas. Maar tegen de tijd dat ze een hele lading melk hadden opgebruikt, hadden de geiten weer volop geproduceerd en Justine droomde 's - nachts van een opkomend wit getij dat hen omringde. 'Misschien moeten we ze wat minder stroop geven,' zei ze tegen Duncan.

'Nou, ik weet niet of dat veel zou schelen. We hebben kennelijk iets op gang gebracht dat niet meer te stuiten is.'

's Morgens ging Justine op stap met een mandje vol kaas om te proberen die kwijt te raken aan de buren, die het ook kochten want ze waren haar aardig gaan vinden. Als ze haar de oprit zag opzeulen, met haar boerse muts en gewone katoenen jurkje dat begon te verschieten, kwam mevrouw Jordan met een brede glimlach de veranda opgelopen. 'Daar heb je Justine Peck! Hoe is her er mee, schat?' Justine glimlachte hoopvol en liet haar mandje zien. Ze had er moeite mee mensen te vragen iets van haar te kopen, maar ze genoot van de visites. Bij elk huis bleef ze een poosje in de keuken zitten praten, en langzaamaan begon ze aan de geur van petroleum en gerookt spek te wennen en begon ze zich thuis te voelen bij de kromme, vroeg verouderde vrouwen die haar karnemelk en gemberkoek aanboden om haar wat aan te sterken.

Maar soms, als ze alleen thuis was, voelde ze als wind een vlaag van verdriet door zich heen gaan en dan pauzeerde ze, haar handen roerloos, haar gezicht onthutst en staarde ze minuten lang voor zich uit. Op een keer, toen ze het onkruid dat de stroom van de omheining opgebruikte aan het wieden was, werd ze door de geur van gemaaid gras herinnerd aan jaren geleden toen ze in de schemer tussen haar ouders genesteld op een grasveld zat te luisteren naar het gebabbel van de hele familie om hen heen. Ze liet de snoeischaar uit haar handen vallen en greep naar het dichtsbijzijnde voorwerp; ze pakte de onheining beet tot haar knokkels er van begonnen te glimmen. De elektriciteit bonsde als een doffe pijn door haar heen. Duncan moest haar vingers loswrikken en haar een paar keer bij de naam noemen voordat ze opkeek.

Na dat eerste bezoek waren ze nog niet weer in Baltimore teruggeweest, maar ze schreef iedere week een brief en de ene of de andere tante schreef haar terug. Van tijd tot tijd componeerde haar grootvader een plechtig, formeel, negentiende-eeuws briefje waarin stond dat het met iedereen goed ging en dat hij hen hartelijk groette. Kon ze zijn knobbelige hand maar vastpakken, alsof ze het per ongeluk deed! Maar het enige wat ze naar hen schreef was dat het met Duncan goed ging, dat het weer goed was en dat de geiten hun best deden.

Als het verdriet te lang duurde, reed ze naar Buskville waar ze urenlang door de straten doolde. Zij was opgegroeid in het geloof dat het beste geneesmiddel voor verdriet winkelen is, vooral kleren kopen. Maar ze hadden niet zo erg veel geld en bovendien vond ze het moeilijk om voor zichzelf kleren te kopen. Een jurk aantrekken die niet door haar moeder was uitgezocht was bedrog. Dus was ze aangewezen op het kopen van kleine huishoudelijke artikelen: een citroenpers en een peterselie-molentje. Het leek erg belangrijk om alles te hebben dat haar huis volmaakt zou maken.

Op een dag in augustus, toen ze alle mogelijkheden uitgebuit had, liep ze een zijstraat in en ontdekte een met de hand geschreven kartonnen kaart waarop stond MAGISCHE MARCIA. LIEFDESPROBLEMEN. ADVIES. Ze maakte een zwaai terug in de tijd en stond weer bij

Madame Olita op de stoep, terwijl Duncan haar plagend aankeek met zijn arm om Glorietta de Merino heen geslagen. Een moment later nam ze haar boodschappentas in haar andere hand en belde bij Magische Marcia aan.

Een magere, donkere vrouw met een veeg karmozijn rode lippenstift op deed open. Ze was niet veel ouder dan Justine, maar er hingen twee kleine jongens met snotneuzen aan haar rok. Groezelige schouderbandjes staken uit haar laag uitgesneden blouse. Justine had er spijt van dat ze had aangebeld, maar het was te laat om weg te lopen.

Toen ze aan de keukentafel met ontbijtresten zat, bleek dat er van haar verwacht werd dat ze een specifieke vraag zou stellen. Dat wist ze niet. 'Wat scheelt er aan?' vroeg de vrouw, terwijl ze Justine's hand als een brief plette. 'Man? Vriend?'

'Nee, ik – alleen maar wat algemene dingen die ik wilde weten.'

De vrouw slaakte een zucht. Ze krabde op haar hoofd en keek fronsend naar Justine's handpalm. 'Nou,' zei ze op het laatst, 'u zult in ieder geval een lang leven hebben, dat staat vast.'

'Ja,' zei Justine verveeld. Ze had echt totaal geen interesse in haar toekomst, waarvan ze zeker wist dat die vanaf dit punt gelukkig en niet erg boeiend zou zijn.

'Goed huwelijk, waarschijnlijk zult u wat reizen. Gezondheid is goed. Waarschijnlijk zult u een heleboel kinderen krijgen.'

'O ja?' zei Justine. Duncan leek geen kinderen te willen hebben. Maar de vrouw zei: 'Ja*zeker*.'

Er begon zich een vraag aan de rand van Justine's gedachten op te dringen. Ze staarde in de ruimte en luisterde niet naar de rest van haar toekomstvoorspelling. 'En, Marcia,' zei ze. 'Kunt u me iets zeggen? Als je handpalm een zekere toekomst voorspelt kun je het op welke manier dan ook veranderen?'

'Wat bedoelt u?'

'Als er in je toekomst staat dat je veel kinderen zult hebben, zou je dan expres *geen* kinderen kunnen nemen? Als het in je toekomst voorspeld wordt dat je iemand pijn zult doen, kun je op een of andere manier dan niet voorzichtig zijn en *geen* pijn veroorzaken? Kun je aan je toekomstvoorspelling ontsnappen?'

'Wat staat geschreven, staat geschreven,' zei Magische Marcia geeuwend.

'O,' zei Justine.

Die vrijdag ging ze naar Blainestown, nadat ze van te voren in de gele gids had gekeken. Ze beklom de trap van SERENA, MEESTERES VAN HET VERBORGENE. Deze keer wist ze precies wat ze moest vragen.

'Zou ik mijn toekomst hebben kunnen ontlopen als die had voorspeld dat ik iemand kwaad zou doen?'

'Men kan het noodlot niet ontlopen,' zei Serena.

Op maandag ging ze weer naar Blainestown, dit keer naar MADAME AZUKI HEEFT HET ANTWOORD OP ALLE VRAGEN.

'Het staat in de sterren geschreven. Er is geen ontsnappen aan,' zei Madame Azuki.

'O,' zei Justine.

Op woensdag ging ze naar Baltimore. Duncan was een automatische boontjesafhaler aan het uitvinden en hij knikte alleen maar toen ze tegen hem zei dat ze een poosje weg ging. Ze reed direct naar het rommelige centrum aan de oostkant van de stad. Ze vond de wasserij, die er met inbegrip van de gespikkelde verschoten posters met vrouwen in mantelpakjes uit de jaren veertig erop, nog precies hetzelfde uitzag. Maar van het kaartje van Madame Olita achter het raam erboven was niets meer te zien dán een paar verfvlekken en er zat een hangslot op haar deur. Justine ging de wasserij binnen. Een grote grijze man was bonnetjes op de toonbank aan het sorteren. 'Kunt u mij zeggen waar Madame Olita is?' vroeg ze aan hem.

'Ah, Madame Olita, die is weg.'

'Wat? Is ze dood?'

'Nee, ze is er mee opgehouden. Haar gezondheid is niet zo best, weet u. Maar wat een geweldige waarzegster! Ik wil het best bekennen: ik ging ook naar haar toe. Goed, dan is het maar poppenkast. Weet u waarom ik naar haar toe ging? Stel dat je een probleem hebt, of een beslissing moet nemen. Je vraagt het aan je dominee. Je vraagt het aan je psychiater, "Nou, ik kan natuurlijk niet voor u beslissen en we moeten het van alle kanten bekijken en ik kan de verantwoordelijkheid voor –." Die houden een slag om de arm, ziet u. Maar Madame Olita niet. Geen *enkele* goede waarzegster zou dat doen. "X, moet je doen," zeggen die. "Vergeet Y maar." "Niet meer met Z omgaan." Heerlijk is dat, ze nemen de volle verantwoordelijkheid op zich. Wat wil je nog meer?'

'Weet u waar ze is? Zou ik bij haar op bezoek kunnen gaan?'

'Ja hoor, ze woont een eindje verderop. Maar ik weet niet of ze het aan kan. Zeg maar dat ik u gestuurd heb, dat Joe u gestuurd heeft. Misschien vindt ze het wel fijn om gezelschap te hebben. Op vijf-drieëntachtig, flat A.'

'Hartelijk bedankt,' zei Justine.

'Ik hoop dat u het antwoord krijgt dat u wilt.'

De deur rinkelde achter haar dicht en ze liep de straat uit, langs nog een paar wasserijen en goedkope drogisterijen en lommerds. Aan het eind van de straat stond een groot Victoriaans huis met een veranda er omheen, en op de veranda zat Madame Olita in een Polynesische rieten stoel. Ondanks de hitte, had ze een gehaakte sjaal om. Haar haar was nog steeds stoppelig, maar ze was een heleboel afgevallen. Haar kleren lubberden en haar nek was zo mager dat het leek of haar gezicht vooruit schoot, op een gierachtige manier. Ze zag er uitgehold uit. Toen Justine de trap opklom keek ze zonder belangstelling toe, wellicht aannemend dat deze bezoekster voor iemand anders kwam.

'Dag Madame Olita,' zei Justine.

'Hmmm?'

Madame Olita vermande zich en wikkelde de sjaal steviger om haar schouders.

'Joe heeft me gestuurd,' zei Justine.

'Oh? Joe.'

'Ik wilde u een vraag stellen. Mag dat?'

'Nou, ik voel me niet zo best tegenwoordig, zie je. Ik kijk niet zo veel meer in de toekomst.'

'Nee, het gaat niet over de toekomst.'

Madame Olita zuchtte. 'Ga zitten,' zei ze en ze wees naar de rieten stoel naast haar. Ze reikte naar Justine's hand alsof ze het niet begrepen had.

'Maar ik wilde geen –'

Madame Olita draaide Justine's hand om en fronste. 'O, ben jij het,' zei ze.

Justine was verheugd en verlegen, alsof ze de bijzondere handlijnen zelf teweeg had gebracht.

'Ja, ik zie het al,' zei Madame Olita die met haar hoofd knikte en met een vinger tegen haar tanden tikte.

'U heeft gezegd dat mijn huwelijk alles kapot zou maken,' herinnerde Justine haar.

'Heb ik dat gezegd?'

'U heeft gezegd dat het hart van mijn ouders zou breken. Hoe wist u dat?'

'O, lieve kind,' zei Madame Olita die plotseling achterover leunde en haar hand los liet. 'Dat weet ik echt niet meer. Je was jong en arrogant en voelde je niet op je gemak in mijn kamer, misschien deed ik alleen maar –'

'Maar het is allemaal uitgekomen.'

'Soms gaat dat zo.'

'Was dat gewoon geluk?'

'Misschien wel. Soms is dat wel zo, soms niet. Vraag je me of ik werkelijk in de toekomst kan kijken? Dat kan ik ook. Maar het lijkt me toe dat mensen steeds meer weerstand bieden aan veranderingen, zich met hand en tand verzetten. Wat het gemakkelijk maakt hun toekomst te voorspellen, maar waarom zou je de moeite nemen? Waarzeggen is alleen goed als je een *gebeurtenis* voorspelt. Het slaat niet in als je zegt: "Maakt u zich geen zorgen, uw leven zal altijd op dezelfde manier doorgaan . . ." '

Ze deed haar ogen dicht en deed ze toen weer open en zag er uit alsof ze in de war was. 'Maar ik heb de neiging om ermee door te gaan', zei ze. 'Je wilde een vraag stellen.'

Justine ging rechtop zitten en legde haar handen tegen elkaar aan. 'Madame Olita,' zei ze, 'als het in mijn toekomst geschreven stond dat ik het hart van mijn ouders zou breken, is het dan waar dat ik dat op geen enkele manier had kunnen vermijden?'

'O, nee hoor.'

'*Nee?*'

'Hemeltje, nee hoor. Je kunt je eigen toekomst best veranderen. Ik heb zelf gezien dat de lijnen in een hand in één nacht veranderden. Ik heb kaarten plotseling op plaatsen zien gaan liggen waar ze eerder nooit wilden gaan liggen.'

'O,' zei Justine en ging toen weer achterover zitten. Het was de eerste keer dat ze een antwoord had gekregen dat haar voorkwam als de waarheid, maar nu vroeg ze zich af waarom ze het had willen weten. Ze voelde zich slap en moe.

'Waarom,' zei Madame Olita, 'zou je anders iets doen? Nee, je hebt altijd tot op *zekere* hoogte een keuze. Je kunt je toekomst een hoop veranderen. Je verleden ook.'

'Mijn verleden?'

'Niet wat er is gebeurd, nee,' zei Madame Olita op vriendelijke toon, 'maar de greep die het op je heeft.'

'O.'

'Als je daar zo in bent geïnteresseerd wil ik je de kunst wel leren, als je dat wilt.'

'De – oh, nou, ik –'

'Ik denk dat je wel talent hebt voor *kaartleggen*.'

'Maar in ieder geval bedankt,' zei Justine.

'Laat maar. Je komt wel weer terug. Ik zit hier iedere dag om een luchtje te scheppen. Je vindt me wel. Doe het hekje achter je dicht als je weggaat, alsjeblieft.'

Op maandag zei Justine tegen Duncan dat ze eraan dacht om waarzegster te worden. 'O, echt waar?' zei hij.

'Lach je me niet uit?'

'Nog niet,' zei hij. 'Eerst moet ik zien hoe goed je bent.'

Dus reed ze weer naar Baltimore naar het witte huis waar Madame Olita suf in haar Polynesische stoel zat te knikkebollen.

'Dit zijn gewone speelkaarten,' zei Madame Olita, maar Justine vond dat ze er allesbehalve gewoon uitzagen. Ze waren heel oud en op de achterkant stonden verschillende voorstellingen: ouderwetse circusscènes van een clown, trapeze artiesten, dansende honden en paardrijdsters. 'Ze zijn van mijn moeder geweest. Hoewel je het niet zou zeggen als je mij ziet, was zij een echte zigeunerin met zeven kanten onderrokken en ze droeg kleine koperen belletjes aan haar vingers voor het ritme als ze danste. Ze groeide op in een leegstaande snoepwinkel in Gay Street. Niet wat je noemt een bonte woonwagen, maar toch . . . helaas is ze met mijn vader getrouwd, die leraar in de maatschappijleer was. Ze liet haar oude leven achter zich, knipte haar lange zwarte haar af en kreeg twee dochters die naar Radcliffe universiteit gestuurd werden. Maar ik was liever door een zigeunerin grootgebracht.'

Ze coupeerde de kaarten. Justine zat met open mond tegenover haar.

'Wanneer ik van Radcliffe afgestudeerd zou zijn, was ik van plan om te trouwen met een man met één oorbel. Maar zo is het niet gegaan. Ik zag er toen min of meer uit zoals ik er nu uit zie. Ik ben nooit met iemand getrouwd, laat staan met een zigeuner. Dus kreeg ik een baantje bij mijn vader op school en gaf ik wiskundeles, maar intussen had ik van mijn moeder geleerd om de toekomst te voorspellen. Dansen heb ik nooit onder de knie gekregen. Ik heb het wel geprobeerd. Mijn zuster was tamelijk goed. Maar ik was beter dan zij in het waarzeggen. Wat wilde ik die kaarten graag hebben! Mijn moeder wilde ze niet aan mij geven.Dit soort kaarten wordt alleen weggegeven wanneer de eigenaar sterft, zie je, en er zelf niets meer aan heeft. Vanzelfsprekend wilde ik niet dat mijn moeder zou sterven. Maar zal ik je eens wat vertellen? Toen ze na een operatie op zevenenvijftig jarige leeftijd niet meer wakker werd was het eerste wat ik dacht: "Nu zijn de kaarten van mij." Ik ging naar huis en nam ze uit haar kast, ging vervolgens naar school en diende mijn ontslag in. Ik installeerde me in oost Baltimore, boven die wasserij. Ik heb nog nooit van mijn leven een woonwagen gezien.'

Ze legde de kaarten in concentrische cirkels op een rieten tafeltje neer.

'Mijn zuster,' zei ze, 'heeft de belletjes gekregen.'

Toen fronste ze haar wenkbrauwen en pookte met haar wijsvinger naar een kaart. 'Maar let op! Deze kaarten lees je niet als een boek, hoor. Er zitten betekenissen aan verbonden die je in een half uurtje uit je hoofd kunt leren, maar het zijn dubbelzinnige betekenissen. Bij voorbeeld de doodskaart. Zo *geheten*. Maar wiens dood? Van de klant of van iemand in zijn naaste omgeving? En wanneer? Echt of metaforisch? Nee, je moet deze kaarten als etiketten beschouwen.'

'Etiketten,' zei Justine effen.

'Etiketten met een touwtje eraan, net als surprises op een feest. De touwtjes leiden naar je gedachten. Deze kaarten trekken eruit wat je al weet, maar wat je niet wilde toegeven of wat je verdrukt hebt. Daarom werkt palmlezen net zo goed, of theebladjes, of de Tarot of een kristallen bol. Ze zijn allemaal geldig, ja, maar alleen gepaard aan je eigen intuïtie. Je zou ook aan astrologie kunnen gaan doen, maar ik weet al dat je daar de discipline niet voor hebt.'

'Ik hou meer van kaarten,' zei Justine.

'Ja, ja, dat weet ik. Maar let voortdurend op, op *alles*. Observeer je klanten nauwkeurig. Er zijn maar twee soorten. De meeste vervelen zich en hopen dat je hen vertelt dat er iets gaat gebeuren. En dan is er een enkeling die een opwindend leven leidt, maar die geen beslissingen kan nemen, en wellicht daarom juist een opwindend leven leidt; die zullen jou vragen om een beslissing voor ze te nemen.'

'Wat voor een ben ik?' zei Justine.

'Hè? Ik weet het niet. Geen van beiden misschien. Jij hebt me nog nooit gevraagd om je toekomst te voorspellen uiteindelijk.'

'Oh nee, dat is ook zo,' zei Justine.

'Je kijkt nog steeds terug, in ieder geval,' zei Madame Olita tegen haar.

'Nee, dat doe ik helemaal niet!'

'Zoals je wilt.'

Na haar lessen reed Justine rechtstreeks naar huis, maar er waren draden, touwtjes, *kabels* die haar in de richting van Roland Park trokken en alhoewel ze daar nooit gehoor aan gaf voelde het aan alsof ze van binnen bloedde. 'Nou, je kunt er toch een hapje gaan eten,' zei Duncan, maar uit de manier waarop hij sprak leidde ze af dat hij het vreselijk zou vinden als ze dat deed. En ze wist dat haar familie overstuur zou zijn als ze iets te horen kwamen over Madame Olita. Dan zou haar nieuwe bekwaamheid, die nog zo zwak en kwetsbaar was als een zojuist uit het ei gekropen kuikentje, nooit meer goed lijken; zo werkte haar verstand. Ze ging niet.

Geloofde ze zelf in waarzeggen? Bij Madame Olita wel. Ze was er helemaal bij betrokken, er van onder de indruk en erdoor gefascineerd als die doortastende handen de toekomst uitdeelden. Maar eenmaal thuis voelde ze zich ertoe gedwongen om haar vertrouwen op Duncan uit te proberen. Ze legde haar speelkaarten zelfbewust uit. 'Vandaag,' zei ze tegen hem, 'heb ik de formatie geleerd die door Madame Le Normand in de tijd van Napoleon gebruikt werd.'

'Le Normand,' zei hij geïnteresseerd en hij borg de naam in zijn hoofd op.

'We hebben geoefend op de hospita van Madame Olita, die vierentachtig jaar oud is. Ik voorspelde dat ze zou gaan trouwen.'

Hij grijnsde.

'Maar!' zei Justine. 'Dat is ook zo! Dat vertelde ze me later.'

'Wat goed van je. Wat leuk voor *haar*.'

'Madame Olita zegt nog eventjes en dan kan ik voor mezelf beginnen.'

'Dan gaan we met pensioen en van jouw inkomen leven,' zei hij.

Ze was opgelucht dat hij haar niet uitlachte. Dit was de enige bijzondere vaardigheid die ze ooit had gehad, het enige wat zij kon en hij niet. Een keer begon hij haar lijst betekenissen uit zijn hoofd te leren, maar hij dwaalde af terwijl hij de kaarten aan het schudden was en in plaats daarvan begon hij aan een proef voor Bernouilli's Wet van het Gemiddelde te werken.

Sommige dagen was Madame Olita in een strenge bui en nam ze nergens genoegen mee. 'Echt waar, Justine, ik heb een hard hoofd in je!' zei ze dan. 'Waar zit je verstand! Je hebt alle kwalificaties om een goede waarzegster te worden, maar geweldig word je nooit, je hebt een luie geest. Je sukkelt achter je intuïtie aan.'

'U heeft gezegd dat alles op intuïtie aan kwam.'

'Nooit! *Alles* heb ik nooit gezegd. Je moet uiteindelijk ook een paar feiten weten. Deze kaarten zijn net als de instrumenten van een dokter. Een goeie dokter heeft ook intuïtie maar hij zou op grond daarvan zijn instrumenten nooit weggooien.'

'Maar u zei dat het etiketten waren, u zei –'

'Genoeg!' En dan gooide Madame Olita haar handen in de lucht en zakte ze in elkaar in haar stoel. 'Je hele leven lang zul je de toekomst voorspellen aan huisvrouwen en schoolmeisjes met liefdesverdriet,' zei ze. 'Ik weet niet waarvoor ik me uitsloof.'

Maar op andere dagen was ze zo lief als een lammetje. Dan vertelde ze verhalen over haar klanten. 'Hoe zou ik ooit mijn eerste jaar kunnen vergeten? Alle negers kwamen bij me om de nummers te weten te komen waarop ze moesten gokken. "Madame Olita, ik heb vannacht over handboeien gedroomd, dat is nummer vijf negen acht in mijn Oog van Egypte Droom Boek, maar ook van scheermesjes, er werd gesneden, acht zeven drie. Waar moet ik nou op inzetten?" "Beste jongen," zei ik tegen ze, "laat die nummers met rust," en na een poosje gaven ze het op en kwamen niet meer terug. Maar ik bleef het proberen. Ik wilde invloed op hun leven uitoefenen, zie je. Ik demonstreerde mijn spiritistische kunsten voor hen. Dan liet ik ze een kaart uitkiezen en dan vertelde ik ze ongezien welke het was.'

'Dat kan ik niet,' zei Justine treurig. Duncan had haar een keer getest nadat hij een artikel over J.B. Rhine had gelezen.

'Nee, ik betwijfel ten zeerste dat jij spiritistisch bent.'

'Hoe komt het dan dat ik de toekomst kan voorspellen?'

'Mensen die een heel afgezonderd leven hebben geleid, kunnen vaak veranderingen aanvoelen voordat andere mensen dat kunnen,' zei Madame Olita.

'Mijn leven is niet afgezonderd,' zei Justine.

Madame Olita zuchtte alleen maar.

Bij haar laatste les stelde ze Justine op de proef. 'Het wordt tijd dat je mijn toekomst voorspelt,' zei ze. Justine had dat al willen doen. Ze ging vrolijk aan het rieten tafeltje zitten terwijl Madame Olita opzij tuurde naar de straat. Het was een van haar geprikkelde dagen. 'Coupeer de kaarten,' zei Justine tegen haar en ze zei: 'Ja, ja, dat weet ik,' en coupeerde ze zonder te kijken. Justine koos een hele ingewikkelde formatie uit. Ze wilde het grondig doen en niets aan zich voorbij laten gaan. Ze legde iedere kaart zorgvuldig neer en ging toen achterover zitten en trommelde met haar vingers op de stoelleuning. Na een ogenblik schoof ze een kaart een centimeter naar links en ging opnieuw achterover zitten. Ze fronste. Ze hield op met het getrommel.

Madame Olita keek haar met koele interesse aan. Maar Justine zweeg.

'Laat maar,' zei Madame Olita. 'Je bent geslaagd.'

Toen werd ze ineens druk met het verstrekken van laatste instructies. 'Heb ik al gezegd dat je vreemde mensen vooruit moet laten betalen? Als ze hun toekomst niet leuk vinden hebben ze de neiging om weg te lopen, zo maar, zonder te betalen.'

Justine pakte zwijgend de kaarten bij elkaar, één voor één.

'Je moet ook opletten waar je werkt. In sommige plaatsen moet je vergunningsgeld betalen, soms honderden dollars. Dat is het niet waard. Luister je naar me?'

'Wat?'

'Ga niet naar Calvert County. Ga niet naar Cecil County, en niet naar Charles County.'

'Maar we wonen op een boerderij, ik ga helemaal nergens heen.'

'O.'

Justine pakte de kaarten in en legde ze op tafel neer. Ze ging voor Madame Olita staan.

'Je moet een beetje geheimzinnig doen, *dat* had ik je nog niet verteld,' zei Madame Olita. 'Dan hebben ze meer vertrouwen in je. Laat ze niet weten waar je vandaan komt of hoe je aan je kennis bent gekomen. Maak er een gewoonte van om persoonlijke vragen te negeren als je aan het werk bent. Zul je overal aan denken? Wat moet je nog meer weten?'

Toen gaf ze het op. 'Nou, dag, Justine,' zei ze.

'Dag,' zei Justine. 'Mag ik nog eens op bezoek komen?'

'Oh . . . nee. Nee, ik denk dat ik een poosje naar het ziekenhuis moet. Maar ik wens je veel geluk.'

'Dank u wel,' zei Justine. Ze draaide zich om.

'O, en tussen twee haakjes.'

Justine keerde zich weer om. Madame Olita, in haar stoel weggezakt, wuifde met een hand naar de kaarten. 'Je kunt die net zo goed maar meenemen,' zei ze.

Toen het herfst werd verzamelde Justine de moed om haar diensten aan te bieden op een feestje van een middelbare school. De opbrengst schonk ze aan de school. Daarna kwamen er mensen helemaal naar de boerderij gereisd, meerdere in een week, voornamelijk vrouwen, die haar vroegen of ze moesten gaan trouwen, of scheiden, of hun stukje land verkopen of een baby krijgen of naar Californië verhuizen. Justine stond er verbaasd van. 'Duncan,' zei ze, 'ik wil geen *verantwoordelijkheid* voor andere mensen hebben. En zeggen met wie ze moeten gaan trouwen en zo.'

'Maar ik dacht eigenlijk dat je hierin geloofde,' zei Duncan.

Ze wond een haarlok om haar vinger.

'Ach, laat maar,' zei hij tegen haar. 'Zeg alleen niets tegen iemand dat kwaad kan. Maar ik denk niet dat mensen schadelijke raad opvolgen. Zij hebben ook intuïtie, weet je. Het zou me eigenlijk verbazen als ze je raad opvolgen.'

Dus bleef ze in haar kleine, warme keukentje mensen ontvangen en legde ze Madame Olita's kaarten uit op de tafel van palissanderhout van haar overgrootmoeder. Ze werd een verzamelaarster van geheimen, een hoedster van wensen en dromen en plannen. Soms, wanneer er hele jonge of hele oude mensen kwamen, met onduidelijke bedoelingen die ze niet konden of wilden uiten, stelde ze hen alleen maar gerust. Maar soms was ze zo uitdrukkelijk dat ze versteld stond van haar eigen durf. 'Geen familiebezittingen verkopen, speciaal geen sieraden, en speciaal niet die van uw moeder,' zei ze dan.

'Hoe wist *u* dat nou?'

Ze had niet geweten dat ze het wist.

En soms kwamen er mensen wier vlakke, wrijvingsloze leven helemaal geen houvast gaf en dan verviel ze tot wat ze dan ook aan algemeen advies kon verzinnen.

'Niet te veel vertrouwen hebben in een man die op zijn nagels bijt.'

In de kamer ernaast zat Duncan te gniffelen.

Justine vroeg drie dollar per consult. Ze konden het goed gebruiken; hun melkklanten betaalden nauwelijks genoeg om de advertentie te bekostigen. Justine goochelde met het huishoudgeld om de huur te kunnen betalen, schraapte geld bij elkaar uit een half dozijn verschillende bronnen, en ze had het gevoel dat ze dit jaren en jaren geleden ook al had meegemaakt. Toen herinnerde ze het zich: van het Monopoly-spel. Wanneer Duncan haar uitgemolken had en ze hotels terugbetaalde en hypotheken op haar spoorwegen had genomen en haar gevangenis-vrijkaart had ingeleverd, allemaal om de huur op Boardwalk te kunnen betalen. Hun huidige problemen leken niet ernstiger dan toen. Ze wist wel dat Duncan zich kon redden.

Met Kerstmis gingen ze naar de familie in Baltimore. De familieleden waren heel voorzichtig en tactvol en liepen met een wijde boog om alle pijnlijke onderwerpen heen. Justine werd er ontroerd van toen ze door had hoeveel moeite ze daarvoor deden. Ze maakte zich zorgen over Duncan – zou hij weer iets zeggen waardoor hij hen opnieuw zou kwetsen? Maar Duncan was angstvallig beleefd. Hij deelde de cadeaus uit die Justine zelf gemaakt had en nodigde de familie zelfs uit om op een zondag op bezoek te komen. ('Oh, nou, het is veel gemakkelijker als jullie hier komen, vind je niet?' zei iedereen.) De vierde dag, toen hij heel erg stil werd, ging Justine snel akkoord dat ze weer naar huis moesten. Ze vond het moeilijk om afscheid te nemen, vooral van haar grootvader, maar iedere keer leek het wat gemakkelijker te gaan dan voorheen.

In februari, toen ze heel slecht bij kas zaten, kreeg Duncan een baantje aangeboden als journalist bij de *Buskville Bugle*. 'Maar je kunt niet eens foutloos spellen!' zei Justine.

'Dat geeft niet, jij wel.'

Drie weken lang reed hij naar iedere uithoek van het platteland en woonde eerste-steen-leggingen bij, en schildpadraces, ruilverkavelingsvergaderingen, een 'Toekomstige Boer' wedstrijd met een parlementaire procedure en een lezing over wisselbouw. In al die evenementen, wat ze ook inhielden, had hij plezier en hij kwam thuis vol met nieuw verworven informatie. 'Wist jij dat je wormen uit de aarde omhoog kon lokken door met een stokje in de grond te trillen? Als je rode klaver te laat oogst dan vormt het een bal in de maag van een paard. Ik heb het patroon van een wattendeken uit de achttiende eeuw gekregen.' Maar van het schrijven van artikelen werd hij kribbig. Hij had er nooit van gehouden om iets op een systematische manier aan te pakken. Hij overhandigde Justine enorme stapels volgekrabbeld geel papier met talloze doorhalingen en figuurtjes in de kantlijn. Als ze met een rood potlood zijn spelling corrigeerde en zijn lange uitweidingen doorstreepte werd hij kwaad. 'Onmiddellijk, O-n-m-i-d-e-l-ij-k', zei hij. 'Waarom moet dat nou verpest worden door een extra d en l?'

'Omdat het nou eenmaal zo gespeld wordt.'

'Een verspilling van letters. Wat een onlogische taal.'

'Daar kan ik niks aan doen.'

'Waarom heb je mijn passage over vlinders geschrapt?'

'In een artikel over aardappelpest?'

'Tijdens de bijeenkomst zat er toevallig een prachtige grote parelmoervlinder op de schouder van de landbouwconsultant, terwijl het seizoen allang voorbij is. Je kunt toch niet verwachten dat ik zoiets over het hoofd zie?'

En dan typte hij het artikel in zijn geheel uit en leverde het op kantoor in, waar iedere verwijzing naar een vlinder direct weggelaten werd.

'Ze hebben hersenen als het spijsverteringskanaal van een slang,' zei Duncan.

De vierde week woonde hij een muziekwedstrijd voor amateurs bij. Zijn artikel van die avond begon heel goed, met de beschrijving van de achtergrond van de wedstrijd, de sponsors en de instrumenten die bespeeld werden. In de volgende alinea ging hij plotseling over op de eerste persoon enkelvoud en gaf hij een verhandeling over zijn eigen impromptu ervaring bij een wedstrijd toen hij op een geleende harmonica *Chattanooga Choo Choo* had gespeeld en de vierde prijs had gewonnen. In de derde alinea mijmerde hij over het zonderlinge van het woord 'Impromptu', dat gemakkelijk verwisseld zou kunnen worden, schreef hij, met de naam van een of andere duistere Roemeense componist.

Op de krant zeiden ze dat ze bij nader inzien toch niet zo'n behoefte hadden aan een journalist.

Zo omstreeks maart werd Duncan ongedurig. Justine wist niet precies waarom. Alles ging goed, zes geiten hadden ze drooggelegd in voorbereiding op de geboorte van kleine geitjes in het voorjaar. Maar Duncan rammelde door het huis als knikkers in een broekzak, staarde nu eens uit het ene raam dan weer uit het andere, begon aan uitvindingen die hij niet voltooide, stuurde aanvragen naar het Departement van Landbouw voor allerlei soorten brochures over projecten als: angora konijnen, fruitbomen, popcorn. Hij schilderde de helft van de keuken geel en hield er toen mee op. Hij kwam thuis met een hele auto vol rododendrons met kluit in een jute zak en plantte ze her en der in de tuin. 'Maar Duncan,' zei Justine, 'denk je dat dit de goeie tijd daarvoor is?' Ze sliepen nog met hun jas aan 's nachts; de grond was nog koud en grijs. 'Maak je geen zorgen, ik heb een groene duim. Een groene hand. Ik ben helemaal *groen*.' En jawel hoor, de rododendrons sloegen aan en begonnen te groeien. Maar Duncan verloor z'n belangstelling en vergat ze helemaal; zijn vreemde stemming was er niet beter op geworden. 'Eerlijk gezegd, Justine,' zei hij, 'dit bedrijfje wordt behoorlijk vervelend in de winter. Ik had me ons voorgesteld bij de kachel, bezig met het invetten van tuigleer of zoiets, maar we *hebben* helemaal geen tuigleer. Heb jij er ook niet genoeg van?'

'Nee,' zei Justine.

Ze keek bedenkelijk toe hoe hij de maat opnam voor keukenplanken. Ze geloofde niet dat hij die zou afmaken.

In april werden er acht geitjes geboren, allemaal vrouwtjes. 'Wat een geluk! Nu hebben we een hele *kudde*,' zei Duncan. Justine was blij, want als het bokjes waren geweest, hadden ze ze moeten afmaken. Urenlang speelde ze met de geitjes en rende door het veld zodat ze achter haar aan kwamen huppelen. Ze sprongen omhoog en maakten onhandige buitelingen. Ze hield haar gezicht vlak bij hun gespierde bekjes; hun gele oogjes, met pupillen die gespleten leken, keken haar vriendelijk aan. Na de eerste paar dagen gingen ze op de fles over en toen op melk uit een pannetje, terwijl Justine naast hen neerhurkte en hun gekuifde ruggetjes aaide. Ze voerde ze handenvol gras om ze aan vast voedsel te laten wennen en het grootste gedeelte van de dag hield ze ze bij zich in haar tuin. Intussen sleepte Duncan emmers vol warme melk aan, die hij filtreerde en door de grote zilverachtige centrifuge gooide. Er was een onverwachte stroom klanten met maagklachten, allergieën, of babies met buikkrampen, die allemaal om geitemelk verlegen zaten, en de kruidenierswinkel in Buskville wilde Duncans kaas wel in voorraad nemen. 'Zie je wel,' zei Justine. 'Ik wist wel dat het goed zou gaan!'

'Wel, ja,' zei Duncan.

Op een nacht stierven alle geitjes aan de gevolgen van het eten van rododendronblaadjes.

Justine liep dagenlang verloren rond, rouwend om de geitjes alsof het menselijke wezens waren geweest. Maar het enige dat Duncan zei was: 'Vind je dat nou niet vreemd? Je zou denken dat ze wel zouden weten dat rododendrons vergiftigd waren.'

'Al die schattige bruine kleine wollige babietjes,' zei Justine.

'Maar, geiten zijn tamelijk intelligent. Zijn intelligentie en intuïtie omgekeerd evenredig aan elkaar?'

'We hebben tenminste de moeders nog,' zei Justine. 'We hoeven niet *helemaal* overnieuw te beginnen.'

'Nee.'

'En dan kunnen we volgend jaar opnieuw kleintjes krijgen en dan laat ik ze niet meer in de tuin.'

Duncan nam haar hand in de zijne. 'Justine,' zei hij, 'wat zou je ervan zeggen als we met de geiten stopten?'

'Wat? Oh, Duncan, dat hoeft toch niet. Niet na één kleine terugslag!'

'Nee, daarom niet. Ik denk er al een hele tijd over na. Ik bedoel, het is geen uitdaging meer. En bovendien zit je er ontzettend aan vast, je moet er altijd zijn om ze te melken. We zitten helemaal *vast*, ik voel me zo – en ik dacht, weet je waar ik het meeste plezier van heb gehad dit jaar? Dat kippenhok bouwen. Iets in elkaar zetten, iets opknappen. Nu heeft Ma's broer Ed een soort meubelwerkplaats ergens in Virginia, die maakt ongelakte meubels en zo. Als hij me daar zou kunnen gebruiken –'

'In Virginia? Maar dat is zo ver weg. En *ik* heb nooit geweten dat je meubels wilde maken.'

'Toch is het zo.'

'We zijn hier zo lekker ingeburgerd!'

'Maar ik hou er niet van om ingeburgerd te zijn.'

'En dan gaan we vast nooit meer naar Baltimore. Duncan, ik ben daar al ver genoeg vandaan, verder wil ik niet. Ik zou er niet tegen kunnen om nog verder weg te wonen.'

Hij wachtte nog een ogenblik en keek naar haar. Toen zei hij: 'Goed dan.'

Ze praatten er niet weer over.

Mensen defileerden door de keuken van Justine voor raad over hun voorjaarsproblemen: liefdesaffaires, onverklaarbare aanvallen van weemoed, plotselinge golven van treurnis over mensen en plaatsen waarvan ze niet eens geweten hadden dat ze er iets voor voelden. Justine legde haar kaarten op de tafel van palissanderhout.

'Het komt wel in orde.'

'Wacht maar even af.'

'Over een week voelt u zich wel beter.'

Duncan sukkelde langs met emmers melk.

Hij was heel zwijgzaam geworden, hoewel hij altijd antwoord gaf wanneer zij tegen hem sprak. Hij begon 's avonds na het eten whisky te drinken. Hij dronk uit een kristallen glas van zijn overgrootvader. Na zijn tweede glas werd zijn gezicht stralend en kinderlijk en dan knipte hij als in een vertraagde opname een lamp aan en begon pocketboekjes te lezen.De technische boeken waar hij anders zo van genoot, werden bedekt met een laag stof terwijl hij een stapel schimmelige, beduimelde Westerns las die de vorige bewoners in de schuur hadden achtergelaten. Als Justine over zijn schouder meelas, snauwden er altijd mannen elkaar bedreigingen toe en trokken cowboys hun pistolen.

'Duncan,' zei Justine, 'kom je niet bij me op de veranda zitten?'

'O, misschein straks.'

Maar straks ging hij naar bed; hij bewoog zich dromerig door het huis en vroeg niet of zij ook kwam. Ze zat in haar eentje aan de keukentafel en schudde haar kaarten. Toen legde ze ze doelloos in rijen en deed alsof ze haar eigen klant was. Ze gaapte en keek wat er te zien was.

Ze zag reizen, catastrofes, verrassing, nieuwe mensen, geluk, een menigte, haastige besluiten en onverwacht aankomsten.

Wat natuurlijk betekende dat Madame Olita gelijk had: je eigen toekomst kon je niet voorspellen.

Maar toch! Als ze een klant had gehad met deze kaartenfiguur! Ze stelde zich voor hoe ze hem van terzijde zou opnemen, voor het eerst echt geïnteresseerd, en verbaasd zou zijn over zijn leven als kwikzilver na alle saaie gevallen die ze tot nu toe had gezien. In haar verbeelding fantaseerde ze dat ze zelf zo'n toekomst had en dat ze iedere dag de kaarten zou moeten raadplegen, omdat er zoveel tegelijk gebeurde.

Toen leek het haar toe dat ze haar eigen toekomst helemaal niet aan het aflezen was, maar in kleine stukjes karton geloofde, die haar vóórzeiden wat er van haar verwacht werd. Er zat niets anders voor haar op dan op te staan en haar kaarten bijeen te graaien en op te bergen in hun zijden doek, voordat ze naar de slaapkamer ging om Duncan wakker te maken.

Deze keer verhuisden ze met een gehuurde vrachtwagen wat goedkoper was dan de Mayflower verhuizers. Ze lieten Justine's geliefde geiten achter, Duncans kaalgevreten rododendronstruiken en zijn lege, weergalmende, prachtig gebouwde kippenhok. Ze namen het meeste van het Peck-ameublement mee, alsmede genoeg *Bag Balm* voor tien jaar, wat uitstekend voor droge, ruwe handen bleek te zijn. En de hele weg naar Virginia, in zijn vrachtwagen achter de appelgroene Graham Paige aan, bestudeerde Duncan de achterkant van Justine's hoofd en vroeg zich af wat zich daarin afspeelde. Hij wist dat ze het vreselijk vond om weer te verhuizen. Ze was net zo makkelijk met hem meegegaan, dacht Duncan, als iemand die de hand van iemand naast hem op de sofa beetpakt. Hoe had ze kunnen raden dat ze niet alleen onmiddellijk van de sofa getrokken zou worden, maar ook het huis uit, de stad uit, de *staat* uit zelfs; dat ze zich in verbijstering zou moeten vastklampen en zich afvragen wat er allemaal gebeurd was? En kijk nu eens: wat was ze opgewekt en zorgeloos, zoals ze in snelle vaart langs de grote weg reed; hij moest denken aan de afschuwelijke vrolijkheid van haar moeder op de huwelijksreceptie. Hij wist dat het haar vroeger of later te veel zou worden.

Maar in Virginia, in hun lage, benauwde appartement boven de garage van oom Ed Hodges, bleef Justine vrolijk. Ze neuriede terwijl ze de spullen op hun plaats installeerde – alleen besteedde ze er wellicht ietsje minder zorg aan deze keer; ze hing de damasten gordijnen niet op en gaf tante Marybelle zonder er een moment over na te denken de enorme notehouten buffetkast toen die niet door de deur kon. Ze voorspelde de toekomst op een bazaar van de kerk, en daarna kwamen er regelmatig klanten over de vloer. Duncan kon ze niet onderscheiden van de klanten in Buskville – voornamelijk vrouwen, verwelkte huisvrouwen en hele jonge meisjes – en hun levens waren ook niet te onderscheiden, en hun toekomst, die zelfs hij had kunnen voorspellen ook niet, maar Justine was geduldig en vriendelijk tegen iedereen en je kon duidelijk zien dat ze allemaal dol op haar waren. Als er 's middags geen klanten kwamen, ging ze naar de meubelwerkplaats en keek toe terwijl Duncan aan het werk was. In het begin voelde ze zich verlegen tussen de botte met zaagsel bedekte timmerlieden, maar na een poosje trok dat bij. Ze sloot vriendschap met hen en voorspelde hun vrouwen de toekomst en paste op hun kinderen. Soms hielp ze zelfs bij het werk, dan zat ze voor iemand op een plank of schuurde ze een tafelblad. En ze was altijd vrolijk. Hoe lang kon ze dit volhouden?

Ze zei dat ze een baby wilde. Duncan niet. De gedachte aan een gezin – een gesloten kring waarin hij opgesloten zou zijn, of een of ander ongelukkig kind dat *hij* zou opsluiten – maakte hem wanhopig. Bovendien was hij er niet zo zeker van dat het medisch gezien wel verantwoord was. Wie wist wat er doorgegeven zou worden? Hij wees op hun erfelijke eigenschappen: hartgeruis, te vroeg geboren kinderen, de doofheid van hun grootvader.

'Maar!' zei Justine. 'Kijk eens naar onze tanden! Die zijn perfect, geen enkel gaatje. We hebben allemaal onze tanden nog.'

'Justine, als ik nog één woord over die verdomde tanden – '

Maar op het laatst gaf hij toe. Hij stemde erin toe dat zij een baby namen zoals Justine erin had toegestemd naar Virginia te verhuizen; hij nam aan dat zij het nodig had in zeker opzicht, voor hem onbegrijpelijk. En tijdens de gehele duur van haar zwangerschap probeerde hij belangstelling te tonen. Hij luisterde naar de details van ieder bezoek aan de dokter, hij deed mee met haar ademhalingsoefeningen tot hij er duizelig van werd. Twee maal bracht hij haar naar Baltimore voor langdurige bezoeken aan de tantes, die veel ophef maakten en om haar heen kloekten terwijl Duncan zich ergens in de buurt, met zijn handen diep in zijn zakken, verschool achter zijn opgezette kraag. Het leek hem toe dat zijn rol in dit geval niet meer dan *toeval* was. Maar toen hij zich vermande en opperde dat ze wellicht ook voor de geboorte naar Baltimore zou willen gaan, keek Justine hem plotseling vlak aan en zei: 'Nee, dank je, ik heb liever dat het hier geboren wordt, bij jou.' Hoe werkten haar hersens toch?

Toen ze in haar zevende maand was begon ze zich 's avonds te verdiepen in oude foto's, speciaal foto's van haar moeder. Ze tuurde door een vergrootglas, met haar harde buik die haar verschoten jurk, die ze had gedragen sinds ze zeventien was, deed spannen. Want ze had geen positiekleding gekocht. Was ze bang dat die te duur zou zijn? In zijn ervaring gingen vrouwen *winkelen*. Hij had verwacht dat zich een uitzet met kantjes in een of andere ladenkast zou opstapelen, maar het enige wat ze bezat was wat de tantes haar gegeven hadden. De enige voorbereiding die ze trof was dat ze begon met het bouwen van een wieg in de meubelwerkplaats. En toen hij aanbood om een positiejurk voor haar te gaan kopen barstte ze in tranen uit, wat haast nooit gebeurde. 'Maar ik *wil* helemaal niets. Ik vind die kleren allemaal vreselijk. Ik zou er niet tegen kunnen om in die winkels iets te kopen,' zei ze. Duncan vond het raadselachtig. Hij deed het enige wat in zijn hoofd opkwam: hij kocht vier meter gebloemde stof en een Simplicity-patroon. Hij nam aan dat er niet veel verschil zat tussen het lezen van een patroon voor een jurk en het lezen van een blauwdruk; hij zou het zo door hebben en het in een wip op de Singer van tante Marybelle in elkaar zetten. Maar toen hij thuiskwam waren de weeën begonnen en moest hij rechtstreeks met haar naar het ziekenhuis. Tijdens de rit kwam het bij hem op dat Justine wel eens dood zou kunnen gaan. Hij dacht dat hij dat zijn hele leven al geweten had zonder het toe te geven: dat ze op vroege leeftijd dood zou gaan omdat de wereld op zo'n ironische manier in elkaar zat. De aanblik van haar kalme gezicht naast hem – ze was zich nergens van *bewust*! – maakte hem razend. 'Je laat me niet alleen met die baby achter hoor,' zei hij tegen haar en ze keerde zich naar hem en keek hem vriendelijk aan, van een afstand. 'Nee, natuurlijk niet,' zei ze.

Ze had natuurlijk gelijk. De geboorte verliep zonder moeilijkheden. Justine liep geen gevaar en stierf niet. Hij was voor niets kwaad geweest en zat nu bovendien opgescheept met een patroon van vijfentachtig cent dat nooit gebruikt zou worden, want alleen over zijn lijk zou hij dit nog een keer mee willen maken.

Justine wilde de baby Margaret Rose noemen, wat hij uitstekend vond. Maar hij was een beetje verbaasd. Hij had verwacht te zullen moeten ruziëen over Caroline, of Lucy of Laura of Sarah, namen waar hij een verschrikkelijke hekel aan had. Hoe lang al had zij een voorliefde gehad voor haar weggelopen grootmoeder? Over wie nooit gesproken werd, nooit en te nimmer, behalve door Sulie, die veel van Margaret Rose had gehouden sinds de tijd dat ze op dertienjarige leeftijd bij de Pecks in dienst was gekomen. Hun grootvader sprak helemaal nooit over haar. Duncan was nieuwsgierig hoe hij nu zou reageren. Zou hij bezwaren opperen? Maar nee, toen hij op bezoek kwam en zij het hem vertelde (Justine schreeuwde het onbevreesd in zijn goede oor dat ook slecht begon te worden), knikte hij alleen maar alsof het niets voor hem betekende. Duncan had het kunnen raden. *Justine* wist het wel. In die familie verdwenen overtreders zonder een spoor na te laten, zonder ook maar een gat dat aangaf dat ze ooit hadden bestaan.

Ze noemden de baby kortweg Meg. Ze was een blonde, stevige, ernstige baby wier zilverachtige gekrulde wenkbrauwen voortdurend gefronsd waren. Toen ze leerde lopen, *sjokte* ze; ze lachte alleen nadat ze er eerst een moment over had nagedacht. Alles deed ze op een moeizame manier, zelfs het rijgen van houten kralen of het voeren van een pop of het slepen van de kartonnen dozen die ze verscheidene jaren lang absoluut overal mee naartoe wilde nemen. Duncan was ontroerd wanneer hij zag hoe ze iedere avond ongevraagd haar speelgoed opborg. Toen ze ouder werd, en het leven haastiger en jachtiger werd, ontwikkelde ze zich tot een flink klein huisvrouwtje, dat altijd wist waar dingen waren en wat ze vergeten waren te doen en hoe laat ze ergens moesten zijn. Toen ze zes jaar was had ze haar eigen wekker, de enige in huis. Voor haar zevende verjaardag vroeg ze een broodrooster. (Ze wilde toast maken net als alle andere mensen en niet in de oven, zei ze.) Ze maakte haar eigen ontbijt klaar, waste haar eigen borden af en spoorde haar eigen sokken op. Iedere middag na school maakte ze meteen al haar huiswerk zonder ertoe te worden aangezet, met haar zachte gele hoofdje omlaag en een potlood stevig in haar vingers geklemd. Ze vroeg of ze naar zondagsschool en naar de kerk mocht, waar geen van beide ouders ooit naartoe waren geweest; ze ging alleen, in kleren van haar grootmoeder, een hoedje en witte handschoenen, met een kwartje voor de collecte stevig vast in haar knuistje. Op zaterdagmiddag las ze het opgegeven stuk uit de Bijbel. 'Meggie!' zei Justine wel eens, terwijl ze zich over haar heen boog. 'Kom eens buiten spelen!' Maar Meg moest eerst alles af hebben en opbergen voordat ze ging spelen. Dan ging Justine met haar mee bij andere kinderen langs, of hinkelen, of rolschaatsen. Als Justine Megs rolschaatsen uitschoof tot de grootste maat kon ze ze zelf aan, en ze gaf een demonstratie van wat ze nog van vroeger kon. Ze stond stil in de sterke wind en werd achteruit geblazen, met haar rok wijd en plat tegen haar lichaam gedrukt. Ze leunde lachend voorover als een boegbeeld tegen de wind in, maar Meg stond er dubieus bij te kijken met haar duim in haar mond.

'Dit is een krekel,' zei Duncan tegen Meg.

'Oh.'

'Wil je weten hoe hij sjirpt?'

'Nee.'

'De meeste mensen denken dat hij dat met zijn poten doet, maar –'

Meg keek niet naar de krekel maar naar Duncan. Haar ogen waren doorzichtig en vlak aan de onderkant.

Hij had niet verwacht dat hij echte vaderlijke gevoelens zou hebben, maar dat was wel zo. Hij werd al wee bij het zien van de lijn van haar wang, of de blauwe ader aan de binnenkant van haar pols of de flegmatieke manier waarop ze erbij stond als ze naar andere kinderen keek. Maar hij had een meer helderziende blik dan Justine, die dacht dat ze perfect was. Hij wist bij voorbeeld dat, hoewel Meg een normale intelligentie bezat, zij hersenen had die ploeterden en zwoegden in een nauw grensgebied; dat ze een vurige behoefte had aan regelmaat, bestendigheid en orde. Hij vond dat hij op een ontzettende manier bij de neus was genomen: hij was bang geweest voor al de erfelijke gebreken behalve de ene meest voor de hand liggende: volmaakte Peck-heid. Ze leek meer op een Peck dan wie ook, zelfs nog meer dan Claude die zo zwaar op de hand was of de zachte, vreedzame tweeling. Als ze in Baltimore was, was ze het lievelingetje. Er zat geen enkele vreemde kant aan haar. Naarmate ze ouder werd, leek ze zich dat steeds meer te realiseren en zaten de twee elkaar steeds vaker in de haren. Ze kibbelden doelloos met elkaar, ieder hun eigen wereld verdedigend. Uiteindelijk nam Meg dan, nadat ze het had moeten afleggen tegen zijn snellere tong, een gesloten, treurige houding aan en dan moest hij denken aan Justine toen zij een kind was. Hij herinnerde zich hoe hoopvol Justine achter haar neven en nichten aan had gelopen, met een begerige blik in haar ogen en een weifelende glimlach op haar gezicht, haar jurk zorgvuldig ontzien zodat hij er nog net uitzag als toen haar moeder hem die ochtend had dichtgeknoopt. Hij was vertederd en trok zachtjes aan een plukje haar totdat ze zich gewonnen gaf en glimlachte.

Maar wat was er geworden van het kind dat Justine eens geweest was? Ze had nu niets weifelends meer. Ze was snel en kaleidoscopisch geworden. Ze deed nu alles met een soort élan, waar hij verbaasd van stond en dat hem fascineerde. Wanneer ze de straat opvloog, keken de mensen haar na: een spichtige, strijdlustige, knappe vrouw die eruit zag alsof ze geen idee had waar ze naartoe ging. Ze droeg nog steeds haar kinderjurken, dun geworden in de was, waarvan de zoom vele keren uitgelegd of opgenomen waren, zodat hij als een reserveband om haar knieën hing of je alle voorafgaande lengtes kon zien als de lijntje op gelinieerd papier; en aan haar voeten droeg ze platte lakschoentjes met nette riempjes; op haar hoofd die eeuwige muts, waarvan Duncan twee nieuwe had moeten kopen omdat de bovenkant los was gaan zitten van al die keren dat ze hem had vast gehouden op haar wilde avonturen door het leven. Haar dagen bestonden uit een aaneenschakeling van onverwachte gebeurtenissen. Toen ze bij voorbeeld een krankzinnige man op straat passeerden die hardop in zichzelf praatte (Duncan deed alsof hij het niet hoorde), bleef Justine stilstaan om hem antwoord te geven op welke vraag hij dan ook tot de wolken gericht had en bemoeide zich jaren daarna nog met zijn Houdini-achtige ontsnappingen uit verschillende gestichten. Zij was de enige persoon die Duncan kende bij wie een baby op de stoep te vondeling werd gelegd, (de moeder was later van gedachten veranderd, maar Justine was bereid om hem te houden). Op ieder moment van de dag was het mogelijk dat hij haar ontwaarde terwijl zij zeventien derdeklassers in een brandweerwagen door Main Street vervoerde, of zich had aangesloten bij de stakende werknemers van een bioscoop waar alleen blanken toegelaten werden met de boodschappen van die dag nog onder haar arm, of langs zijn meubelwerkplaats vloog, voortgetrokken door twee gigantische Sint Bernhards, terwijl ze een uur daarvoor nog niet in het bezit van een hond was geweest. En ze verplaatste zich zo gemakkelijk van stad naar stad! Oh, vanzelfsprekend was ze in het begin altijd een beetje terughoudend. 'Maar ik vind het hier leuk. We waren net zo lekker ingeburgerd.' (Ze kon zich overal inburgeren, dacht hij, in een grot of zelfs in een kolenmijn; ze was net een kat.) 'Ik wil al onze vrienden niet achterlaten,' zei ze dan. (*Haar* vrienden waren dat over het algemeen; Justine sloot op stel en sprong vriendschap, terwijl Duncan het langzamer aan deed. Het leek wel of hij net wat mensen begon te leren kennen als het tijd werd dat ze weer gingen verhuizen.) 'Waarom moeten we weer weg, Duncan?' Maar het was duidelijk waarom ze weg moesten – daar had je hem weer, grimmiger en somberder dan tevoren, met tegenzin aan het werk. 'Ach,' zei ze op het laatst altijd. 'Dan verhuizen we maar weer. Gewoon verhuizen, wat geeft het eigenlijk.' Dan werden ze allebei luchtig in het hoofd alsof ze voor een of andere ramp waren behoed die ze al weken hadden zien aankomen. Justine begon veel te vroeg met pakken – haar favoriete bezigheid, die ieder jaar makkelijker werd omdat ze steeds meer dingen achterlieten. Ze kookte bijna niet meer en maakte haast nooit meer iets schoon; ze had de steelpannen die ze bij haar huwelijk had gekregen weggegeven alsof ze alleen al haar handen vol had aan het *zijn*. Ze kookte wat maar in haar hoofd op kwam voor het avondeten, en vergat zelf te eten omdat ze in plaats daarvan het raam had opengegooid om een Arabier op straat te vragen of Meg even op zijn paard mocht rijden. '*Mama* toch,' zei Meg, die er niet aan moest denken om op zo'n beest te gaan zitten en maar wou dat haar moeder haar niet in verlegenheid bracht door uit het raam te gaan hangen. Maar Duncan deed vrolijk mee aan deze onstuimigheid; als er niets bijzonders gebeurde dan voelde hij dat als een gemis. Wanneer hij thuiskwam en Justine er niet was leek het in huis leeg en doods. Dan zeulde hij alle kamers af terwijl hij haar naam riep. Hij ging naar de buren. 'Is Justine bij jullie? Ze is niet thuis, ik kan haar nergens vinden.' Wanneer hij haar had opgespoord, viel hij op het dichtsbijzijnde meubelstuk neer en slaakte een zucht. 'Ik kon je nergens vinden. Ik wist niet waar je was. Ik wist niet wat er met je gebeurd was.' Dan kon het leven op volle kracht verdergaan en fladderde het onverwachte als confetti om hen heen en voelde Duncan zich weer kalm.

Soms herinnerde hij zich dat ze niet altijd zo geweest was, hoewel hij er niet de vinger op kon leggen sinds wanneer de verandering was opgetreden. Hij vroeg zich dan af of zij alleen maar *deed alsof* ze gelukkig was, om hem een plezier te doen. Of dat ze met opzet tegen haar zin inging, als een persoon met hoogtevrees die parachute gaat springen. Dan werd hij ineens attent en bood aan om naar Baltimore op bezoek te gaan, hoewel alleen de gedachte al aan zijn familie hem na al die jaren nog steeds dwars maakte, zonder dat hij daar iets aan kon doen. Justine was nog steeds dol op de familie. Als hij haar op de betekenis achter hun woorden wees, de scherpe toon onder hun zoete, banale zinnetjes, dan wees Justine op de betekenis *daar* weer achter en moest hij toegeven dat ze gelijk had. Ze bezat de pathetische waakzaamheid van een kind dat te veel van grote mensen afhankelijk was; ze ving iedere zinswending en ieder losgeraakt lint en afdwalend oog op en dacht er steeds over na totdat ze door had wat het zou kunnen betekenen. (Kon ze daarom de toekomst voorspellen? Ze had de dood van overgrootmoeder voorspeld toen ze merkte dat zij al haar lotions per hele kleine flesjes tegelijk kocht.) Dus dan reed hij naar Baltimore met de woorden van Justine in zijn achterhoofd en voelde zich barmhartig en verlicht, hoewel dat nooit langer duurde dan tot wanneer hij het bezadigde kille Roland Park binnenreed met zijn vochtige bomen en sombere huizen en zijn dienstmeisjes die met weerzin en bijna bewegingloos de heuvel opliepen vanaf de bushalte, hun trage platvoeten achterna met het hoofd in de nek. En toen ze er eenmaal waren bleef hij haar gadeslaan en probeerde erachter te komen of zij hem diep in haar binnenste haatte omdat hij haar hier vandaan had gehaald. Maar Justine gedroeg zich hier niet anders dan elders. Ze kuste iedereen op onverwachte ogenblikken, sloeg de bril van tante Bea van haar neus, dreunde door het huis heen zodat alle lampjes in de vorm van een fee en beeldjes op tafeltjes ervan trilden, en at een keer per ongeluk het kleine glazen zoutlepeltje aan tafel op. De tantes waren handenwringend opgesprongen, maar Duncan lachte en de rimpels verdwenen uit zijn voorhoofd en hij berustte in de witte waterval die het leven met Justine was.

De ooms en tantes waren nu oud, de grootvader droeg een gehoorapparaat en de neven en nichten (Sally was gescheiden, de rest niet getrouwd, geen van allen had kinderen) kregen rimpels en hangwangen en onderkinnen in hun merkwaardige onschuldige gezichten, als op leeftijd gekomen dwergen. De grasvelden waren schraal geworden en de vloot Fords ouderwets. De enige dienstbode was de oude Sulie, die kwaad rondschuifelde, zoals ze al jaren deed, en die het stof heen en weer zwaaide met een verlepte grijze stofdoek. Esther en de tweeling waren in overgrootmoeders huis getrokken, hoewel Justine de wettige eigenaar was. Iedereen zei, dat Justine en Duncan met hun lieve kleine Meg er op een goeie dag in zouden komen wonen, en dan zou het voor hen klaar staan. Justine glimlachte dan alleen maar. Natuurlijk zouden zij daar nooit gaan wonen. Toch stond het altijd ergens in hun achterhoofd op hen te wachten, voor wanneer alle andere dingen faalden, als het ooit zover zou komen dat ze zouden moeten toegeven dat ze verloren hadden. Het kreeg gestalte in hun reserve-plannen; en het kwam centimeter voor centimeter dichterbij wanneer ze krap in het geld zaten en er geen baantjes te vinden waren, en had door de jaren heen een denkbeeldig leven aangenomen, evenwijdig aan hun eigen leven, en dat vooruitging wanneer dat van hun ook vooruitging. Ze wisten naar welke kleuterschool Meg zou gaan als ze er gewoond hadden en naar welke lagere school; bij welke apotheek ze hun medicijnen zouden halen en waar ze hun boodschappen zouden doen. Maar toch was slechts één blik op dat huis, daar waar het opdoemde onder de eikebomen, genoeg om Duncan zwart en hol te maken van binnen en dan legde hij ineens een hand op Justine's dijbeen alsof zij een stukje zonlicht was op een stoel bij het raam en hij net uit de kou binnen was gekomen.

ACHT

Alleen ordinaire mensen namen de bus. Daniël Peck wierp hen een woeste blik toe: drie matrozen, een jonge kleurling met een gehaakte muts en een ziekelijke, wezelachtige vrouw met vier kinderen die ze voortdurend kneep en klappen gaf. Een van de kinderen stak zijn tong uit. 'Nou zeg. Zag je dat?' vroeg Daniël aan zijn kleindochter.

Ze keek op van haar tijdschrift.

'Dat kind trok een gezicht naar me.'

Ze glimlachte.

'Wat valt daar nou om te lachen, Justine.'

Wat ze zei ving hij niet op. Hij vond het vervelend om op reis te gaan met zijn gehoorapparaat.

Ze kwamen terug uit Parthenon, Delaware, waar hij eindelijk, na een lange saaie briefwisseling, de jongste zoon van de voormalige bovenmeester van de Salter Academie had opgespoord. Ene Meneer Dillard. Meneer Dillard had hem al per brief laten weten dat hij geen contact meer had met de studenten van zijn vader (die ouder waren dan hij en waarschijnlijk niet meer in leven waren, had hij tactloos gezegd), maar Daniël Peck wist dat een geheugen niet bepaald een ordelijke zaak was. Soms kon het door kleinigheden opgefrist worden, dat wist hij, soms door zo'n kleinigheid als de geur van klaver of het zien van een kleine jongen op een fiets. Dus was hij persoonlijk gekomen, met zijn foto van Caleb, en was bereid welke details hij dan ook kon bedenken aan de man door te geven, want er zat een weelde aan geplette en gedroogde details in zijn hoofd opgeborgen. 'Hij was altijd te laat. Altijd te laat. Misschien heeft uw vader het wel eens gehad over een student die altijd te laat kwam. En, 's even kijken, hij hield van gezelligheid. Hij zou er zeker bij zijn geweest als er een klassereünie had plaatsgevonden. Of hij zou gewoon op visite zijn gekomen, weet u. Misschien is hij jaren later wel bij uw vader op visite geweest, dat is wel iets voor hem. Kunt u zich zo'n bezoeker niet voor de geest halen? Een lange blonde jongen, op deze foto staat hij er niet zo goed op. Hij had de gewoonte om zijn hoofd schuin te houden wanneer hij naar iemand luisterde. Als hij u als kind was tegengekomen onderweg naar uw vaders studeerkamer, dan zou hij zeker een woordje tot u hebben gericht. Maar hij *lachte* niet veel. Heeft u hem wel eens gezien? Weet u iets van hem af?'

Maar Meneer Dillard had niets geweten. Een man met een ronde rug en een rood gezicht, die zeer zwijgzaam was. Er stonden karikatuur vissen op het behang in zijn badkamer. Maar hij had een aardige vrouw. Een lieve dame. Ze had hem zelfgemaakte pepermuntjes aangeboden, die hij al in jaren niet geproefd had en ze had Justine het recept meegegeven.

Hij draaide zich naar Justine en wachtte tot ze het zou aanvoelen en haar hoofd weer zou opheffen. 'Ja, grootvader,' zei ze.

'Wat heb je met dat recept gedaan?'

Ze keek hem afwezig aan.

'Dat recept dat Mevrouw Dillard je heeft gegeven.'

'Oh, ja!'

'Je bent het toch niet kwijt?'

'Oh nee, hoor, ik –'

Wat ze verder zei kon hij niet verstaan, maar hij kon haar duidelijk genoeg *zien*, zoals ze door haar verfrommelde rieten tas rommelde en toen in de zakken van haar jurk, waarvan er een half afgescheurd was. Kwijt dus. Hij zou nooit weer van die fijne pepermuntjes proeven.

Hij nam een grote leren portefeuille uit de binnenzak van zijn colbert, waar hij een roomkleurige envelop en een vel schrijfpapier uithaalde. De envelop was al gefrankeerd en geadresseerd. Hij had alles zeer goed geregeld. Zijn stiefmoeder had hem jaren geleden geleerd: stel onderweg naar huis van een visite je bedankbriefje op.

Met het schrijven van een bedankje moet je nooit langer wachten dan een uur. 'Waarom,' had Duncan als kind gevraagd, 'schrijven we het hele briefje dan niet van te voren?' Maar nee, dat kon absoluut niet. Je moest er iets persoonlijks in vermelden, iets wat tijdens het bezoek had plaatsgevonden. Zoals Daniël nu deed, nadat hij een ogenblikje naar zijn pen had getuurd.

Geachte Mevrouw Dillard,   5 maart 1973.

Ik schrijf u om u te bedanken voor uw gastvrijheid. Uw pepermuntjes waren buitengewoon lekker, en het was erg vriendelijk van u de tijd te nemen om ons te ontvangen. Wij zullen met veel plezier aan ons bezoek terugdenken.

Hoogachtend,

Daniël J. Peck, Sr.

Als hij weer in Caro Mill of hoe-heet-het terug was, dan zou hij een kopie van dit briefje typen om het in zijn archief op te bergen. Hij stelde er prijs op een afschrift van al zijn brieven te hebben, vooral als het met Caleb te maken had. Zijn oude Underwood, met de metalen lettertoetsen en het hoge zwarte voorhoofd, stond altijd klaar op de kast bij zijn bed; zijn archief zat vol met informatiebrieven, bedank-brieven, antwoorden, van hoeveel jaar terug? Hoeveel jaar?

Nou, zijn stiefmoeder was in 1958 gestorven. *Dat* was moeilijk geweest. Zij was de laatste persoon op aarde die hem Daniël noemde. Dat had hij zich niet gerealiseerd tot zij dood was. Ze had zijn hele leven van nabij meegemaakt, behalve de eerste paar maanden: zevenenzeventig jaar. De enige persoon die zich zijn soldatenpop van vroeger kon herinneren, en de manier waarop zijn vader zijn ogen opensperde wanneer hij ontstemd was, en de ruwe keien waar vroeger de straten in de stad mee geplaveid waren. Zij liet haar huis na aan Justine, en hij wist wel waarom. (Zij had in haar gedachten geen vrede over dat meisje, de liefste en de meest weerloze van al zijn kleindochters, dat van hot naar haar werd gesleept door die onbesuisde Duncan, die bij lange na niet door het huwelijk getemperd was.) Maar maanden na haar dood was Daniël nog niet in haar huis geweest, en wilde er ook niet naar kijken, en, hoewel hij het goed vond dat Esther en de tweeling erin trokken, had hij tegen ze gezegd dat ze niet in haar slaapkamer mochten. Hij zou haar spullen later uitzoeken, zei hij; daar had hij het op het moment toevallig te druk voor. Hij voelde zich gekwetst en zag voor het eerst in dat de wereld maar door bleef gaan en dat mensen ouder werden en stierven en dat niets in het leven teruggezet kon worden. Waar was het allemaal gebleven? Wat was er ooit terecht gekomen van die kleine bruine Duitse stiefvader van hem? Of van de familie van Sarah Canleigh, die huilden als ze hem zagen, waren die ook allemaal dood? Waar was die stille, muzikale broer van hem met zijn scheefstaande hoofd?

Maar hij was een verstandig man en hij kwam er na een poosje overheen. Toen liet hij Sulie ontbieden met haar sleutelring. Ze zochten Laura's bezittingen uit. 'O, lieve hemel,' bleef Sulie maar uitroepen. 'Mijn hemel.' Ze was al tientallen jaren kwaad op Laura geweest, maar ze zag er geschrokken uit toen ze de donkere, muffe kamer rondkeek. Haar ogen waren driehoekig en ze had nekspieren als touwen. 'Dus dit is wat er allemaal van terecht komt,' zei ze.

'Als je daar niet mee ophoudt,' zei Daniël Peck tegen haar, 'dan ga je weer naar de keuken terug, begrepen?'

Hij liet de kleren aan de vrouwen over; daar had hij niets mee te maken. Waar hij wel belangstelling voor had waren de laden van haar bureau, haar bijouteriedoos en de planken met kleine spulletjes, waar herinneringen in zaten die onder de familie verdeeld zouden moeten worden. Met een schuldgevoel deed hij de laden open en hij werd in verlegenheid gebracht door de wolken lavendel die overal uit opstegen, alsof ze zelf nog ergens in de kamer was. 'Ach, ik weet het niet,' zei hij tegen ieder nieuw voorwerp waar ze op stuitten, en dan pakte Sulie het op als hij het opzij had gelegd en zei: 'Juffrouw *Sarah* heeft dit altijd bewonderd,' of 'Juffrouw Bea zei altijd dat ze wou dat ze er zo een had.'

'Geef het haar dan, dat is best,' zei Daniël.

Zelf hield hij niets. Die nette laden, waar alles zo ordelijk opgeborgen was, allemaal voor niets, deden afbreuk aan zijn interesse voor het leven. En wellicht ook bij Sulie. In ieder geval, toen hij haar de ovale broche met een stuk vlecht van Laura's moeder aanbood, waarvan het slotje alleen maar verbogen was, ging Sulie's mond omlaag. 'Ik hoef het niet te hebben,' zei ze.

'Graag of niet,' zei hij tegen haar. Niet iedereen kon tegen Sulie's onbeleefdheid, maar hij wel.

In een lade, achter een stapel schrijfpapier, vond hij een hele oude reclameplaat van Baum's Fijne Tafelgerei. Eronder lag een beduimelde envelop. Daarin zat een foto van Caleb met zijn cello in de deuropening van de schuur.

Waar kwam die nou vandaan?

Hij had hem nog nooit gezien, maar te oordelen naar de wazige kwaliteit en de lukrake compositie, vermoedde hij dat Margaret Rose hem had gemaakt die zomer dat ze haar Brownie had gekregen. Een paar maanden lang had ze overal rondgezworven en foto's genomen van de meest ontoepasselijke dingen: Sulie die boontjes aan het afhalen was, Sarah op haar hobbelpaard. Lafleur Boudrault die op een gitaar gemaakt van een sigarenkistje speelde en Mark met een mondvol kamperfoeliebloesem. (Daniël had zich gerealiseerd dat zij voorgoed verdwenen was toen hij merkte dat alle foto's van de kinderen weg waren. Maar genoeg daarover.) Hij tuurde naar het wazige, scherpgetekende gezicht van Caleb. Voor zover hij wist was dit de enige bestaande foto van Caleb. Die in het album niet meegerekend: op tweejarige leeftijd, met een geplooid jurkje aan en een open boek in zijn hand, dat hij onmogelijk had kunnen lezen. En vanzelfsprekend waren alle sporen van Margaret Rose al jaren geleden systematisch vernietigd. Toch stond zij op een bepaalde manier ook op de foto, een permanente getuigenis van haar haastige manier van doen; en haar aanwezigheid kon afgeleid worden uit de rechte, raadselachtige blik die Caleb op de houder van de camera richtte – een uitdrukking die hij alleen voor Margaret Rose had gereserveerd. Daniël sloeg een hand voor zijn ogen. 'Wat mij betreft is het wel genoeg geweest voor vandaag, Sulie,' zei hij.

'Wat? Houdt u ermee op?'

'Voor vandaag.'

'En deze troep zomaar laten liggen?'

'*Later* zal ik het verder opruimen.'

Toen hij wegging zat ze in zichzelf mompelend met kwaaie kromme handen in de spullen te porren. Hij hoefde niet te weten wat ze zei.

Daarna zat hij verscheidene avonden achter elkaar alleen op zijn slaapkamer de foto te bestuderen, en probeerde hij het nieuwe gevoel van verdriet uit dat recht door zijn borstkas heen boorde. En toen dat verwerkt was (het was niet afgenomen, hij had zich er alleen maar aan aangepast) werd hij, dat gaf hij zelf toe, een beetje gek. Hij begon zich af te vragen of deze foto niet een of andere geheime boodschap bevatte. Het was toch onmogelijk dat zo'n foto alleen maar *bestond*? Hij bestudeerde Calebs hoed, de stand van zijn cello, de flarden die achtergebleven waren van een oud aanplakbiljet op de wand van de stal. Wat betekende het? Intussen zaten zijn ongetrouwde zoon en zijn ongetrouwde dochter beneden te fluisteren en zich af te vragen wat hij toch aan het doen was. Toen Laura May aanklopte schrok hij ervan en schoof de foto in zijn zak. Zij trof haar vader aan in een gemakkelijke stoel met zijn armen op onnatuurlijke wijze over zijn borst gevouwen.

Toen stapte hij op Lucy af, die nog een beetje piano speelde. Hij nam haar op een dag terzijde toen ze weckflessen in de bijkeuken aan het tellen was. 'Lucy,' zei hij, '*jij* weet wat van muziek af.'

'Oh, vader Peck, ik –'

'Kijk eens. Welke noot is die man aan het spelen?'

Hij liet haar de foto zien. Er kwamen kleine scherpe plooitjes in haar voorhoofd van verbazing. 'Ach, wie –' zei ze.

'Welke noot is hij aan het spelen?'

'O, nou, dat weet ik eigenlijk niet, het lijkt me toe dat hij niet eens aan het spelen *is*.'

'Wat? Zeg het eens wat harder.'

'Hij speelt niet.'

'Hoe kan dat nou? Helemaal niet? Dat kan toch niet.'

'Volgens mij laat hij zijn strijkstok alleen maar op de snaren rusten, vader Peck.'

'Maar dat is belachelijk.'

'Oh, nee hoor, dat is –'

'Zoiets heb ik nog nooit gehoord,' zei hij, en toen ging hij weg, en liet de deur van de bijkeuken achter zich dichtvallen.

Hij besefte meteen dat hij een fout had begaan. Want Lucy zou het natuurlijk direct aan Twee gaan vertellen, en van de hele familie was Twee degene die in de beschrijving Caleb zou herkennen. Dan zou iedereen het weten en hem vragen wat er met hem aan de hand was. Het was het beste om Caleb maar te vergeten. Die was vast en zeker gestorven in tussentijd. Wat maakte het uit welke noot hij op een zomerdag in 1910 had zitten spelen?

Toen Justine dat jaar in augustus op bezoek was, kwam ze naar hem toe toen hij onder de eikeboom in zijn lattenstoel zat. Ze kuste hem op zijn wang en deed een stap naar achteren en keek naar hem. Hij kon merken dat zij iets gehoord had. Ze hadden het allemaal over hem gehad achter zijn rug. Hij snoof. 'Je hebt natuurlijk gehoord dat ik *non compos mentis* ben,' zei hij tegen haar.

Ze bleef hem onderzoekend aankijken, alsof ze wat hij gezegd had serieus nam. Justine vatte alles altijd zo letterlijk op. Dat had ze altijd al gedaan.

'Mag ik Caleb eens zien?' zei ze tenslotte.

'Wat zeg je?'

Hij dacht dat hij het verkeerd had gehoord.

'De foto van Caleb.'

'De anderen willen hem juist *niet* zien.'

'Maar ik weet niet eens hoe hij er uit ziet,' zei ze.

Hij keek bedenkelijk. Nee, natuurlijk niet. Ze wist waarschijnlijk bijna niets van hem af. Laura liet zijn naam nooit over haar lippen komen; en hijzelf maar zelden; en de anderen waren Caleb bijna geheel vergeten, een verre volwassen oom, waar ze geen interesse in hadden.

'Ach,' zei Daniël.

Hij haalde de foto te voorschijn, die nu door glas beschermd werd.

'Mijn broer,' zei hij.

'Ja,' zei Justine.

'Gewoonlijk vertoonde hij zich niet in overhemdsmouwen, hoor.'

Justine boog zich over de foto. Hij vond haar neergeslagen oogleden op vleugeltjes lijken. 'Hij lijkt op u,' zei ze.

'Maar hij had bruine ogen.'

'Maar hetzelfde gezicht.'

'Ja, dat weet ik,' zei Daniël, en slaakte een zucht. Hij nam de foto terug. 'Zie je, voor de anderen telt hij niet meer mee. Wat hen betreft is hij een deserteur.'

Justine zei iets wat hij niet verstond.

'Wat? Maar wat mij betreft,' zei hij, 'hoort hij er nog wel bij. Hij is al zo oud als mijn geheugen. Ik vind het gewoon prettig om aan hem te denken. Daar is toch niets verkeerds aan?'

'Absoluut niet,' zei Justine.

'Ik zou er de rest van mijn leven voor over hebben om hem weer eens te zien.'

Ze zei weer wat. Hij sloeg in de lucht als protest tegen het gordijn van gedempte geluiden dat hen scheidde.

'Als ik nog eens één keer met hem naar de kerk kon gaan,' zei hij tegen haar, 'alleen zou ik deze keer beter *opletten*, begrijp je. Als ik weer langs de Salter Academie zou kunnen lopen en hem door het raam zag wuiven, of hem weer die belachelijke rommelige muziek kon horen spelen op de piano in de zitkamer – kon ik maar een klein stukje tijd terugkrijgen, dat is het enige wat ik vraag!'

'Oh, nou,' zei Justine. 'Gaat u eens even mee kijken hoe groot Meg is geworden, grootvader.' En toen greep ze zijn hand vast, zodat er niets anders voor hem opzat dan op te staan en haar te volgen. Hij was op een bepaalde manier een beetje in Justine teleurgesteld. Hij had verwacht dat zij het van zijn oogpunt uit zou kunnen zien, maar als dat zo was dan liet ze het niet merken.

In november van dat jaar, op een koude, natte dag, ontving hij een envelop uit Honora, Maryland, waar Justine in die tijd woonde. Er zat geen brief in, alleen maar een knipsel uit de Honora Herald, een hele pagina over onderwijs. Hij vond het vreemd. Hij was niet zo erg in onderwijs geïnteresseerd. Maar wacht eens: onderaan stond een hele ouderwetse foto met rijen en rijen jongens erop. Het onderschrift erbij was:

Die Goeie Ouwe Tijd
De school waar de auteur op heeft gezeten, de Salter Academie in Baltimore. Let op de gasverlichting aan de muur. De auteur is gezeten, de tweede van links.

Daniël vertrok binnen het uur in zijn V-8 Ford naar Honora. Wuivend met het knipsel kwam hij bij Justine aan. Justine zat in de keuken de toekomst van een of andere vrouw te voorspellen – een bezigheid die hij en de rest van de familie verkoos te negeren. 'Laat dat maar,' zei hij. 'Ik wil naar Ashley Higham toe.'

'Wie is Ashley Higham?'

'De man die dit artikel heeft geschreven natuurlijk.'

'Oh, dan kende u hem *toch*!' zei Justine.

'Nee, ik ken hem niet, ik ken hem niet al val ik over hem, maar hier staat dat hij op de Salter Academie heeft gezeten. Er staat dat dit hem is, de tweede van links, en vlak bij hem zit mijn eigen broer Caleb.'

'Echt waar?' zei Justine. Ze legde haar kaarten neer en stond op om ernaar te kijken. De vrouw deed dat ook, hoewel het haar zaak niet was.

'Nu moet ik alleen die Ashley Higham zien op te sporen,' zei Daniël.

'Nou, grootvader, ik weet echt niet waar hij –'

'*Ik* wel,' zei de vrouw.

Dus bracht de vrouw hen naar Ashley Higham.

En meneer Higham kon zich in feite Caleb nog heel goed herinneren, maar had hem sinds de dag van hun laatste examen in 1903 niet meer gezien. Maar hij had een opmerkelijk geheugen en kon de naam van iedere jongen opratelen, terwijl zijn bibberige witte wijsvinger langzaam langs de rijen gleed. Daniël noteerde iedere naam op een vel papier. Later zou hij ze overnemen in zijn zakboekje met ringband, dat hij overal mee naartoe nam en dat steeds dikker werd van het aangevulde papier. Want van het een kwam het ander, een van de mannen herinnerde zich een andere man die bevriend was geweest met Caleb, en *die* man herinnerde zich weer hoe Calebs spraakleraar heette, die gestorven was maar wiens kleinzoon in Pennsylvania al zijn correspondentie had bewaard waarin Daniël de naam van de aardrijkskundeleraar had aangetroffen, enzovoort. Dus werd zijn archief steeds dikker. En reed zijn Ford meer kilometers dan hij in zijn hele leven daarvoor had gedaan. En beetje voor beetje, terwijl de rest van de familie er steeds meer op tegen was (er hem eerst redelijk erover aansprak, hem toen met de televisie en plakboeken en zelfgemaakte taart probeerde af te leiden, en die op het laatst wanneer hij een ogenblik zijn rug had gekeerd zijn autosleuteltjes stalen) begon hij steeds langer bij Justine te blijven. Alleen maar logeren, natuurlijk. Het zou helemaal niet gepast zijn dat, als Caleb onverwacht thuiskwam, hij zonder een spoor achter te laten verdwenen zou zijn. Zijn huis in Baltimore stond nog steeds op hem te wachten, zijn dochters hielden zijn kamer voor hem gereed. Maar Justine was de enige die, zonder enige waarschuwing vooraf, met hem in de auto stapte en ergens naartoe reed, waar dan ook, en met mensen wilde gaan praten, wie dan ook, en alle gemompelde antwoorden wilde vertolken. En wanneer hij ontmoedigd was, dan was Justine degene die zijn vertrouwen weer versterkte.

Want in het begin raakte hij wel ontmoedigd. Hij had in het begin zo'n haast. Hij dacht dat het succes niet ver af was, vandaar. Maar als hij dan de hele staat doorkruist had en Calebs oudste en beste vriend had gevonden en hoorde dat die Caleb voor het laatst in 1909 had gezien, werd hij knorrig en bitter. 'Ik heb altijd verondersteld,' zei hij tegen Justine, 'dat mensen contact met elkaar houden, en dat ze, wanneer ze elkaar uit het oog verliezen, dat contact weer opnemen, begrijp je. Natuurlijk ben ik een echt *familie*-mens, mijn familieleden zijn altijd mijn enige metgezellen in het leven geweest. Maar ik zou hebben gedacht dat, als je de beste vriend van iemand lang genoeg in de gaten blijft houden, je de man zelf op een gegeven moment ook zou tegenkomen. Maar Caleb niet. Die is in geen vijftig jaar ook maar één keer bij iemand op bezoek geweest, en zijn vrienden hebben het daarbij gelaten. Wat vind je daar nou van?'

Justine zei: 'Dat geeft niet, grootvader. Het komt wel goed.' (Zei ze dat uit het oogpunt van haar *beroep*?) En de daarop volgende ochtend was ze weer volkomen bereid om er op uit te gaan, opgewekt als altijd, zonder ooit haar geduld te verliezen. Dus er was eigenlijk geen haast bij. Hij begon zich te ontspannen. Hij begon plezier te krijgen in het speuren, de eindeloze rammelende tochtjes, de bewegingsloze blauwe lucht uit het raampje van de trein. (Want ze waren al snel op de trein overgegaan, omdat ze verscheidene keren bijna een ongeluk hadden gehad vanwege zijn doofheid en hij vreselijk bang was voor de manier waarop Justine reed.) Vroeger, als hij alleen voor zaken naar New York moest, had hij zich gevoeld als een knot wol die de weg afrolt en een staart van heimwee achterliet in één rechte lijn terug naar Roland Park. Maar nu leerde hij zich geheel op het reizen te concentreren. Hij vond het fijn eraan te denken dat Caleb zelf misschien in deze trein had gezeten. Hij hobbelde mee op de Zuidelijke Spoorwegen of de Baltimore-Ohio lijn, op stoffige pluche banken, en strekte van tijd tot tijd zijn benen op een perron van een klein stadje waar Caleb wellicht vóór hem ook had gestaan. En hij kwam net zo zelfverzekerd weer terug als hij weg was gegaan, want er was altijd tijd om verder te gaan zoeken, volgende week of volgende maand of wanneer hij daar zin in zou hebben.

Als Duncan iets op zijn langdurige logeerpartij tegen had, dan zei hij daar nooit iets over. In het begin had Daniël het hem openlijk gevraagd. (Nou ja, zo openlijk als hij in staat was te zijn.) 'Vandaag de dag lijkt het wel dat mensen de voorkeur geven aan een minimum aantal volwassenen in één huishouden, heb je dat gemerkt?' had hij gezegd. Maar Duncan lachte alleen maar. 'Sommige mensen wel, sommige mensen niet,' zei hij. Nog een van die onverklaarbare opmerkingen van hem. Hij deed het met *opzet*. Daniël piekerde er een paar dagen over en stapte toen op Justine af. 'Duncan is nooit erg aan de familie gehecht geweest,' zei hij tegen haar en wachtte vol vertrouwen af tot ze het begreep. Dat deed ze ook.

'Dat is waar,' zei ze, 'maar hij heeft nog niks gezegd, tot nu toe.'

En Daniël zorgde ervoor dat hij daar nooit aanleiding toe zou geven. Hij onthield zich van advies (dat de jongen zeker had kunnen gebruiken) en lof en kritiek. Hij accepteerde iedere verhuizing, hoewel die geen van alle noodzakelijk waren. Kwam het niet bij Duncan op dat andere mensen ook wel eens gedeprimeerd waren en gewoon wachtten tot dat weer over ging in plaats van alles maar direct te gaan inpakken? Je verdroeg het, je kwam er wel overheen, maar hij had nog nooit gehoord van iemand die dat zo koppig weigerde te doen. Maar laat maar, hij zei er niets van. Zonder te klagen ging hij mee van stad tot stad, nam Justine's halfslachtige manier van koken en opruimen op de koop toe, die naar hij veronderstelde het resultaat waren als een vrouw geen enkele duurzaamheid in het leven aangeboden kreeg. Waarom zou ze zich uitsloven in die haveloze slappe huizen die er uitzagen alsof ze ter plekke nijdig neergesmeten waren en erbij stonden alsof ze op de eerstvolgende ramp stonden te wachten? En intussen stond Laura's uitstekende huis maar leeg. (Esther en de tweeling, die erin woonden zag hij over het hoofd, want die hoorden eigenlijk thuis bij hun ouders.) Maar, laat dat maar zo. Laat dat maar zo. De enige verandering die hij in hun leven aanbracht was dat hij hen zijn Ford gaf, toen hij met rijden ophield. Hij werd zenuwachtig in de Graham Paige, waarvoor Duncan bij antiekwinkels onderdelen moest opsporen iedere keer dat er iets kapot ging. 'Maar ik hou niet van een Ford,' zei Duncan. 'Ik heb een grondige *hekel* aan Fords,' en een half jaar lang hadden ze twee auto's gehad, Justine reed in de Ford heen en weer en Duncan in de Graham Paige, vrolijk fluitend en van tijd tot tijd door het gat in de vloer naar de voorbijglijdende weg kijkend. De motor, zei hij, was in prima conditie, en dat was ongetwijfeld zo, want Duncan was een uitstekende monteur. Maar de motor moest toch ergens *in*, en niet in dit samenraapsel van groen metalen kantwerk en kapotte veren; en dat jaar, toen ze gingen verhuizen, had Duncan hem zonder een woord voor het huis laten staan en was in de huurwagen weggereden. Zijn grootvader deed net alsof hij het niet zag. Hij was een tactvol persoon.

Hij woonde in zijn eigen kleine wereld binnen hun grotere wereld. Terwijl zij de hele oostkust afreisden, hun onverantwoordelijke beslissingen maakten, vreemde kennissen kregen en weer kwijtraakten, knoopte Daniël Peck zijn overhemd zonder boord dicht en zijn parelgrijze bretels vast en keek onderzoekend naar zijn eigen witte, onverstoorbare gezicht in de slaapkamerspiegel. Hij wond zijn gouden horloge op. Hij maakte zijn bed op. Hij maakte zelfs van zijn tochten, het onzekerste gedeelte van zijn leven, een voorbeeld van ordelijkheid en routine en profetie. Want Justine was altijd bij hem, hij zat altijd aan het raam, zij las haar *National Geographic* en ze hielden hun krampachtige, elliptische gesprekken over de herrie van de reis heen. Ze moesten nu steeds vaker van de bus gebruik maken, want dat was waaruit tegenwoordig het openbaar vervoer bestond in de meeste steden. Ze maakten lange omwegen om een of andere treinverbinding te kunnen halen en dan was het gewoonlijk ook nog een Amtrak-trein, een bont geval dat er helemaal niet als een trein uitzag en waar alles mee mis ging, waarin Caleb vast en zeker nog nooit gereisd had. Maar Daniël onderging de tochten kalm en zonder uitdrukking op zijn gezicht, met zijn handen op zijn knieën, een briefje van tien aan de binnenkant van zijn hemd gespeld en de rand van zijn kleindochters muts op een geruststellende manier net binnen zijn gezichtsveld.

Ze naderden, hoe-heet-het, Caro Mill. Hij zag dat mensen aanstalten maakten om op te staan, hun jassen aan te trekken en hun koffers uit het bagagerek te pakken. Hij voelde zich plotseling leeg van binnen. Ze waren dus weer thuis. Hij slaakte een zucht. Justine keek weer van haar tijdschrift op.

'We hebben niet veel bereikt,' zei hij tegen haar.

'Ach, nee.'

Haar kon het niets schelen. Zij dacht dat hij er ook zo over dacht, hij had nu zoveel jaren tevreden naast haar gezeten onderweg. Maar de laatste tijd had hij een gevoel van ongeduld gehad, als vroeger, toen hij net met zoeken was begonnen. Betekende het dat hij Caleb bijna op het spoor was? Een keer vroeg hij haar bijna om voor hem de kaarten te leggen – bespottelijk gedoe. Vanzelfsprekend had hij zichzelf daarvan op tijd weerhouden. Nu staarde hij somber uit het raampje naar een groepje benzinestations en doughnut-bakkerijen. 'Dus *hier* wonen we,' zei hij.

'Wat?'

'Niet veel soeps om naar terug te keren.'

'Oh –' zei Justine en toen nog iets dat hij niet goed verstond, maar hij wist dat het iets opgewekts was. Justine was niet zo gauw teleurgesteld. En gelukkig maar. Aangezien hij overladen werd met teleurstelling, en er snel aan ten onder ging. Hij vond dat in de dieporanje zonsondergang achter het silhouet van een autokerkhof iets hopeloos zat. 'Grootvader?' vroeg Justine, in haar doordringendste stem. 'Voelt u zich wel goed?'

'Jazeker.'

De bus zoefde langs een naargeestig hotel met gerafelde gordijnen. Ze stopten voor het Caro Mill cafetaria. Geen normaal busstation in dit dorp, nee. Eruit moesten ze, midden op straat. De chauffeur hielp Justine en de andere dames niet eens bij het uitstappen; dus moest Daniël dat doen. Iedere keer als hij een arm losliet gaf hij een tikje tegen zijn slaap. 'Nou, dank u wel hoor,' zei een van de vrouwen. De andere zei helemaal niets, of hij verstond het niet.

Voor het cafetaria stond de Ford geparkeerd, een meter van een waterpomp af, gehavend en stoffig, met een brede nieuwe deuk in de achterbumper. Hij bestudeerde de schade. Vroeger lieten mensen een briefje achter waar hun naam en telefoonnummer op stond als er zoiets gebeurd was. Maar tegenwoordig niet meer. Toen hij instapte zei hij: 'Fatsoen bestaat niet meer tegenwoordig.'

'Wat zegt u?'

Justine keek naar hem terwijl ze een hand naar het portier uitstrekte omdat dat openwaaide en het verkeer in gevaar bracht. '*Wat* heeft niemand meer?'

'Fatsoen, zei ik. Ze maken een deuk in je bumper en laten geen briefje achter.'

'Misschien heb *ik*,' zei Justine, en toen nog wat.

'Nee, als jij het gedaan had dan had ik het wel gemerkt. Bovendien heb je je ongeluk voor deze week al gehad.' Dat was een grapje van hem. Hij lachte en deed zijn hand voor zijn mond alsof het een hoestbui was.

Toen, *boem!* Hij werd door elkaar geschud en tegen de voorruit gesmeten. Onmiddellijk kreeg hij overal pijn. Het leek alsof iemand hem met een gigantische hand had vastgegrepen en als een pop had weggesmeten. 'Grootvader?' vroeg Justine. Er zat een dikke grote bult aan de binnenkant van haar arm, met een paar druppels bloed. Vlak voor haar stond een auto stil waar een man uit klom. En waar het portier was geweest was nu niets meer, alleen maar heldere lucht en vervolgens het woedende gezicht van de man. De man schreeuwde, maar alles wat hij zei was vaag. Dat gaf niet; Daniël was opgelucht toen hij begreep wat de oorzaak van zijn schok was. Natuurlijk, een deur eraf! Toch voelde hij zich nog gedesoriënteerd. Toen de man was weggereden en Justine uit de auto stapte om de deur in de achterbak te tillen, was hij nog zo duizelig dat hij niet eens aanbood om te helpen. Hij keek versuft toe toen ze weer achter het stuur ging zitten. 'Nu hebben we tenminste frisse lucht,' zei ze tegen hem. Vreemd om dat te zeggen, maar misschien had hij haar niet goed verstaan. Hij wou dat hij thuis was. Hij rende door de gangen van zijn geheugen en riep Laura, zijn vader, Caleb, Margaret Rose aan. Eigenlijk had hij nooit met Margaret Rose moeten trouwen. Een gemeenschappelijke achtergrond was heel belangrijk. Als hij niet gevallen was voor haar gniffelende lachje en de tere, subtiele buiging van haar rugholte dan zou hij een verstandiger keus gemaakt hebben en was hij met iemand die hij zijn hele leven al had gekend gaan trouwen. Hoe heette dat meisje dat vroeger altijd met haar ouders op bezoek kwam? Melissa? Melinda? Maar hij had iets nieuws en verrassends gewild. Een vreselijke vergissing. Wat haatte hij Margaret Rose! De gedachte aan haar deed hem knarsetanden. Hij zou wel willen weten waar ze nu was, zodat hij iets ergs met haar kon uithalen, haar vernederen in het bijzijn van al haar nette, tingelende vriendinnen. Maar nee, ze was dood. Hij vond het jammer dat hij zich dat herinnerde. Zoals gewoonlijk was ze hem voorgegaan, was vooruit gerend, lachend en over haar schouder kijkend en in deze zou hij niet kunnen weigeren haar voorbeeld te volgen.

'Als je eenmaal in leven bent, zit er niets anders op dan dat je sterft,' zei hij tegen Justine.

Ze keek naar hem.

'Je hebt iets in beweging gezet, zie je.'

'Net als wanneer je een baby verwacht,' zei Justine. Dat kon ze in *werkelijkheid* natuurlijk niet hebben gezegd. Zijn oren werden erg slecht. Zijn verstand werd slecht. Hij zou zichzelf eens onder handen moeten nemen. Hij ging rechtop zitten en keek uit het raampje, een eerbiedwaardige heer op leeftijd die van het uitzicht genoot terwijl ze naar huis rammelden.

Meg Peck en dominee Arthur Milsom zaten in de woonkamer te wachten op de ouders van Meg. Of Arthur zat; Meg kon niet blijven zitten. Eerst had ze de fauteuil gekozen omdat ze er netjes en volwassen uit wilde zien. Toen bedacht ze dat het veel natuurlijker zou zijn als ze naast Arthur op de bank ging zitten. Ze stonden op het punt om goedkeuring te vragen om te trouwen; waarom zouden ze dan ieder aan verschillende kanten van de kamer zitten?

Arthur had zijn domineesboord om, wat niet absoluut noodzakelijk was, maar wel goed stond. Hij was een jonge, bleke, gespannen man, klein maar pezig. Als hij zenuwachtig was dan kraakte hij met zijn knokkels en dan werden zijn bruine ogen zo donker en ernstig dat hij in vlammen leek te staan. '*Niet* zenuwachtig zijn,' zei Meg, terwijl ze weer op de bank ging zitten. Ze pakte zijn klamme hand vast.

Ze hadden dit bezoek al weken voorbereid. De eerste maandag nadat ze achttien jaar was geworden, had hij gezegd, zou hij met haar ouders komen praten. (Maandags was het niet zo druk in de kerk.) Ze hadden het plan per brief gesmeed. Arthur had het gevoel dat met Duncan het moeilijkst te praten was, maar zoals Meg zei, hadden ze Justine erbij nodig om alles glad te strijken. Want Duncan zou zeker op zijn strengst zijn. Hij mocht Arthur niet. (Hoe was het mogelijk dat iemand Arthur niet mocht?) Waar ze geen rekening mee hadden gehouden was dat Justine weg zou zijn, op reis met grootvader. Nu kon je niet weten wanneer ze weer terug zou zijn en kon Duncan ieder moment thuis komen van zijn werk. Zij zouden hem alleen aan moeten pakken.

Meg dacht altijd aan haar ouders als Duncan en Justine, hoewel ze hen niet zo noemde. Dat kwam waarschijnlijk omdat ze zich op een bepaalde manier gedroegen. Ze waren niet erg ouder-achtig. Ze hield veel van hen, maar kromp voortdurend van binnen in elkaar in afwachting van hoe zij haar vervolgens weer in verlegenheid zouden brengen. Ze waren zo – *extreem*. Zo onverantwoordelijk! Ze leidden zo'n kronkelig, nonchalant leven, en veranderden altijd weer van koers, terwijl ze haar over hun schouders maanden om mee te gaan. En zolang Meg zich kon herinneren, had ze er achteraan gestrompeld, en het spoor van afgedankte bezittingen en achtergelaten uitvindingen opgeraapt. Ze wilde alleen maar een leven leiden als alle andere mensen. Ze probeerde het huis aan kant te houden, net als bij haar vriendinnen thuis en bloemen in vazen te zetten en op een of andere manier de warboel van electrische draden of slangetjes waar Duncan op dat moment mee bezig was, te verbergen. Maar dan leek het onbegonnen werk als ze eraan dacht hoe gauw ze weer zouden gaan verhuizen. 'We zijn een nomadenfamilie,' had Justine tegen haar gezegd, 'zo moet je het zien' – alsof het zou helpen als het romantisch klonk. Maar er was niets romantisch aan deze vervelende kringloop van gas- en lichtrekeningen, huurcontracten, schooldiploma's en onderbroken tijdschriften-abonnementen. 'Hij ruïneert ons *leven*!' zei ze tegen Justine. Justine keek verbaasd. 'Maar lieve Meggie, dat kunnen *wij* toch niet zeggen –' Dan werd Meg ook kwaad op haar moeder, die zo onnozel was en zo gemakkelijk toegaf, en dan sloot ze zichzelf in haar kamer op (als ze tenminste ergens woonden waar ze een eigen kamer *had*) en zei verder niets.

Ze hield zichzelf bezig met naaien, of het inplakken van plaatjes in haar plakboek vol met voorbeeldig ingerichte huizen – met openslaande deuren en keukens met tapijten op de grond en wit fluwelen sofa's. Ze ruimde haar kast op en zette al haar schoenen netjes naast elkaar neer, met de neuzen allemaal dezelfde kant op. Ze streek haar eigen jurken al sinds ze negen jaar was. (Justine vond dat strijken overbodig was, als alles maar schoon was.) Toen ze tien was had zij haar eerste cake gebakken, die door iedereen bewonderd werd, maar waar niemand van gegeten had omdat ze haastig weer ergens naartoe moesten; het leek alsof ze leefden van potato chips uit automaten. Niets kwam ooit op tijd klaar. Op ieder uur van de dag of nacht mocht ze vriendinnen mee naar huis brengen. 'Dit gezin is geen gesloten eenheid,' zei Duncan tegen haar – kennelijk de enige regel in zijn leven, als je het zo kon noemen. Maar hoe kon ze nou met vriendinnen thuis komen als ze zich zo voor haar ouders schaamde? 'Ik ben dol op je ouders,' zeiden de meisjes altijd, maar ze konden zich niet voorstellen hoe vreselijk het was om er zelf mee te moeten leven. Want het kon zijn dat Justine op blote voeten rondliep en met haar smerige speelkaarten bezig was, of aan de keukentafel zat met haar onfatsoenlijke vriendinnen, of rondrende op zoek naar haar kapotte rieten tas om naar het cafetaria te gaan waar ze liever at dan thuis. Ze had een aanmatigende, luidruchtige manier van doen en kon Duncan in het openbaar 'Megs achterneef' noemen, dat vond zij grappig. En Duncan! Die onbelangrijke, nutteloze feiten spuide, op een genante manier hardop dacht, zodat haar vriendinnen verbluft en dom stonden te kijken. Wat *hij* grappig vond was het ophangen van idiote kranteknipsels en pagina's uit damesbladen door het hele huis heen, waarop zijns inziens passende boodschappen stonden. Op Justine's verjaardag plakte hij een bank-advertentie op waarop stond WIJ VERGROTEN ONS AANDEEL, en toen Meg veel te veel geld aan een jurk had uitgegeven (alleen omdat ze er voor de verandering eens net zo uit wilde zien als alle andere meisjes, en niet zo zelfgemaakt en in elkaar gespeld), trof ze een pagina aan die met plakband aan haar kastdeur was geplakt:

HEB JE JE OOIT VERVEELD IN EEN LEVI-BROEK?

Ze had die pagina eraf gescheurd en was naar Duncan toegegaan die ergens een nieuw toetsensysteem voor de schrijfmachine zat te ontwerpen. 'Doe niet zo kinderachtig!' zei ze tegen hem. Maar toen ze zijn gezicht zag, zo verbaasd en onbewaakt, zag ze dat hij werkelijk geen kind meer was; er zaten droge lijnen om zijn ogen en er bleven twee kleine kuiltjes achter wanneer hij lachte. Dus legde ze het stuk papier kalm neer en liep verslagen weg.

Ze slaakte een zucht nu ze zich dit herinnerde en Arthur gaf een kneepje in haar hand. 'Over een uur is het allemaal voorbij,' zei hij tegen haar.

'Het gaat nooit voorbij.'

'Ik begrijp je niet.'

'We worden met de grond gelijk gemaakt,' zei ze. 'Ik voel het aan.'

Maar nu had ze hem beledigd. Hij ging rechtop zitten, waardoor hij kleiner leek. Hij zei: 'Dacht je niet dat ik een redelijk gesprek kon voeren met de ouders van mijn meisje?'

'Ja maar –'

'Je vergeet dat ik dominee ben. Ik heb families omgepraat die zwoeren dat zij hun dochters zonder één cent zouden laten zitten. Ik heb vaders overtuigd, die volhielden dat –'

'Maar hun dochters gingen niet met jou trouwen.'

'Maak je nou geen zorgen. Als puntje bij paaltje komt dan gaan we rustig weg en trouwen we in mijn eigen kerk.'

Maar dat wilden ze geen van beiden. Ze wilden alles doen zoals het hoorde. Arthur wilde dat ze gelukkig zou zijn, en Meg kon alleen gelukkig zijn in een witte jurk die in de taille in een punt uit liep, met de sluier van Sarah Cantleigh en een boeket van gipskruid. Ze wilde het middenpad van de familiekerk in Baltimore aflopen, waar haar moeder ook getrouwd was; ze wilde begeleid worden door rijen en rijen tantes en ooms en achterneven- en nichten, se rieuze Peck-ogen die haar keus goedkeurden. Een bruidspartij me rijstkorrels, en een muntstuk van haar overgrootmoeder in haar schoen. Arthur zou naast de predikant staan wachten en met zijn bleke, glimmende gezicht haar processie aanschouwen. Wanneer hij naar haar keek voelde ze zich als een koningin. Ach, wat zou het dat hij geen knappe man was; zou een knappe man haar zo verafgoden als Arthur Milsom? Als ze naar lezingen gingen, zat zij naar de spreker te kijken en Arthur naar haar. Ze voelde het dunne maantje van zijn gezicht op zich gericht. Hij hielp haar bij het in- en uitstappen van auto's, hield deuren voor haar open, leidde haar de kortste trappen op, met een lichte aanraking van zijn hand. (De tantes zouden zijn goede manieren geweldig vinden.) Hij besteedde zijn gehele aandacht aan haar, zelfs in zo'n hoge mate, zei hij, dat hij zich zorgen maakte dat God jaloers zou zijn. Niemand had ooit in haar leven zoveel voor haar gevoeld.

Een auto, die op een bekende manier kuchte en knarste, stopte voor het huis. 'Daar heb je mama!' zei Meg. 'Ze is toch eerder thuis dan hij.' Ze stond op en liep de veranda op. Justine zat achter het stuur, met rechte rug en stijf, niet beschermd door ook maar het overblijfsel van een portier. De auto zag eruit alsof hij overlangs doorgesneden was. Maar, 'Het maakt het in- en uitstappen veel gemakkelijker!' riep ze naar Meg, en ze wuifde vrolijk en stapte uit. 'Komt u, grootvader?'

'Mama, ik wil even met je praten,' zei Meg.

Maar toen riep Dorcas Britt, de buurvrouw, over de haag met een luide, volle stem, die Meg leek te bespotten: 'Justine, schat, ik *moet* met je praten'.

'Er passeerde een vent die 100 reed en grootvader tegen de voorruit heeft geknald,' zei Justine.

'Mama.'

Plotseling was het huis vol met verschillende kleuren en vormen – de witte, waggelende grootvader, Justine die haar gele haar naar achteren gooide, Dorcas helemaal in het chartreuse met wijnrood, op rode laksandalen met naaldhakken. Arthur stond op met zijn handen voor zich gevouwen, zoals hij stond wanneer hij de leden van zijn gemeente groette na de preek. Hij droeg een vastberaden glimlach op zijn gezicht. Meg voelde zich van binnen samentrekken: was het haar lot om door *iedereen* haar hele leven lang in verlegenheid gebracht te worden, zelfs door Arthur? 'Mama, grootvader, kennen jullie Arthur nog?' zei ze. 'Mevrouw Britt, dit is Arthur, mijn – Arthur Milsom.'

'Mijn baby is ontvoerd,' zei ze tegen hem.

Haar baby was negen jaar oud en ze werd geregeld, voortdurend, door haar vader ontvoerd, die geen bezoekrecht had, maar dat wist Arthur niet en hij werd wit om de lippen. 'Oh, mijn hemel!' riep hij uit.

'Arthur, het geeft niet,' zei Meg tegen hem.

'Geeft niet?' zei Dorcas. 'Voor jou misschien niet.'

'Grootvader heeft een klap op zijn voorhoofd gehad,' zei Justine.

Waardoor Arthur vervolgens in de richting van grootvader draaide met een nieuwe voorraad afschuw en sympathie. Hij had het nog niet geleerd. Zo'n verbruik van emoties zou je in zeer korte tijd uitputten, als je daar woonde. 'Arthur,' zei Meg.

'Die man reed op z'n minst 100,' zei Justine. 'Hoe had hij anders die deur er helemaal af kunnen rijden?'

'Hij hing nog maar aan één scharnier, mama.'

'U reed minstens 100,' zei ik tegen hem, maar raad eens wat hij zei? "Het is verboden om het portier van een auto aan de straatkant open te doen." Wisten jullie dat? Hoe moet je dan in je auto stappen?'

'Misschien aan de kant van het trottoir,' zei Arthur voorzichtig.

Justine pauzeerde terwijl ze haar muts afzette en keek hem aan. 'Oh, Arthur,' zei ze. 'Hoe gaat het met jou?'

'*Heel* goed, dank u mevrouw Peck. Hoe gaat het met *u*?'

'En Meg! Meggie, heb je mijn briefje gevonden? Ik was vergeten te zeggen dat ik vandaag weg zou gaan. Heb je wat gegeten toen je uit school kwam?'

Ze wachtte niet op antwoord. Ze kuste Meg op haar wang – ze rook naar Luden's hoestdragees. Wanneer ze mensen een kus gaf, dan gaf ze ook altijd een paar klopjes op hun schouder. Meg stapte achteruit en probeerde haar waardigheid te herstellen. 'Mama, als je even tijd hebt,' zei ze.

'Maar ik heb alle tijd, alle tijd van de wereld. Wat kan ik voor je doen?'

'Moet je niet aan het eten beginnen?'

Ze bedoelde, 'Kun je niet even meegaan naar de keuken zodat we zonder Dorcas erbij kunnen praten?' Maar Justine zei: 'Oh, ik dacht dat we nog wat kliekjes hadden.' De enige die Meg begreep was Dorcas, die haar buik inhield, maar er op een of andere manier toch nog zo golvend en opgezwollen als een donzen dekbed bleef uitzien. Een dikke blondine met kleine handen en voeten. *'Jij* bent geen moeder,' zei ze. 'Jouw baby is nog nooit ontvoerd. Dit is niet iets dat ik zomaar kan uitstellen tot het beter uitkomt.'

'Misschien zou u de politie moeten bellen,' zei Arthur.

'Poeh, de politie!'

'Mama, ik wil een ogenblikje met je praten.'

'Goed.'

'Ik bedoel onder vier ogen.'

'Kun je het hier niet zeggen, liefje? Dorcas is een goede vriendin, we hoeven niets voor haar te verbergen.'

'Dat zou ik ook zeggen,' zei Dorcas.

'Nou, dan wacht ik wel tot papa thuiskomt,' zei Meg.

'Oh, Duncan! Waar is hij? Had hij er nog niet moeten zijn?'

En ze vloog naar het raam toe, met Dorcas achter haar aan trippelend op haar belachelijke schoenen. 'Luister eens even, Justine, je moet me helpen. Wil je niet even de kaarten pakken? Ik moet weten waar Ann-Campbell is.'

'Oh, nou, die komt wel terecht.'

Ann Campbell kon zich overal wel redden. Meg had medelijden met haar ontvoerder. Maar Justine gaf toe, vriendelijk als altijd. 'Nou even vlug dan,' zei ze. En weg renden ze, naar de keuken om de kaarten te pakken. Grootvader Peck stond van hoofd tot voeten te bibberen en keek hen na. 'Gaan zij het eten klaarmaken?' vroeg hij aan Meg.

'Ze gaat de kaarten lezen, grootvader.'

'Wat?'

'*Kaart lezen.*'

'Wat moeten ze op *dit* uur nou lezen? Het is etenstijd.'

Hij ging plotseling in de fauteuil zitten. Een grote bobbel zwelde op zijn voorhoofd. 'Grootvader, u wordt paars,' zei Meg.

'Hè?'

'Misschien moet er een dokter bij geroepen worden,' fluisterde Arthur.

Maar de grootvader, die soms de meest verbazingwekkende dingen hoorde, sloeg op zijn knie en zei: 'Onzin!'

Toen was er een blauw met gele flits in de deuropening – Duncan, die de spijkerbroek aan had die meneer Amsel hem gevraagd had niet meer te dragen. Hij rende door de gang rechtstreeks de klerenkast in. 'Papa?' zei Meg.

'Meg, waar is dat tijdschrift dat ik gisteravond aan het lezen was?'

'Dat weet ik niet.'

'Moet je altijd alles opruimen?'

'Ik ben er niet aan geweest.'

'Laat maar, ik heb het al.'

En weg was hij weer. De deur sloeg achter hem dicht. Arthur begon bedachtzaam over zijn kin te strelen.

'Was dat Duncan?' vroeg de grootvader.

'Ja, grootvader.'

'*U* bent predikant,' zei hij tegen Arthur.

'Assistent-predikant, ja meneer.'

'Hier is een idee voor een preek.'

'Grootvader.'

'Alle ellende komt voort uit de duur van onze jeugd. Heeft u daar ooit over nagedacht?'

'Nee, meneer, dat geloof ik niet.'

'Bekijk het eens zo. Alles komt voort uit verveling, hè? Irritatie, eenzaamheid, geweld, stupiditeit – allemaal verveling. Nu. Waarom vervelen wij ons? Omdat de menselijke jeugd zo verdraaid lang duurt, daarom. Omdat het zo verdraaid lang duurt voordat we volwassen zijn. Jaren. Jarenlang zitten we erop te wachten. En na zoiets moet *alles* wel een anti-climax zijn.'

'Suiker,' riep Duncan die weer door de gang kwam aangelopen.

'Waar heb je het over?'

'Meer suiker eten.'

'*Wat* zei hij?'

Duncan stak zijn hoofd door de deur. 'Suiker versnelt de puberteit,' zei hij. 'De Eskimo's worden sneller volwassen nu ze op koolhydraten zijn overgegaan.'

Grootvader Peck krabde op zijn hoofd.

'Papa,' zei Meg, 'we willen met je praten.'

'O, nou, Meggie.' Maar toen zag hij Arthur. 'Hé, kijk eens, daar heb je de geestelijkheid.'

'Pap, als mama klaar is –'

'Waar is je moeder eigenlijk?'

'Ze legt de kaart voor Dorcas.'

Arthur stond op. Hij zag er klein en stoer uit naast Duncan. 'Eigenlijk,' zei hij, 'denk ik dat het wel voldoende is om met u te praten, meneer Peck.'

'Meer dan voldoende,' zei Duncan.

'Toen ik een man werd,' zei grootvader, 'betrapte ik mijzelf erop dat ik dacht: dus zo voelt het aan om volwassen te zijn! Heen en weer zeulend tussen thuis en werk. Zelfs rechter zijn was niet wat ik had verwacht. Je spreekt in werkelijkheid helemaal geen vonnis uit; je brengt alleen maar wat vandaag gebeurt in verband met wat gisteren gebeurd is, alle precedenten en verordeningen en compensaties. En als je je daar doorheen geworsteld hebt, wat dan? Dan word je oud. En dan ben je jarenlang oud. Je kunt niet goed meer horen en je bent niet meer zo goed ter been. Sommige mensen raken al hun tanden kwijt. Ik heb zelf al mijn tanden nog, maar ik kan niet zeggen dat dat veel verschil heeft uitgemaakt. Want uiteindelijk had ik alles wat ik at al eens eerder gegeten. Bovendien ben ik me steeds sterker bewust gaan worden van de herkomst van ons voedsel. Varkensvlees smaakt naar biggen, biefstuk naar koeien, lamsvlees naar wol, en zo voort. Melkchocolade, waar ik vroeger verzot op was, word ik nu misselijk van. Ik proef er de geur van een koeienstal in.'

'Ik vraag me af,' zei Duncan, 'als we nou eens experimenteren met melkchocolade van geitemelk –'

'De Chinezen eerbiedigen de ouderdom. Als ik in China zou wonen, dan zouden mensen op me af komen en zeggen: "*U* bent oud en wijs. Wat is de zin van alles?"'

'*Wat* betekent het allemaal?' zei Duncan.

'Ik weet het niet,' zei zijn grootvader tegen hem.

'Meneer Peck,' zei Arthur, 'ik wil met uw dochter trouwen.'

De grootvader zei: 'Mijn dochter?'

Maar Duncan begreep het wel. Hij wierp Arthur een lange, heldere onbezorgde blik, alsof niets wat zo'n man tegen hem zei hem van zijn stuk kon brengen. Toen zei hij: 'Ze is zeventien.'

'Achttien,' zei Meg.

'Achttien? Oh, ja.'

'En Arthur is zesentwintig.'

'Nou, dat is bespottelijk,' zei Duncan. 'Als jij zeventig bent is hij achtenzeventig.'

'Nou en?'

'En je zit nog op school.'

'We zijn van plan om in juni te trouwen,' zei Arthur. 'dan is ze van school af.'

'En, papa, je weet dat ik niet het type ben om verder te gaan studeren.'

'Wie wel? Wie heeft het over verder studeren? Heb ik ooit gezegd dat ik het fijn zou vinden als jij ging studeren? En wat ik helemaal nooit gezegd heb is dat je zomaar meteen moest gaan trouwen en in Semper, Virginia wonen, waar je iedere zondag op de voorste kerkbank de bloemen van je hoedje zit te knikken. Het is een val. Wil je in de val lopen? Ik had me voorgesteld dat je weg zou gaan, ergens naartoe, Meggie, een reis maken. Laat het ouwe Caramel maar achter je, we proberen je niet voor onszelf te houden. Ga naar Californië liften. Stap op een goederentrein. Stap op een *bus*. Leer te surfen. Trouw met iemand die onberekenbaar is. Sluit je aan bij het Vreemdelingenlegioen.'

'Maar zo kan ik niet leven.'

'Probeer het tenminste! Alles behalve dit. Je zomaar binden aan het doet er niet toe wie, de eerste de beste bleke vis met een pak aan –'

'Meneer Peck,' zei Arthur, 'ik begrijp wel dat u in de opwinding –'

'Hoe wilt u babies maken, dominee Mikmak, osmotisch?'

'Mama!' riep Meg.

'Laat je moeder met rust, Meg, ik laat hem zelf wel uit.'

'Helaas voor u ben ik niet zo snel ontmoedigd,' zei Arthur.

'Dat is inderdaad jammer.' Maar Duncan leidde hem toch naar de deur en Arthur stribbelde niet tegen. 'Nou,' zei Duncan, 'als Meg om de een of andere duistere reden nog steeds iets voor u voelt wanneer zij een redelijke leeftijd heeft, dominee, dan zal ik moeten toegeven dat ik er niets aan kan doen. Tot dan, goedendag.'

'Maar ik heb al een redelijke leeftijd!' zei Meg.

De hordeur knalde dicht.

Meg keek naar haar grootvader, die vermoeid glimlachte en al zijn perfecte tanden liet zien. Ze liep naar de keukendeur en deed die open.

'Meg,' zei Dorcas, 'je moeder is fantastisch. Het staat in mijn kaarten dat Ann-Campbell bij Joe Pete is en dat ik het er van moet nemen terwijl ze weg is.'

'Mama luister.'

Justine keek op. Ze zat aan de keukentafel met beide handen stijf. Tussen iedere vinger hield ze lange staafjes rauwe spaghetti vast. 'Kijk Meg!', zei ze. 'Ik ben de I Ching aan het leren!'

'Is dat alles wat je te doen hebt?'

'Nou, we moesten eigenlijk duizendblad-steeltjes gebruiken, maar we weten niet wat dat is.'

'Ik wou je alleen maar dit zeggen,' zei Meg. 'jou geef ik net zo goed de schuld als hem.'

'Wat, lieve Meggie?'

'Jullie zijn een eenheid die zo gesloten is als wat, het kan me niet schelen wat hij ervan zegt.'

'Gesloten? Wat?' zei Justine verbijsterd. Ze stond op met twee spaghettiborsteltjes in haar hand. 'Wacht 's even, Meggie, ik –'

Maar Meg was verdwenen. Ze rende door de gang en het huis uit. Arthur en Duncan waren nergens te bekennen. Alleen de Ford stond er in het schemerlicht te vervagen, met een pagina uit een tijdschrift op de plek waar de deur had gezeten: WILT U NIET LIEVER IN EEN BUICK RIJDEN?

NEGEN

Voor de bazaar van de Polk Valley kerk in april trok Justine haar
beste jurk aan – een wijde overgooier die Duncan vijf jaar geleden
voor haar in de uitverkoop had gekocht. Ze maakte een paarde-
staartje bovenop haar hoofd, bedekte het met haar muts en deed een
beetje roze Tangee-lippenstift op die ze nog had van de middelbare
school. Aan haar voeten droeg ze haar zwarte lakschoentjes en aan
haar arm een zigeunerarmband, die ze van De Blauwe Fles had ge-
leend. Over het algemeen genomen dacht ze dat ze er zo wel mee
door kon.

Omdat de auto bij de garage stond, moest ze vragen of ze mee kon
liften met Dorcas in de hemelsblauwe Cadillac. En Ann-Campbell
ging ook mee; ze zat op en neer te springen op de achterbank en stak
van tijd tot tijd haar kleine sproetige neus tussen de beide vrouwen
in om af te luisteren. Justine mocht Ann-Campbell wel. Ze was er
zeker van dat ze een heel interessant leven tegemoet ging.

Onderweg naar Polk Valley kletste Dorcas over haar ex-man, Joe
Pete, van wie ze drie keer gescheiden was en met wie ze steeds weer
hertrouwde. Iedere keer stond ze er weer op een uitgebreide kerk-
plechtigheid te houden, met Ann-Campbell als bruidsmeisje in een
lange mousseline jurk die de schaafwonden, korsten, blauwe plekken en pleisters op haar knokige knieën verborg. Familieleden gingen al niet meer naar die bruiloften en de cadeaus werden schaars.

'Maar,' zei Dorcas. 'hij is nog steeds mijn eerste man. Ik ben nog nooit met iemand anders getrouwd en hij ook niet. Waarom mag ik dan niet trouwen zoals ik wil?'

Justine wilde niet aan bruiloften denken. Het herinnerde haar aan Meg. Ze was vreselijk ongerust over Meg, die de laatste paar weken stil was geweest en iedere keer als ze er met Duncan over begon was hij zo kwaad en koppig dat ze niets aan hem had. Hij zei dat Meg met iedereen mocht trouwen wie ze wilde, een Congolees opperhoofd desnoods, maar niet met een man wiens enige kwaliteit was dat hij geen mens kwaad deed. 'Misschien houdt ze van hem,' zei Justine, maar weifelend. Ze *probeerde* dat te geloven. Iedere keer wanneer ze Arthur zag deed ze haar best om zich voor hem te interesseren. Ze merkte op dat hij vriendelijk was, evenwichtig, beleefd… en dan dwaalden haar gedachten af en vergat ze dat hij er was. Ze hield Meg nauwlettend in de gaten, maar die leek zo kalm als altijd. Maar Meg uitte haar emoties ook nooit, dat was waar. Natuurlijk hield ze van hem, anders zou ze niet met hem willen trouwen.

Ach, waar ze al niet bang voor was geweest toen Meg geboren was! Alleen al het feit dat er een nieuw individu op de wereld was gekomen betekende een stroom van onvoorziene gebeurtenissen, die zich in alle richtingen vertakten en verdeelden. Toen Meg een tiener was stond Justine schrap voor langharige vrijers, LSD, winkeldiefstallen, zwangerschappen, revolutionnairen, wapens in de kast – wat niet allemaal: als het om haar dochter ging stond ze voor niets! Alleen op iemand als Arthur Milsom was ze niet voorbereid.

'Donderdagavond belt Joe Pete op. "Ben je vanavond thuis?" Waar zou ik naartoe moeten? Zonder alimentatie en zes maanden achterstand met het geld voor Ann-Campbell. En Joe Pete is rijk, van de Britt-Texacofamilie. Joe Pete, zei ik tegen hem, ik zei, het enige wat ik vanavond te doen heb is *Modern Movies* van november '72 te lezen, en hij zegt, "mooi zo, want ik kom je dochter terugbrengen en je bent me achtenveertig vijfennegentig schuldig voor mijn nieuwe smaragdgroene tapijt waar ze twee liter bleekwater op gemorst heeft. Ik zal je het bleekwater niet in rekening brengen," zegt ie. Prima zei ik tegen hem, dat kun je met de FBI regelen wanneer ze je inrekenen voor ontvoering. Ik ben ook niet op mijn achterhoofd gevallen.'

'Toen hij me terugbracht is hij de hele nacht gebleven,' zei Ann-Campbell.

'Dat komt door zijn English Leather aftershave,' zei Dorcas. Justine lachte.

De parkeerplaats bij de kerk stond vol met auto's die het middagzonnetje weerkaatsten in hun chroom en in de voortuin en verder heuvelafwaarts wemelde het van de dames, tot aan het kerkhof. 'Ik wil een hot dog,' zei Ann-Campbell, 'en ik krijg nog een ballon van die keer in het winkelcentrum en ik wil een caramel-appel. Als ze gesponnen suiker hebben, mag ik dat dan ook? En een ijslollie –'

'Ann-Campbell, je hebt beloofd dat je je netjes zou gedragen als je niet naar school hoefde vandaag.'

'We hebben *rekenen* vandaag,' zei Ann-Campbell tegen Justine.

'O, bah,' zei Justine, die ook een hekel had gehad aan rekenen.

'Als vijf moeders vechten om tien blonde pruiken, hoeveel krijgt iedere moeder dan? Ze willen dat ik twee zeg, maar hoe kan ik dat nou zeker weten? Misschien is er een hele lelijke pruik bij die niemand wil. Misschien is een van die moeders wel sterker dan de andere en pakt die er vijf. Of is een van de pruiken te klein voor –'

'Ann-Campbell Britt, ik krijg een scherpe steek tussen mijn schouderbladen van je geklets,' zei haar moeder tegen haar.

Als Justine had moeten raden welk kind uit alle kinderen van de wereld het kind van Duncan zou zijn dan had ze gezegd Ann-Campbell, nooit Meg.

De bazaar werd in de kelder van de kerk gehouden, die te bereiken was via een linoleum trap. Justine's ogen moesten even aan de duisternis wennen. Toen zag ze een rij stands versierd met crêpepapier en nog meer dames in broekpakken en met lak bespoten kapsels, die druk in de weer waren. Justine vond broekpakken afschuwelijk. Wanneer ze er eentje ontwaarde had ze de neiging om de draagster een schandalige toekomst te voorspellen, zó luid dat iedereen het kon horen: 'De vader van uw voorlaatste kind is er vandoor met een roodharige vrouw die sigaren rookt.' Maar ze bleef vrolijk glimlachen en wachtte met haar rieten tas in haar hand geklemd tot de vrouw, die de leiding had, haar in de gaten kreeg. Het broekpak van mevrouw Edge was zacht turquoise, een kleur waar Justine het minst van hield. Oh, maar ze moest over die stemming van haar heen zien te komen. Haar glimlach werd nog breder. 'Ik ben Justine Peck,' zei ze. 'Ik heb beloofd om te komen waarzeggen.'

'Mevrouw Peck? Oh, maar ik had gedacht dat u donkerder zou zijn. Ik heb zulke verbazingwekkende dingen over u gehoord. *Ergens* moet er, 's even kijken...'

Mevrouw Edge leidde haar naar de kaarttafel. Hij was bedekt met een witte doek waar sterren en halve maantjes op waren gespeld. Justine volgde haar en daarachter kwam Dorcas neuriënd op haar naaldhakken aangewiebeld. Niemand wist waar Ann-Campbell uithing.

'Nou, hier is een kistje voor geld. Ik heb er al een paar dollar wisselgeld ingelegd. Heeft u verder nog iets nodig? Ik hoop niet dat u het koud zult hebben. Misschien had u beter een omslagdoek mee kunnen nemen.'

'Oh, nee, het gaat best zo,' zei Justine, die het altijd te warm had.

'Hé! Daar heb je mevrouw Linthicum, de vrouw van onze predikant. Mevrouw Peck is gewoon een *tovenares* zoals ze de toekomst kan voorspellen, mevrouw Linthicum.'

'O, dan kunt u meteen met mij beginnen,' zei mevrouw Linthicum. *Zij* had een jurk aan en had een hoedje op in de vorm van een paddestoel. Ze was een lange spichtige vrouw met sproeten, die door haar roze poeder heen schemerden. Toen ze op het vouwstoeltje ging zitten schikte ze zich zo gracieus – haar rok onder zich gladstrijkend en haar boezem bekloppend alsof ze er zeker van wilde zijn dat die er nog zat – dat Justine zich plotseling door een onverklaarbare verdriet overspoeld voelde. Ze raakte, zonder dat van plan te zijn, mevrouw Linthicums sproeterige hand aan. 'Oh, leest u de *linker* handpalm?' vroeg mevrouw Linthicum.

'Nee, nee, handpalm lezen doe ik niet,' zei Justine terwijl ze haar hand terugtrok.

Maar die had ze gemakkelijk kunnen lezen, die hand met over de gehele breedte een groef en een trouwring die zo dun was gesleten als een draadje.

Ze pakte haar kaarten en wikkelde de doek los. 'Ach, wat fascinerend,' zei mevrouw Linthicum.

'Wilt u iets speciaals weten?' vroeg Justine.

'O, nee hoor.'

Dorcas leunde voorover, een walm van Taboe verspreidend, terwijl Justine de kaarten heel voorzichtig neerlegde. Madame Olita had ze altijd met een klap neergelegd, maar dat was voor dat ze begonnen waren te scheuren. Als deze kaarten versleten waren, waar moest ze dan nieuwe vandaan halen? Ze staarde nadenkend de ruimte in.

'Ik kan best tegen slecht nieuws, hoor,' zei mevrouw Linthicum.

Justine dwong haar ogen weer op de kaarten. 'Oh, het is helemaal niet slecht,' zei ze. 'Het ziet er uitstekend voor u uit.'

'O ja?'

'U zult wel geldzorgen blijven houden, maar niet zo ernstig. U moet zich niet zo bezorgd maken over uw kinderen. Die redden zich wel. Geen reizen in het vooruitzicht. Geen ziekte. U heeft trouwe vrienden en een liefhebbende echtgenoot.'

'Maar natuurlijk,' zei mevrouw Linthicum.

'Al met al een goed leven,' zei Justine. Ze schraapte haar keel en probeerde de emotie uit haar stem te houden. 'Iedereen zou blij zijn met zo'n toekomstvoorspelling.'

'Nou, dank u wel,' zei mevrouw Linthicum. Er viel een korte stilte, toen lachte ze eventjes en stond vervolgens op en betaalde, terwijl ze Justine's hand eventjes aanraakte met haar koele, verlepte vingers. Toen ze wegging keek Justine haar zo lang na dat Dorcas een hand voor haar gezicht heen en weer zwaaide en zei: 'Iemand thuis?'

Er volgden anderen, de ene vrouw na de andere, die met hun vriendinnen giechelden. 'Geen lange donkere vreemde mannen? Geen reizen over zee?' Verscheidene jonge meisjes trokken aan haar voorbij, een jongetje in een honkbal uniform, een man op plateau-hakken, een oude dame. Justine probeerde haar gedachten erbij te houden. Op deze manier moest ze uiteindelijk aan toekomstige klanten komen. 'Je zult een ongelukje krijgen,' zei ze tegen een meisje, opgelucht dat ze iets concreets had gevonden.

'Zelfs als ik voorzichtiger rijd?'

'Nee, dan misschien niet.'

'Wat heb ik hier dan aan?'

'Dat weet ik niet.'

'Om je te waarschuwen voorzichtiger te rijden, juffrouw!' schreeuwde Dorcas. 'Echt waar, Justine, waar zit je hoofd vandaag!'

Oh, die fantastische Dorcas, met haar golvende zijden jurk waar haar knieën met kuiltjes onderuit kwamen, en haar rinkelende armbanden en roomkleurige hals. *Haar* toekomst veranderde van week tot week. Waardoor Justine het eerder bij het verkeerde eind kon hebben, maar daar had ze tenminste plezier in.

Tijdens een stille periode vingen ze Ann-Campbell op, die toch veel te veel prijzen aan het winnen was met het gooien van dubbeltjes op asbakken en toen las Justine de kaarten voor haar. Ann-Campbell leunde voorover met haar gesponnen suiker, en ze rook naar caramel en geld. 'Je zult je hele leven op reis moeten gaan om al die reiskaarten die ik zie op te gebruiken,' zei Justine tegen haar.

'Dat weet *ik* ook wel.'

Toen bekeek Dorcas, de op school handlezen had geleerd, de kleine vierkante hand van Ann-Campbell – een en al wratten en diepe, forse lijnen. 'Ik zie ook reizen,' zei ze, 'maar ik weet het niet, Ann-Campbell heeft last van wagenziekte. Laat me jouw hand eens zien, Justine.'

Justine draaide haar hand om. Stiekem was ze net zo verknocht aan de toekomst als Alonzo Divich, nu dat het leven zo snel gig.

'Nou zeg, over *reizen* gesproken!' zei Dorcas.

'Wat zie je?'

'Een heleboel tochten. En, er staat hier nog veel meer te lezen. Je bent van nature besluiteloos, er zijn een heleboel… maar ik weet niet zeker wat *dit* betekent. En dan ook je omgeving, die vaak verandert, en je bent geneigd om –'

'Maar is het een *goeie* palm?'

'Dat zeg ik toch al, Justine! Natuurlijk, er staat van alles.'

'Nee, ik bedoel –'

Dorcas hief haar hoofd omhoog.

'O, laat maar,' zei Justine op het laatst.

Ze zei niet wat ze bedoelde. Ze zat zwijgend naar de kreukelige zijden doek in haar schoot te kijken, terwijl naast haar Ann-Campbell met haar vrije hand onverbiddelijk en hard op haar arm begon te stompen.

Duncan keek op van het poetsen van een Cinderella deegvorm en zag hoe Justine naar hem keek door de deur van spiegelglas, onder zijn met de hand geschreven letters door: ANTIEK GEREEDSCHAP GEVRAAGD. Ze had haar mooiste kerkbazaar-jurk aan en er bungelde een ketting van veiligheidsspelden van het puntje van haar linkerborst. Toen hij zwaaide, zwaaide ze terug, maar ze bleef staan kijken. Hij stond op en ging dicht bij het glas staan en drukte zijn mond er tegenaan alsof hij een goudvis was. Ze lachte. 'Kom binnen!' riep hij.

Dus ze kwam binnen en liet de deur achter zich open. 'Ik was toch in de buurt,' zei ze tegen hem.

'Zal ik je iets over mijn film vertellen?'

'Ja.'

'Ik ga een camera kopen en ermee rondlopen en één kant van alles filmen, de kant waar geen actie is. Zeg dat er een goal gemaakt wordt bij een voetbalwedstrijd, dan richt ik de camera op een verstrooide speler aan de andere kant van het veld. Als ik iemand een tasje zie stelen, dan zet ik de persoon die naast het slachtoffer de krant staat te lezen op de film.'

'Wat heb je daar nou aan?'

'Wat heb ik eraan? Het wordt de eerste realistische film die ooit gemaakt is. In het werkelijke leven zie je ook niet altijd de actie zelf. Of niet vaak in ieder geval. En niet zo duidelijk.' Hij stopte en keek haar aan. 'Wat heb je eraan,' zei hij. 'Zoiets vraag jij nooit.'

'Duncan, ik wou dat ik wist wat ik met Meg moest beginnen.'

'Oh. Ze hebben opgebeld van school. Ze is de hele week 's middags niet op school geweest. Is ze ziek?'

'Ach, ik weet het niet. Ik ben niet thuis geweest.'

'De hele week heeft ze al hoofdpijn.'

'Zie je wel? Geen wonder dat ik ongerust ben,' zei Justine. 'Ik moet naar haar toe.' Maar in plaats daarvan ging ze op een wankele pianokruk zitten die hij al maanden probeerde kwijt te raken, 'Ik ben veertig en eenderde jaar oud,' zei ze.

Duncan blies tegen de deegvorm en begon weer te poetsen.

'Vind jij niet dat alles zo snel voorbij gaat?'

'Ik vind altijd dat alles te langzaam gaat,' zei hij. 'Maar ik weet dat ik in de minderheid ben.'

'Hoe zijn we hier *beland*?'

Maar toen Duncan opkeek staarde ze naar de muur alsof ze niet op een antwoord wachtte.

Hij legde zijn werk neer en stond op om door de winkel te gaan lopen, langs de rijen opgepoetst gereedschap. Die deden zijn hart goed. Hij schonk geen aandacht aan de spullen die Silas had gebracht van zijn tochten langs veilingen – het porselein en de gebeeldhouwde meubelen, die hij in duistere hoeken liet opstapelen. Hij stond stil bij een weegschaal uit de negentiende eeuw en legde zijn hand er zachtjes op, verrukt over het preciese, ingewikkelde ontwerp. Achter hem hoorde hij het vertrouwde *plop plop* van Justine's kaarten. Wat zou ze zo alleen aan zichzelf vragen? Maar toen hij zich omdraaide zag hij haar de kaarten verstrooid neerleggen, zoals een ander mens op papier krabbelt of op een potlood kauwt. Haar ogen waren gericht op iets heel ver weg; ze streek iedere kaart glad zonder ernaar te kijken voordat ze ze op een naaitafel naast haar legde.

Terwijl hij haar gadesloeg, fronste ze haar wenkbrauwen en verzamelde ze haar gedachten. Ze keek naar de figuur die ze had neergelegd. 'Ach, Duncan,' zei ze.

'Wat is er?'

'Nou –'

'Wat is er Justine?'

'Laat maar. Maak je geen zorgen. Maak je geen zorgen.'

'Wie zegt dat ik mij zorgen maak?'

Maar ze was de deur al uit en rende de straat over met de linten van haar muts achter haar aan. Het was de eerste keer dat ze haar kaarten ergens had achtergelaten, voor zover Duncan zich kon herinneren.

Daniël Peck zat op de veranda een stapel correspondentie door te nemen toen Justine het pad tussen twee rijen opkomende groenten op kwam hollen. Ze zag er wild en opgejaagd uit, maar zo zag ze er vaak uit. 'Grootvader,' riep ze, 'heeft u Meg gezien?'

Hij probeerde te denken.

'*Meg.*'

'Nou, ik vraag me af waar die zijn kan,' zei hij.

'Hoe laat is het?'

Hij morrelde in zijn zak en trok er hand over hand een lange gouden ketting uit, en trok zijn wenkbrauwen omhoog toen zijn ogen uiteindelijk op een horloge stuitten. 'Ach! Twaalf over vijf,' zei hij.

Ze zoefde langs hem heen het huis binnen en liet de hordeur achter zich dichtkletteren. Hij voelde het geluid meer dan dat hij het hoorde. Het deed zijn botten verstijven. Toen was het weer rustig en keek hij naar een brief gedateerd 10 april 1973. Hij kneep zijn ogen toe in het zonlicht en las een slordig blauw handschrift.

Zeer geachte Heer Peck,

In antwoord op uw vraag van 17 maart moet ik tot mijn spijt berichten dat ik mijn grootmoeder nog nooit over ene Caleb Peck heb horen spreken, noch over enige andere jongeman waar ze vroeger mee gedanst heeft. Maar mijn nicht Annabel Perce te Duluth, Minnesota, zou u wellicht meer kunnen vertellen. Ik heb mijn grootmoeder zelf niet goed gekend en kan u dus in ieder geval niet...

Hij slaakte een zucht. Toen werd er door lange witte vingers een andere brief bovenop de eerste gelegd.

Lieve mama,

Ik ben weggegaan om met Arthur in zijn kerk te gaan trouwen. We trekken in bij Arthurs moeder. Maak je geen zorgen over mij, ik zal in Semple mijn school wel afmaken. Ik schrijf nog wel.

Liefs, Meg

'Hè? Wat betekent dit?' vroeg hij aan Justine.
Ze hief alleen maar haar arm omhoog en liet hem weer vallen, alsof ze niet meer tot spreken in staat was.
'Nou,' zei hij, 'ik wist niet dat dominees met goed fatsoen ook meisjes konden schaken.'
Justine ging het verandatrapje af en liep weer langs de moestuin de straat op, langzamer dan hij haar in jaren had zien lopen.
'Justine? Was die jongeman geen predikant?'
Ze gaf geen antwoord. Op het laatst borg hij de brief maar tussen zijn eigen correspondentie op en ging door met zijn bezigheden.

TIEN

In mei was de hele voortuin een wirwar van komkommerranken en kleine groene maïsstengels. De buren begonnen op de deur te kloppen. 'Justine, je moet natuurlijk zelf weten wat je in je tuin plant, maar het lijkt echt nergens... nou laat maar, wat stinkt er toch zo? Wat we willen weten is wat er zo *stinkt*!'

'O, alleen maar dingen uit de mixer.'

'De –? Als je de straat in komt ruik je het meteen. Net een dierentuin. Of een vuilnisbelt. Een *slacht*huis.'

'Ik zal het tegen Duncan zeggen,' zei Justine. Maar haar gezicht straalde, ze was zo blij om iemand te zien. Ze pakte de hand van mensen die op bezoek kwamen of raakte hun schouder aan om ze over te halen. 'Kun je niet even blijven nu je er toch bent?'

'Ach, ja...'

'We kunnen achter gaan zitten. Daar ruik je het niet.'

'Nou, heel even dan.'

'Wil je limonade, of koffie. Ik heb alles, wat wil je?' Het was duidelijk dat Justine het vreselijk vond om alleen te zijn. Ze had zich de laatste tijd zo onrustig en ongelukkig gevoeld en doolde door de kamers en probeerde gesprekken met haar grootvader te beginnen wanneer hij te druk bezig was met zijn eigen gedachten om antwoord te geven. 'Grootvader, wilt u ergens heen?'

'Hoezo?'

'Wilt u niet ergens *heen*, zei ik.'

'Nee, nee.'

Dan droop ze af en friemelde aan een lok haar. Ze kon er onmogelijk zelf op uit gaan in de auto; een auto was zo afgezonderd. Net een verzegelde zwarte doos. Dan zou het er toch op uitlopen dat ze te hard ging rijden om van die afzondering af te komen, of ze zou door een rood stoplicht rijden omdat zelfs getoeter en gevloek beter was dan stilte. Dus in plaats van te gaan rijden, liep ze naar de winkel van Duncan, en maakte ze van iedere mogelijkheid gebruik om tegen voorbijgangers te praten. 'Dag meneer Hill, heeft u dat geld gekregen dat ik had voorspeld? Waar is mevrouw Hill? Wacht even, Rooie Emma, ik loop zover met je mee.' En dan rende ze om haar in te halen en liep ze drie straten mee, terwijl Rooie Emma de post bezorgde. Ze vond het moeilijk om afscheid te nemen en treuzelde op de stoep terwijl ze aan een knoop stond te peuteren en stond te bedenken wat ze nog meer zou kunnen zeggen. Ze zag er tegenop om zelfs maar een klein eindje te lopen met alleen haar eigen gedachten als gezelschap. En wanneer ze dan eindelijk bij De Blauwe Fles aankwam, dan ontplofte ze voordat ze goed en wel binnen was van alle woorden die ze had opgespaard. 'Duncan, Rooie Emma heeft me verteld... Bertha Miller vroeg... oh, Duncan, ik dacht net, kunnen we niet een van huis weggelopen meisje van het politiebureau lenen?'

'Waar heb je het over?'

'Die komen daar toch wel eens terecht, zou je niet denken? We kunnen onze naam en adres daar achterlaten voor de volgende keer als de politie iemand arresteert, dan kunnen ze haar naar ons brengen. Ik bedoel, het huis is zo –'

'Zeg, hé, wacht nou eens even.'

Maar dan was ze alweer met iets anders bezig, pakte een of ander ding in de winkel op en legde het weer neer. 'O, moet je zien, net zo'n medaillon als tante Bea had, bijna. En tante Sarah's servetring alleen de steen heeft een andere kleur. Gek, hè dat ze dit antiek noemen. Die dingen gebruiken onze tantes iedere dag van hun leven. Wat is dit voor een ding, Duncan?'

'Een Victoriaanse schuif-hanger,' zei Duncan somber. 'Troep, als je het mij vraagt. Allemaal troep. Silas heeft gisteren een hele doos vol meegebracht, hij was naar een of andere vlooienmarkt geweest. Hier, pak aan, zei hij, en ruim die troep op tafel eens op, dat staat niet netjes. Weet je waar hij het over had? Een echte chromatroop die ik van de oude mevrouw Milhauser heb gekocht, en een wastobbe uit Boston met een pomp die nog werkt... waar staat hij? Ik wou hem aan je laten zien. Hij heeft hem ergens in een hoek gegooid. Hij houdt niet van gereedschap en dingen met bewegende onderdelen, hij zegt dat ze de winkel rommelig maken. We zijn aldoor bezig elkaars koopwaren weg te zetten en weer tevoorschijn te halen. Moet je die stoel zien! Die vindt hij mooi. Ik moet er honderdvijftig dollar voor vragen.'

Justine zag een stoel met een holle rug die geheel bestond uit scherpe blaadjes en bloemen en kleine prikkelige bessen. Aan een van de ornamenten had Duncan een advertentie voor een wrijfmiddel vastgeprikt. 'Ik voel er veel voor om met dit baantje op te houden,' zei hij, maar ze nam niet de moeite daar antwoord op te geven. Hij zou er nooit mee ophouden terwijl ze ruzie hadden.

Ze wilde dat hij ergens met haar naartoe ging. 'Misschien kunnen we een tochtje maken,' zei ze tegen hem.

'Prima.'

'Zomaar onverwacht.'

'Prima.'

'We zouden bij Meg langs kunnen gaan.'

Maar toen werd hij koud en koppig. 'Vergeet het maar. Niet voordat we uitgenodigd zijn, Justine.'

'Maar ze *zei* het toch. In haar brieven.'

'We zullen jullie gauw eens uitnodigen, schreef ze. Opletten.'

Hij kende Megs brieven van buiten, net als Justine. Het was helemaal een spel, zijn ongeïnteresseerde houding van ('Duncan,' had ze tegen hem gezegd, 'Meg is er vandoor om met Alfred, ik bedoel Arthur, te trouwen,' en hij was een fractie van een seconde versteend blijven staan voordat hij verder ging met het afsluiten van de winkel). 'Als we niet blijven eten,' zei ze nu, 'hoeven we toch niet te wachten tot we uitgenodigd zijn?'

'*Zonder* uitnodiging gaan we er *niet* naar toe, zo zie ik het.'

'Oh, dat is belachelijk. Het is onze *dochter*.'

'Nou en?'

'Weet je nog toen ze buikkrampen had, al die nachten dat je met Meggie op je schouder heen en weer liep? Je zong altijd *Blues in the Night*. Dan hief ze haar hoofdje wiebelend omhoog en kreeg rimpels in haar voorhoofd omdat ze geen woord wilde missen.'

'Dat ik *Blues in the Night* voor iemand heb gezongen verplicht mij nog niet om onuitgenodigd op bezoek te gaan zeventien jaar later.'

'Achttien,' zei Justine.

'Achttien.'

'Je nam haar mee naar het circus toen ze te klein was om zelf een klapstoel naar beneden te houden. Drie uur achter elkaar heb je er voor haar op geleund zodat ze niet weer meteen omhoog zou wippen.'

'Er was een pauze.'

'Maar toch.'

'Dat ik voor iemand op een klapstoel heb geleund verplicht mij nog niet –'

'En ze is niet zomaar *iemand*. Ze is niet zomaar iemand die je formeel moet behandelen als je door haar beledigd wordt.'

'Wie is er beledigd?'

'En kijk eens naar grootvader. Weet je wat ik hem laatst zag doen? Hij zat helemaal voorovergebogen aan de keukentafel met zijn hoofd in zijn handen. Ik dacht dat er iets met hem was. Maar toen ging hij overeind zitten en zag ik dat hij de wereldkaart in de Hammond Atlas aan het bestuderen was, de *wereld*, Duncan. Zo'n grote voorsprong heeft hij Caleb gegeven voordat hij achter hem aan ging. Moeten wij het ook zover laten komen?'

'We zullen die man nooit kunnen vergeten, hè,' zei Duncan.

'Die man die er vandoor is.' Hij legde een friseertang neer. 'Maar we dwalen van het onderwerp af. Meg is niet verdwenen. Wij weten precies waar zij is. Ze schrijft ons iedere week een brief. Wat ik hiermee zeggen wil is, je moet geen geschiedenis gaan herhalen, laat haar met rust. Laat zij ons eerst vragen.'

'Oh, er is altijd een excuus.'

'Ik zeg alleen maar wat ik ervan denk.'

'Had je liever gehad dat ik *jou* niet achterna was gegaan, toen jij van huis wegging?'

'Nee.'

'Nou, ik wel soms, Duncan Peck.'

'Dat zal best,' zei Duncan.

'En als je er ooit weer vandoor gaat, reken er maar op dat ik je dan niet achterna kom. Dan zal ik je voor de wet dood laten verklaren en direct hertrouwen.'

'Vanzelfsprekend,' zei hij bedaard.

Van die man kon je onmogelijk winnen.

Ze rende woedend de winkel uit en stond toen op het trottoir stil en vroeg zich af wat ze moest doen. Alles was irritant. Het zonlicht was te schel aan haar ogen. Het verkeer te luid, een zwerm van enorme glimmende stationwagens. De manier waarop de vrouwen achter het stuur voor het stoplicht van Main Street wachtten en allemaal tegelijk hun handen omhoog hieven om hun kapsels te orchestreren, vond ze walgelijk. Ze draaide zich om in de richting van huis, waar ze eigenlijk niet heen wilde, maar ze kon niets anders bedenken.

In de keuken stond haar grootvader af te wassen. Van tijd tot tijd kreeg hij een aanvechting om het huis wat op te knappen. Om zijn heupen hing een gestreepte linnen theedoek met een groot brandgat in het midden. Hij bukte over de gootsteen en was zich niet bewust van Justine's aanwezigheid. Hij stond nors een steelpannetje te reinigen met een stuk gedroogde kalebas die Duncan jaren geleden had gekweekt nadat hij gelezen had dat het uitstekend gebruikt kon worden om pannen mee schoon te krijgen. De kalebas zag eruit als een stuk verhard beige zeewier. Nu en dan hield hij met schrobben op en bestudeerde hij het stuk met gefronste wenkbrauwen, alsof hij zich erover verbaasde. Toen spoelde hij het pannetje af en sukkelde ermee naar de tafel, met gebogen hoofd en opgetrokken schouders. 'Dag grootvader,' zei Justine. 'Grootvader?'

Hij schrok en keek op. 'Hè?'

'U hoeft niet af te wassen.'

'Dan zou ik wel eens willen weten waar we vanavond van zouden moeten eten.'

'We kunnen altijd naar het cafetaria gaan,' zei Justine.

'Hmm.'

Hij droogde het pannetje aan een punt van zijn schort af. Toen zette hij het op een stapel zorgvuldig schoongemaakte en afgedroogde borden en sjokte naar de gootsteen terug. Hij liep zo voorover gebogen dat het van achteren leek alsof zijn hoofd verdwenen was. Het enige wat Justine kon zien waren zijn ronde schouders, de elastieken van zijn bretels in zijn rugholte en zijn broek hing vormeloos om hem heen alsof hij geen achterste had. Tegenwoordig trof Justine overal om zich heen treurigheid aan.

Ze had graag nog een brief aan Meg willen schrijven, maar ze had er die ochtend net een verstuurd. Dus liep ze in plaats daarvan naar Megs kamer en deed haar kastdeur open en staarde naar de rij overhemdjurken die daar een rustig gedempt eigen leven leken te leiden. Meg schreef in haar brieven dat ze de rest van haar spullen spoedig zou komen ophalen, of dat haar ouders die mee konden nemen wanneer ze op bezoek kwamen. Maar Justine putte troost uit de achtergelaten dingen en zou het erg vinden als de kamer helemaal leeggehaald was. Ze ademde Megs luchtje diep in: Lux Toiletzeep en pas gestreken katoen. Ze liet haar hand over een van de jurken glijden, die zo prachtig en keurig gestikt was en lichtte toen de deksel van de naaimachine op om Megs vaardigheid met zo'n ingewikkelde roterende machine te bewonderen. Ze zou ook laden hebben geopend, maar Meg stond er op dat men haar privacy respecteerde.

Toen Meg een baby was, had Justine zich voor het eerst gerealiseerd dat mensen dood konden gaan. Ze had zich plotseling zwak gevoeld onder de verantwoordelijkheid van het grootbrengen van een dochter. (In die tijd was ze van plan dat perfect te doen; ze dacht dat niemand anders ertoe in staat was.) Ze ontwikkelde zo'n ongegronde angst voor brand dat ze er niet eens met Duncan over praatte, want die zou haar zeker uitgelachen hebben. Steeds weer dacht ze de zoutige geur van rook op te snuiven of een rode gloed te zien flikkeren op de muur. Als Duncan thuis was, dan zou hij hen overal uit kunnen redden, maar hoe moest dat als het overdag gebeurde en hij op zijn werk was? Zelf was ze zo jong en mager en ongeschikt. Toen ontwikkelde ze langzamerhand een ontsnappingsplan. Ze woonden in die tijd in het appartement boven de garage van oom Ed Hodges. Als er vuur uitbrak, dan kon ze de baby snel grijpen en op de vensterbank buiten de keuken klimmen en van daar uit een lange wanhopige sprong maken naar het afdak boven de veranda van oom Ed. Toen ze dit eenmaal had bedacht, ontspande ze zich en uiteindelijk raakte zij haar angst geheel kwijt. Pas jaren later, toen zij weer eens bij oom Ed op visite waren, zag ze dat zo'n sprong krankzinnig zou zijn geweest. Het was niet alleen te ver, maar ook nog omhoog. Ze zou door de lucht hebben moeten vliegen als een surrealistische figuur op een schilderij van Chagall, met haar voeten netjes tegen elkaar aan en de baby stijfjes in haar armen gekneld. Maar in die dagen was ze tot alles in staat. Ze was zo onmisbaar. Zelfs toen Meg nog een peuter was geworden en van borstvoeding af was en toen van haar schoot af en op het laatst zelfs in een andere kamer ging spelen, moest Justine er nog *zijn*. Zij moest voor voedsel zorgen, speelgoed repareren, en een eindeloze stroom aankondigingen aanhoren. 'Mama, mijn jurk is vuil, Sammy heeft me geslagen, de viooltjes zijn uitgekomen. Mama er zit een spin in mijn chocolademelk, een mot in het bad, een lieveheersbeestje op de hor. Ik heb buikpijn. Ik heb een muggebeet en het jeukt. Janie heeft een hamster, Edwin zit aan de asperges, ik heb het handvat van mijn theepot gebroken, Melissa heeft een muziekdoosje waar je doorheen kunt kijken.' Justine knikte, terwijl ze nauwelijks luisterde; het enige antwoord was, 'Ja, schat.' Dan was Meg tevreden, alsof de dingen pas bestonden wanneer ze er zeker van was dat Justine ervan af wist. En nu? Justine had haar dochter grootgebracht zonder te sterven, uiteindelijk; nu was ze van haar angsten af. Maar 's nachts werd ze treurig en trillend wakker en dan drukte ze haar gezicht tegen Duncans borst en zei: 'Ik ben overbodig geworden.'

'Voor mij niet,' zei hij.

Hij begreep niet wat ze bedoelde. Hij had dat gevoel van onontbeerlijk te zijn voor Meg niet gekend; hij besefte niet wat het was om dat te verliezen.

Ze doolde door andere kamers, en die van Duncan en haar met het onopgemaakte bed en de rondslingerende kleren, de gang, waar ze over een stapel hout struikelde. Alles zag er stoffig en oud uit. Ze hing uit het raam van de woonkamer en werd tot leven geroepen door Ann-Campbell die een speelvriendje tussen de komkommerstruiken zat te pesten:

Pak me dan, als je kan
je kan me toch niet krijgen.

Ze ging wat opgewekter naar de keuken terug. 'Grootvader, zullen we een tochtje maken?'

'Een wat?'

'Een tochtje.'

'Maar we hebben op het moment geen nieuwe aanwijzingen, Justine.'

'Waarom zouden we op aanwijzingen wachten? Och, waarom gebeurt er toch niets? Moeten we hier zomaar blijven zitten? Moet ik soms wortel schieten op de sofa?'

Haar grootvader keek haar nietszeggend aan, met wijdopen ogen, terwijl hij grondig een Exxon koffiemok afdroogde aan een punt van zijn schort.

Justine ging met haar grootvader naar een middagconcert in Palmfield, hoewel ze niet van klassieke muziek hield en haar grootvader er niets van kon horen. Ze zaten recht voor zich uit te staren naar de aftekening van de autosleuteltjes in de broekzak van de violist. Toen gingen ze met de bus naar huis, Justine ontevredener dan ooit, verveeld en weemoedig. Iedere keer dat er iemand opstond om uit te stappen, speet haar dat. Wie kon weten op wat voor manier hij haar leven had kunnen beïnvloeden?

Ze nam Duncan, haar grootvader en Ann-Campbell Britt mee naar de begrafenis van de chihuahua van een oude klant. '*Wat? Waar* gaan we naartoe?' vroeg haar grootvader voortdurend. 'Maakt u zich niet ongerust, gaat u maar gewoon mee,' zei Justine. 'Wat doet het ertoe. Pak uw gehoorapparaat maar en ga mee, grootvader. Als u wilt dat er iets gebeurt, dan moet u ook eens zonder vragen meegaan, hoor.'

Dus was hij grommend mee gegaan en zaten ze op vouwstoeltjes in een stuk weiland dat kortgeleden was veranderd in een kerkhof voor huisdieren. 'Het kistje kostte honderdvijfenveertig dollar,' fluisterde Justine tegen Duncan. 'Het is helemaal van metaal gemaakt. Maar ze hadden ook genoegen kunnen nemen met hout: tweeëndertig achtennegentig. Dat heeft mevrouw Bazley me verteld. Ze heeft zelf de gezangen uitgekozen. De predikant is echt ingezegend.'

'Oh, uitstekend,' zei Duncan. 'Ik vraag me af of hij een assistent nodig heeft,' en na de dienst stapte hij op de predikant af en gaf hem het adres van Arthur Milsom. Maar grootvader Peck dwaalde rond tussen de kransen en urnen en keek onthutst. Waarom hadden ze hem hierheen gebracht? Justine wist het ook niet meer. Op de terugweg zat ze zwijgend naast Duncan en zwaaide heftig met haar voet en kauwde op koffiebonen, die ze tegenwoordig in een afgesloten blikje onderin haar rieten tas met zich mee droeg.

Op zondags reed ze met grootvader naar Plankhurst om een Quakerdienst bij te wonen, waar ze vroeger onderuit probeerde te komen omdat ze niet zo lang stil kon zitten. Maar nu ging ze overal heen. Grootvader Peck was natuurlijk geen Quaker, maar hij was gebelgd over gewone kerkdiensten omdat hij volhield dat de dominee niet vrijuit sprak. Hij voelde zich buitengesloten, zei hij. Zelfs Quakers kregen het soms in hun hoofd om mompelend op te staan en op perverse manier hun gezichten af te wenden zodat hij niet kon liplezen. Dan fluisterde hij, 'Wat? Wat?' – een scherp zagend geluid dat door de lucht gierde. Justine moest alles voor hem opschrijven op een bloknoot dat hij in zijn borstzak had. Dan zat Justine het dopje van zijn ballpoint in en uit te klikken en wachtte tot de toespraak van vijf minuten klaar was en toen schreef ze op, 'Hij zegt dat God zelfs een man als Nixon moet hebben geschapen,' of 'Er is geen vrede op aarde mogelijk zolang buren nog steeds met elkaar ruziëen over een maaimachine.'

'*Daar* heeft hij vijf minuten over gedaan?'

'Sst.'

'Maar waarom bewoog zijn mond dan zo lang?'

'Sst, grootvader, later.'

'Je moet iets vergeten hebben,' zei hij tegen haar.

Dan gaf ze de pen aan hem terug en zijn bloknoot en slaakte een zucht en keek ze op de Seth Thomas klok op de schoorsteenmantel en liet haar ogen nog eens gaan over de rijen stralende volwassenen en onrustige kinderen, die keurig rechtop op de houten banken zaten. Na twintig minuten mochten de kinderen weg en ze stonden op als vrolijke piepende muizen die de rattenvanger-leider van de First-Day school achterna gingen en in een storm van gefluit en geschreeuw en stampende voeten uitbraken voordat de deur goed en wel weer dicht was. Ze dacht altijd dat ze met hen mee zou moeten gaan. De stilte die erop volgde was diep genoeg om in te verdrinken. Dan dook ze wanhopig in haar rieten tas, ruisend en rinkelend, en diepte haar blikje met koffiebonen op. Toen ze begon te kauwen vulde ze het vergaderlokaal met de geur van ontbijt.

Een keer schreef haar grootvader zelf iets op het bloknoot, verscheidene zinnen in een haastig spichtig handschrift, en gaf het aan haar. 'Lees dit voor wanneer niemand anders aan het woord is,' fluisterde hij. Ze kwam moeizaam overeind en hield haar muts vast. Tenminste iets om de stilte te verbreken. 'Mijn grootvader wil dat ik dit voorlees,' zei ze. 'Ik dacht vroeger dat de hemel – kostelijk? Vorstelijk was. Er werd mij verteld dat de toegangspoort met parels bezet was en dat de weg erheen met goud geplaveid was. Maar nu hoop ik dat dat niet zo is. Ik zou liever hebben dat de hemel een klein stadje was met een muziektent in het park en een heleboel bomen en dat ik er iedereen zou kennen en dat niemand van hen ooit dood zou gaan of verhuizen of ouder worden of veranderen.'

Ze ging weer zitten en gaf het bloknoot terug. Ze nam het deksel van haar koffiebonenblikje maar deed hem er gelijk weer op en hield het in haar handen terwijl ze kalm uit het raam naar de zonverlichte bomen tuurde.

Op een middag eind mei werd er aan de deur gebeld en trof Justine, die er op afgevlogen was, Alonzo Divich aan op de veranda. Hoewel het heet was, had hij een schapewollen vest aan. Hij had een cowboy hoed in zijn hand, die hij aan een smerig draadje liet zwaaien. 'Alonzo!' zei Justine.

'Ik was bang dat je weer verhuisd zou zijn,' zei hij tegen haar.

'Oh, nee hoor, kom binnen.'

Hij liep achter haar de gang in en deed de vloer bij elke stap schudden. Grootvader Peck zat op de bank in de woonkamer een brief aan zijn dochters te schrijven. 'Blijft u maar zitten,' riep Alonzo naar hem, hoewel de grootvader nog stevig zat en hem aankeek op een geshockeerde, ongelovige manier, zoals hij altijd naar Alonzo keek. 'Hoe gaat het met uw hart?' vroeg Alonzo. 'Hoe gaat het met uw hart?'

'Smart?'

'Er is niets aan de hand met zijn hart,' zei Justine. 'Ga mee naar de keuken, Alonzo, als je wilt dat ik de kaarten lees. Je weet dat ik het hier niet kan als grootvader erbij is.'

Zij ruimde de resten van het ontbijt op, terwijl Alonzo fluitend om zich heen keek. 'Je kalender is twee maanden voor,' zei hij tegen Justine.

'O ja?'

'Bij de meeste mensen is hij achter.'

'Ach, ja.'

Ze ging naar de woonkamer om haar tas op te halen. Toen ze terugkwam stond Alonzo bij de geopende ijskast naar een schaal beschimmelde aardbeien te kijken. 'Hoe is het met mijn vriend Duncan?' vroeg hij.

'Goed hoor.'

'Misschien loop ik wel even bij hem langs. Is Meg al uit school?'

'Ze is getrouwd.'

'Getrouwd.'

'Ze is weggelopen met die dominee.'

'Wat erg, Justine.'

Hij deed de ijskast dicht en ging aan tafel zitten en keek toe hoe zij de kaarten schudde. Hij zag er moe en verhit uit en de groeven aan weerszijden van zijn snor waren zilverachtig van het zweet. Een schijf met Arabische letters glansde in de opening van zijn overhemd. De vorige keer had hij een turquoise kruis om gehad. Ze vroeg niet waarom; hij zou toch geen antwoord hebben gegeven.

'Alonzo,' zei ze alleen maar, 'je hebt er geen idee van hoe fijn ik het vind om je weer te zien. Coupeer maar, alsjeblieft.' Hij coupeerde de kaarten. Ze legde ze een voor een neer. Toen keek ze op. 'En?' vroeg ze.

Alonzo zei: 'Weet je dat ik de laatste keer je advies heb opgevolgd?'

'Echt waar?'

'Je zei toen dat ik mijn zaakje niet moest verkopen.'

'Oh ja. Nou, dat mag ik hopen,' zei Justine.

'Het was de eerste keer dat je ooit hebt gezegd dat ik door moest gaan met iets waar ik al mee bezig was.'

Ze hield op met het zwaaien van haar voet.

'Maar ik was sterk in de verleiding om je niet te gehoorzamen,' zei hij tegen haar. 'Dat geef ik toe. Ik ben naar mijn vriend gestapt, die handelaar. Die heeft klanten, begrijp je, bij warenhuizen en zo, en die komen bij hem om ideeën voor... nou, in ieder geval, ik zei dat ik wel met hem wilde samenwerken. Oh, prima, zegt ie tegen me. Maar dan begint hij voor te stellen dat ik andere kleren ga dragen. Nou, daar kan ik wel in komen. Ik ben praktisch, ik weet hoe de wereld in elkaar zit. Maar hij niet, zie je, hij probeert me steeds maar te overtuigen. Neem het van mij aan, Alonzo, zegt hij, we moeten allemaal water bij de wijn doen. Neem mij nu. Ik ben groot, zegt hij. En dat is hij ook, een knappe, lange man. Nou, zegt hij, weet je wat ik doe als er belangrijke klanten komen? Dan blijf ik zo lang mogelijk zitten, en als ik opsta dan krimp ik een beetje in elkaar. Ik *buk* niet, zegt ie, dat ligt er te dik op. Ik zak alleen maar een beetje door m'n knieën, begrijp je. Maar je weet gewoon dat een klant, een belangrijke kerel, het niet prettig vindt als er iemand hoog boven hem uitsteekt. Op zulke dingen moet je letten, Alonzo.'

Hij schudde zijn hoofd en draaide zijn grote zilveren ceintuurgesp naar een kant zodat hij niet zo in z'n maag porde.

'Justine,' zei hij, 'weet je dat ik nog nooit eerder heb gedaan wat je me hebt aangeraden?'

'Dat verbaast me niets,' zei ze.

'Echt waar. Je hebt altijd gelijk, maar alleen omdat ik tegen instructies in ga en alles slecht gaat zoals jij voorspelt. Nu heb ik ontdekt dat het toch slecht gaat. Is dat je geheim? Ben ik er achter gekomen, hè? Je geeft mensen advies waarvan je zeker weet dat ze het toch niet zullen opvolgen. Heb ik gelijk?'

Ze lachte. 'Nee, Alonzo,' zei ze. 'En ik ben blij dat je de kermis niet hebt verkocht. *Wat* er dan ook verder verkeerd is gegaan.'

'Ze hebben mijn monteur gearresteerd.'

'Lem?'

'Hij heeft in negentiennegenenzestig een bank beroofd. *Zeggen* ze.'

'O, jee.'

'Nou, dit is wat ik wil weten. Komt hij weer terug, of niet? Ik bedoel maar, als hij weer gauw terug komt dan zorg ik wel dat die toestellen op een of andere manier blijven draaien en dan wacht ik wel af, maar aan de andere kant, als hij schuldig is –'

'Maar ik geloof niet dat ik kan zeggen of iemand wel of niet schuldig is.'

'Hoor 's! Wat kan schuld mij nou schelen? De schade was maar tweehonderd gulden, laat hij die maar houden. Verder was er nog een kwestie van schieten. Ik wil weten hoe het met mijn *zaak* verder moet. Ik wil weten of ik het moet opdoeken, want om je de waarheid te zeggen was deze vent Lem een man waar ik op rekende. Hij zorgde overal voor. In de handel ga ik niet, maar er is altijd wel wat anders, en de vrouw met de jodhpur wil nog steeds mijn kermis hebben. Zal ik de hele zaak toch maar verkopen? Komt die man nooit meer terug?'

Justine keek fronsend naar een kaart.

'Je ziet hoever het mij is gekomen, Justine,' zei Alonzo. 'Vroeger wou ik je advies hebben over mooie vrouwen. Nu zijn het geldzaken.'

'Nou, Lem komt niet terug,' zei Justine.

'Ik wist het wel.'

'Maar je moet de kermis niet verkopen.'

'Hoe kun je zoiets stoms blijven zeggen?'

'Met mij moet je geen ruzie maken, maak maar ruzie met de kaarten. Heb je ooit zoiets gezien? Alle boeren in het spel zijn boven gekomen, je kunt alle monteurs krijgen die je maar wilt.'

'Natuurlijk ja,' zei Alonzo, 'de een na de ander. De eerste is aan de drank, de tweede gaat er met mijn ponies vandoor –'

'En kijk eens naar de vrouwen! Kijk, Alonzo, je let niet op. Zie je wel? Hartenkoning. En hartenvrouw, klavervrouw, ruitenvrouw...'

Alonzo zat voorover naar de kaarten te loeren met zijn handen op zijn knieën.

'Hier is een gelukskaart, een vriendschapskaart, de feestkaart...'

'Goed dan, *goed* dan!' zei Alonzo.

Ze leunde achterover en glimlachte naar hem.

'Oh, Justine,' zei hij treurig tegen haar, 'soms denk ik dat ik in een hutje in het bos zou willen wonen, helemaal alleen. Dan zou ik een voorraad slibowitz meenemen, genoeg voor mijn hele leven, mijn accordeon, voldoende te eten, misschien wat boeken. Weet je dat ik nog nooit een boek helemaal uitgelezen heb? Alleen de goede gedeeltes. Dan denk ik dat ik als een beer een winterslaap ga houden, alleen maar eten en drinken en slapen. Geen belasting, geen verzekering, electriciteitsrekeningen, alimentatie, reparaties of schilderwerk, geen vrouwen die mijn leven verzuren, niemand die bankemployees voor hun raap schiet, geen kinderen. En dan kom jij aanzetten met je afschuwelijke muts en die twee scherpe heupen die op stenen lijken die in je zak zitten en dan vertel je me wat ik verwachten kan, een leven vol verrassingen. Hoe kan ik dat nou weigeren? Ik ben weer helemaal opnieuw nieuwsgierig, ik wil weten wat er gaat gebeuren.'

En hij schudde zijn hoofd en streek zijn snor omlaag, maar hij zag er niet meer zo moe uit als toen hij aankwam. Al zijn moeheid leek te zijn overgesprongen op Justine, die met haar handen slap op de kaarten in haar stoel zat weggedoken.

Duncan en Justine zaten op de trap voor het huis en keken naar de vuurvliegjes die om hen heen flikkerden. 'Ik heb vandaag een antieke tuinmachine verkocht,' zei Duncan.

'Wat is een tuinmachine?'

'Een groot ding op wielen om je bloemen mee te besproeien. Wat een opluchting! Ik had hem op een zwak moment met mijn eigen geld gekocht. Hij bleef maar in de achterkamer staan; ik moest de dubbele deuren opendoen om hem erin te krijgen en ik was bang dat hij door de vloer zou zakken. Ene Newton Norton heeft hem gekocht. Hij is net begonnen met het restaureren van een oude boerderij ergens verderop.'

'Nou, dat is leuk,' zei Justine.

'Hij heeft ook een zethamer gekocht en al mijn timmergereedschap.'

'Wat leuk,' zei Justine.

Hij keek naar haar.

'Toen ik naar Megs kamer ging,' zei ze, 'en dat briefje vond waarin ze zei dat ze weggelopen was, ik had nog nooit iets gelezen dat zo'n pijn deed. Maar toen keek ik op en zag mijn spiegelbeeld in het raam want het was net donker. Er stonden van die diepe donkere schaduwen onder mijn jukbeenderen. Toen dacht ik, "Wat zie ik er interessant uit. Net als iemand die zojuist iets heel *dramatisch* heeft meegemaakt.' Dat dacht ik echt!'

Ze legde haar gezicht tegen de mouw van Duncan. Duncan legde zijn arm om haar heen en drukte haar dichter tegen zich aan, maar hij zei niets.

ELF

Lucy Peck moest op de dodemansplaats zitten, naast haar man Twee, die reed. Laura May en Sarah mochten achterin zitten.

Lucy moest de hete lucht die door Twee's open raampje naar binnen waaide voor lief nemen en de harde Mantovani op de radio. - Zij moest zeggen welke weg ze moesten inslaan terwijl ze nog niet eens een kaart behoorlijk kon *opvouwen*, laat staan lezen. 'Nu moet je zo meteen linksaf, ongeveer een centimeter na Seven Stone Road. Of, ik weet het niet hoor. Wat zou een piepklein blauw stippellijntje betekenen?' Haar echtgenoot had zijn voortanden heel voorzichtig op elkaar gezet, helemaal geen goed voorteken. Een bromvlieg vloog langs zijn neus naar binnen, waarop Lucy een gil slaakte en haar landkaart in de lucht gooide.

En daar zaten Laura May en Sarah vredig achterin, beschermd door uit verschillende lagen samengestelde hoeden met bruine voiles, ieder met hun eigen uitzicht, als kinderen die meegenomen worden op een ritje.

Het was zes juni en ze waren op weg naar Caro Mill, Maryland, om de negentigste verjaardag van hun vader te vieren. Ongelukkigerwijs viel zijn verjaardag dit jaar op een woensdag, hetgeen betekende dat de mensen die werkten niet mee konden gaan. En Bea moest het bed houden met pijn in haar rug. Zij moesten het opknappen: Lucy en de ongetrouwde tantes, en Twee, die nu met pensioen was. Ze hadden met z'n allen de auto opgeladen met cadeaus en fruit, een thermosfles met cafeïnevrije koffie, het borduurwerk van Laura May, het breiwerk van Sarah, insektenverdelger, zonnebrandolie, asperine, Rennies, een reisbeschrijving, een trommeltje met bandenplak spullen, een brandblusser, zes vuurpijlen en een wit spandoek waarop stond RED ONS. Ze hadden de benzine, de olie, het water, de remvloeistof, de versnellingsbak, de bandendruk en de vloeistof om de voorruit mee schoon te maken laten na kijken door de Texaco-monteur. Toen had Twee de neus van de auto het verkeer ingestoken en waren ze op weg, terwijl er zó achter hen getoeterd werd dat het Lucy aan het stemmen van een orkest deed denken. Jonge mensen waren vandaag de dag zo ongeduldig. Gelukkig was Twee er de man niet naar om van zijn stuk te raken en hij reed in hetzelfde statige tempo verder. Hij was op zijn oude dag wat gekrompen en leek nog kleiner door de manier waarop hij zijn hoofd achterover hield terwijl hij door de voorruit tuurde. Zijn ogen waren net dunne blauwe streepjes. Zijn mond werd door twee koorden in zijn nek omlaag getrokken. Wanneer hij besloot linksaf te slaan maakte hij een gebiedend gebaar uit het raampje en hield zijn gezicht recht vooruit, zodat Lucy zijn koele Apache-profiel kon bewonderen, terwijl achter hen het getoeter weer begon. 'Wees zo vriendelijk om de kilometerstand op te nemen, Lucy,' zei hij. 'Ik zou graag willen weten hoe zuinig de auto rijdt op deze tocht.'

'Ja, schat.'

Toen ze eenmaal de stad uit waren werden ze verblind door de hoeveelheid zon en de uitgestrektheid van de velden. Het was lang geleden dat ze buiten waren geweest. (Een jaar geleden, om precies te zijn.) Lucy verlangde naar haar waaierfauteuil waarin ze bijna omcirkeld was, met de waaiers functionerend als de oogkleppen van een ezel zodat ze zich helemaal kon storten op haar nieuwe historische roman. De stoel was bekleed met geborduurd satijn, waar ze graag verstrooid met haar hand overheen gleed terwijl ze aan het lezen was. Ook stonden haar 'Sea Foam' rozen in de tuin op het punt om uit te komen; er waren er dit jaar meer dan ooit tevoren en ze moest een hele dag van hun bloei ontberen. En het was zo veel koeler en groener thuis, zo schaduwrijk, zo dik bebost dat buiten je stem teruggekaatst werd, helder en dichtbij, alsof het werd weerkaatst door een gewelfd groen plafond niet ver boven je hoofd. Hier werd alles vaal door de zon. Rose schuren snelden voorbij en gebleekte grijze bermen en beige stroompjes waarover houten brug-getjes waren gespannen die eruit zagen als verdroogde, wituitgesla-gen botten. Lucy draaide zich om en keek naar haar schoonzusters – een dubbel paar afwezige ogen die onwillig naar haar keken. 'Van reizen word ik echt treurig,' zei Lucy tegen hen. Maar ze gaven geen antwoord (Lucy zei altijd van die *persoonlijke* dingen), dus keek ze weer voor zich uit.

Bij Plankhurst kwam er een heel verwarrend kruispunt en ze stuur-de Twee dertien mijl de verkeerde kant op voordat de fout werd ont-dekt. 'O, het spijt me zo – ik kan je niet zeggen hoe erg ik het vind,' zei ze. Twee kreunde. Op de achterbank gaven haar schoonzusters haar teleurgestelde blikken waar ze wel van kon huilen. 'Ik doe alles ver-keerd lijkt het wel,' zei ze. Niemand sprak haar tegen.

Twee uur nadat ze uit Baltimore vertrokken waren begonnen ze borden voor Caro Mill tegen te komen, hoewel het leek alsof ze nog steeds op het platteland waren. De enige gebouwen waren boerde-rijen, die op grote afstand van elkaar stonden, en van tijd tot tijd een kruidenierswinkeltje met flarden van frisdrankadvertenties. Toen reden zij een heuvel over en daar lag het stadje voor hen uitgespreid, een samenraapsel van rommelige gebouwen. Ze hadden jaren achtereen door net zo'n Main Street gereden, maar iedere keer in een andere plaats. Ze waren langs precies een zelfde Woolworth's gekomen, net zo'n cafetaria, pizzatent, textielzaak waar verscheide-ne rollen stof waren uitgestald die grijs aan de rand waren gewor-den. Toch ging Lucy rechterop zitten en begon de kantjes aan haar hals te fatsoeneren. Twee plette zijn dunne witte haar en achterin begon het geruis en gefluister. 'Oh, ik hoop maar dat vader de ca-deaus mooi vindt.' 'Help me herinneren om aan vader te vragen of hij –' Maar Duncan was degene aan wie Lucy dacht, helemaal niet aan haar schoonvader. Voor Duncan had ze dit hoedje gekocht (zou hij alleen de houten kersen erop niet – ouwewijverig vinden?) en had ze blosjes rouge aangebracht en haar achttien-uur-corset aan-getrokken en haar zondagse parels omgedaan. (Maar nu ze eraan dacht, had hij de familie niet altijd uitgelachen om hun voorkeur voor parels?) Ze draaide haar ringen om en om. 'Misschien is hij niet thuis,' zei ze.

'Wie?' vroeg Twee, hoewel hij natuurlijk best wist wie ze bedoel-de.

'Het is een doordeweekse dag. Hoewel Justine zei dat hij tussen de middag thuis eet. Maar misschien vandaag niet. Ik bedoel, die ene keer —'

Een van de keren dat zij op bezoek waren geweest, was hij uit vissen met een vriend. Een *loodgieter*, of zoiets. Een andere keer had hij de hele tijd door het huis heen geijsbeerd met een koptelefoon op aan een lange draad, luisterend naar een honkbalwedstrijd. Je kon alleen weten hoe beledigend dat was als je wist dat Duncan niet van sport hield en bijna alles liever deed dan luisteren naar een sport-uitzending. '*Een* keer –' zei ze, maar de stem van Twee sloeg er als een zweep tegenin.

'Hou maar op,' zei hij. 'Waar heb je Justine's brief?'

'Brief?'

'Haar *brief*, Lucy. Waarin ze schreef hoe we hun huis konden vinden.'

'Oh. Oh, nou, ik –'

Ze herinnerde zich plotseling dat ze hem thuis op het buffet in de eetkamer had laten liggen, maar dat wilde ze niet erkennen.

'Nou, ik heb hem hier ergens,' zei ze door haar tasje woelend.

Twee slaakte een lange zucht. Hij ging langzamer rijden en gebaarde uit het raam en maakte een dikke dame aan de kant van de weg aan het schrikken. 'Neemt u me niet kwalijk,' zei hij. 'We zoeken Watchmaker Street. Nummer eenentwintig.'

'Oh, *Justine*,' zei de dame.

Iedereen kromp ineen. Justine's naam werd altijd zo te pas en te onpas genoemd. Als gemeenschappelijk bezit.

'Nou, dan moet u bij het volgende stoplicht linksaf,' zei ze, 'en dan weer de derde straat linksaf. Dat is Watchmaker Street.'

'Dank u wel.'

Hij draaide het raampje helemaal dicht.

Nu waren ze stil en concentreerden zich op het uitzicht en vroegen zich af wat voor soort huis ze zouden aantreffen. Ze hoopten voor een keer iets fijns te zullen zien. Maar nee. Natuurlijk: daar stond het, een nietig, onooglijk ding. Er hing iets wat leek op een advertentie voor reischeques aan de hor. U BENT VER VAN HUIS, stond er op, OP ONBEKEND TERREIN... Maar toen kwam Justine naar buiten gevlogen, op blote voeten, in een jurk met een scheve zoom. 'Oom Twee!' riep ze uit. 'Tante Lucy! Jullie zijn er!' ze omhelsde hen – sommigen zelfs twee keer. Ze riep haar grootvader, die het natuurlijk niet hoorde. Ze hielp Laura May en Sarah het gammele trapje op naar binnen om hem te zoeken, en toen rende ze weer naar buiten om Twee en Lucy te helpen met uitladen. 'Duncan komt zo,' zei ze. 'Hij komt eten. Oh, kijk eens! Dit cadeau is van tante Bea, ik zie het aan het papier. Wat een prachtige strik!' Maar toen liet ze het uit haar handen vallen. Gelukkig zat er niets breekbaars in. Lucy had zich vaak afgevraagd of onhandigheid besmettelijk was. Justine was vroeger zo'n voorzichtige kleine meid geweest. 'Ik heb Meg geschreven om haar ook uit te nodigen, maar ze zit voor het eindexamen,' zei Justine. 'Het lijkt wel of deze verjaarsfeestjes ieder jaar kleiner worden. Ze doet jullie allemaal de hartelijke groeten.'

'O, wat lief,' zei Lucy. 'Er zijn ook trouwcadeaus voor haar bij. Hebben we je al verteld dat we haar het zilveren bestek van je overgrootmoeder geven?'

Ze waren geen van allen zo tactloos om commentaar te leveren op de manier waarop Meg was getrouwd.

'Nou,' zei Twee. 'Zeg's eerlijk. Hoe gaat het met de zaak van Duncan?'

'Oh, prima, oom Twee, prima.'

'Waar doet hij ook weer in? Sieraden?'

Maar toen kwam grootvader Peck de trap af, op een vreemde gammele manier door zijn knieën knikkend, en hielden ze zich bezig met hem te begroeten. Lucy kuste zijn borstelige witte wang, Twee schudde zijn hand. 'Hartelijk gefeliciteerd!' schreeuwde Lucy.

'Is er iets verkeerd?'

'Gefeliciteerd!'

Hij keek haar een moment nadenkend aan. 'Oh, dank je wel,' zei hij op het laatst.

'U hoeft niet zo te schreeuwen, tante Lucy,' zei Justine tegen haar. 'Alleen maar recht op hem in praten, weet u wat ik bedoel?'

'Oh ja,' zei Lucy, hoewel ze het niet begreep. Iedere keer dat ze er waren, kwam dit ter sprake.

Toen ze eenmaal binnen waren had ze er zoals gewoonlijk moeite mee om te bedenken wat ze over het huis moest zeggen. Ze moest toch *iets* zeggen. Maar de kamers waren klein en donker.

Voor de ramen hing alleen maar een wirwar van planten die door elkaar heen groeiden, met lange lopers die over de vloer heen kropen. Er waren bij lange na niet genoeg plaatsen om te zitten. En in een van de kleine slaapkamers zag Lucy tot haar grote schrik een geheel kale matras met roestvlekken liggen, blauw-wit gestreept. Het deed haar denken aan die keer dat ze met een groepje dames van de kerk een jeugdherberg had bekeken voor hun sociale-dienst project. 'Justine, lieve schat,' zei ze, 'hebben we je gestoord bij het bedden opmaken?'

'Wat? Oh, nee hoor, ik ga vanavond met de lakens naar de wasserij.'

'Misschien kan ik je helpen met de schone lakens.'

'Maar ik heb geen andere,' zei Justine.

Lucy ging abrupt op een stoel met stalen poten zitten die uit de keuken was gesleept.

Grootvader Peck wilde zijn cadeaus nooit voor het eten openmaken.

Hij had ze op tafel gelegd en was met Twee in de woonkamer gaan zitten om over zaken te spreken. Sinds ze allebei met pensioen waren, werd het een vaag, weemoedig, tweedehands soort gesprek. 'Ik geloof dat Dan zich erg bezighoudt met die Kingham-zaak,' zei Twee. U herinnert zich Kingham toch wel?'

'Oh ja, waar ging dat ook weer over?'

'Nou, 's even kijken, ik weet het niet... maar hij zegt dat er schot in zit.'

'Mooi zo.'

Twee had wellicht nog niet met pensioen moeten gaan. Maar hij zou zich beter voelen als zijn broers hem daarin zouden volgen – Dan over twee jaar en Marcus het jaar daarop. (Achtenzestig was de leeftijd die ze hadden afgesproken.) Claude en Richard konden dan de zaak samen verder bestieren. Het was niet nodig om jezelf rechtstreeks het graf in te werken. Toch leek Twee verveeld en lusteloos te zijn, zoals hij daar in een hoek van de tot op de draad versleten bank zat weggezakt. Zijn vader zat tegenover hem te knikken. Zijn vader had zo'n hoge leeftijd bereikt dat hij een verzadigingspunt had bereikt; er waren al jaren geen nieuwe rimpels meer bijgekomen. Hij zag er niet veel anders uit dan toen hij zeventig was. Niet zo erg anders dan Twee, in feite. Ze hadden broers kunnen zijn. Zo ging het dus uiteindelijk met hen allemaal: op een soort punt van afsluiting aangekomen zaten ze op de dood te wachten, en de anderen, die later begonnen waren, zouden zich bij hen voegen. Op het eind betekende de kwarteeuw, die hun generaties verdeelde, totaal niets meer. Lucy liet haar hand over haar eigen schrale gegolfde voorhoofd gaan. Ze keek naar Twee, een knappe man die ze vastberaden Justin had genoemd in de tijd dat ze verloofd waren, maar ze had het uiteindelijk opgegeven en hem bij de naam genoemd die zijn familie gebruikte. Zij hadden gewonnen, zoals altijd. Alles was genivelleerd, er vonden geen uitersten van vrolijkheid of verdriet meer plaats, alleen nog maar routines, oeroude familienamen en plechtigheden en gewoontes, trage zorgzame oude mensen die voorzichtig om meubelstukken heen liepen die al vijftig jaar lang op dezelfde plaats hadden gestaan.

Maar net toen ze zichzelf voelde wegzakken in een moeras van wanhoop, hoorde ze Duncans lichte tred op de veranda. Ze zag hoe hij de hordeur openzwaaide – wat een lange jongen, of man eigenlijk, met die ogen die van binnenuit licht gaven en dat blonde haar dat over zijn hoge, pure onaangetaste voorhoofd heenviel. Ze stond op en streek haar rok glad en klemde haar tasje nog steviger tegen haar buik. 'Duncan, lieve schat,' zei ze. Hij gaf haar een kus, vluchtiger dan ooit, kort en licht als een regendruppel, maar ze voelde haar hart zachtjes naar boven zweven en ze was er van overtuigd dat het dit keer heel gezellig zou worden.

Justine diende gegrilde ham, aardappelen en sperciebonen op.

Iedereen stond ervan te kijken. 'Justine,' zei Twee, 'dit is heerlijk. De ham is verrukkelijk'.

'Oh, die heeft grootvader klaargemaakt.'

'Hè?'

Ze staarden haar aan. Het leek alsof ze het serieus meende. Haar grootvader was druk bezig zout op zijn boontjes te strooien en was niet te bereiken.

Als toetje kregen ze een taart met negen grote kaarsen en drie kleine erop. Lucy keek nauwkeurig toe terwijl hij aangesneden werd.

'Uit een pakje, liefje?' vroeg ze.

'Oh, nee hoor.'

'Heb je die helemaal zelf gemaakt?'

'Grootvader.'

Deze keer keek hij op. Hij keek hen verlegen, met een beetje een scheef lachje aan en sloeg toen zijn witte oogharen neer.

'Ach, grootvader Peck!' zei Lucy.

'De ham heb ik ook gemaakt,' zei hij. 'Heeft ze dat al verteld?'
'Ja.'

'En de aardappelen ook. Ik heb ze eerst gepoft, zie je, en toen uitgehold... zo stond het in Fannie Farmer. Ze worden wel eens aardappelbootjes genoemd.'

Twee keek op zijn horloge.

'De taart is wat ook wel eens een oorlogstaart wordt genoemd,' zei de grootvader. 'Er gaat veel minder boter en eieren in dan in een gewone taart, zie je. We leven per slot van rekening in verarmde omstandigheden.'

Hij leek van die laatste woorden te genieten: verarmde omstandi-heden. Lucy vond het nogal zelfvoldaan technisch klinken, alsof het om gedevalueerde valuta of obligaties ging. Heel eventjes vroeg ze zich af of hij bijna van dit leven *hield* – de armetierige huizen, bizarre vrienden, de scheiding van de familie, dit rondreizen en toe-komst voorspellen. Of hij niet bijna trots was op de vreemde om-standigheden waarin hij zichzelf bevond. Maar toen zei Sarah: 'Kunt u zich grootmoeders oranjesnippertaart nog herinneren?' en zag zijn gezicht er plotseling dun en verloren uit.

'Oh. O, nou en of,' zei hij.

'Ze maakte het beslag heimelijk in de bijkeuken, weet u nog wel? Ze zei dat ze het recept aan Sulie zou geven, maar Sulie zegt dat ze dat nooit gedaan heeft. Maar daar kunnen we natuurlijk niet al te zeker van zijn.'

'Ik vraag me af wat erin zat,' zei Justine dromerig en ze hield het mes zo lang in de lucht, dat Twee er ongeduldig van werd.

'*Toe* nou,' zei hij. Hij keek weer op zijn horloge. 'Het is tweeën-dertig minuten over een. Eten jullie altijd zo laat?'

'Meestal eten we helemaal niet,' zei Justine.

'Ik vraag het maar even, omdat we vorig jaar om twaalf uur aten. Het toetje werd even voor enen opgediend.'

'O ja?'

'Het jaar daarvoor hebben we zelfs nog vroeger gegeten.'

'Echt?'

'Is dit een nieuwe hobby van je?' vroeg Duncan aan Twee. 'Ben je van plan om een grafiek van ons te maken?'

'Om – nee. Nee, ik moet alleen de tijd in de gaten houden, zie je. Ik dacht dat de cadeaus om een uur al opengemaakt zouden zijn. Misschien kan dat voor het toetje gebeuren.'

'Maar ik had erop gerekend om eerst van mijn taart te genieten.' zei de grootvader.

Twee en hij staarden elkaar aan, een stel oude, boze mannen. 'Het is een kwestie van tijd, vader,' zei Twee tegen hem.

'Wat?'

'*Tijd!*'

'Spreek's wat harder.'

Twee kreunde.

'Het ergste is nog,' fluisterde Lucy tegen Justine, 'dat Twee nu zelf een pietseltje doof aan het worden is.'

'Dat is niet waar,' zei Twee.

'Het spijt me, schat.'

Twee greep een klein, plat pakje. 'Van Sarah,' zei hij. 'Van harte gefeliciteerd.'

Jaar in jaar uit ontving hij een waterval van overhemden en sokken en zakdoeken met monogram, allemaal in witte glimmende dozen en in prachtig papier verpakt, met satijnen strikken erop. Bij elk cadeau zei hij, 'Nou dank je wel. Hartelijk bedankt hoor,' waarna hij het weer in de doos opborg. Waarschijnlijk zou hij geen van deze dingen ooit gebruiken. Behalve natuurlijk Justine's cadeau: een verkreukeld wit zakje haverstroballetjes, waar hij echt blij mee leek te zijn, hoewel zij dat al zo lang op zijn verjaardag gaf als iemand zich kon herinneren. 'Begrijpen jullie nou hoe ze het voor elkaar krijgt?' zei hij. 'Je kunt dat spul bijna nergens meer krijgen maar ieder jaar lukt het haar weer. En duur ook nog. *Justine* koopt Luden's hoestbonbons ervoor in de plaats, maar ik vind het geen vergelijking.'

Hij stak er een in zijn mond en liet het zakje rondgaan. Alleen Justine nam er een. Verder lustte niemand ze. 'Laatste kans tot volgend jaar.' zei hij tegen Lucy terwijl hij haar bedwelmde met zijn farmaceutische adem. Lucy schudde haar hoofd.

Duncan gaf helemaal niets, en stond nooit toe dat Justine zijn naam naast de hare op het zakje haverstroballetjes zette. Hij geloofde niet in verjaardagen. Hij gaf zo maar cadeaus op onverwachte momenten, aandoenlijke cadeaus, maar niet wanneer het in de regels stond dat er een cadeau gegeven *moest* worden. En dit jaar was er van Meg ook geen cadeau. Lucy merkte het op. Nog niet eens een dasspeld of een brievenstandaard. Ze voelde een korte, ondeugende vreugde in zich opwellen: nu wist Duncan zelf hoe pijnlijk het was om een ondankbaar kind te hebben. Misschien had hij gedacht, toen

Meg wegliep, dus zo voelt het aan! Dit hebben mijn ouders moeten doorstaan! Maar toen schaamde ze zich ervoor en vond het echt jammer dat haar kleindochter op een of andere manier zo'n belangrijke gelegenheid was vergeten.

Het een na laatste cadeau was van Laura May: zoals gewoonlijk een borduurwerkje. Dit jaar een stamboom, geborduurd op puur linnen en met een houten lijstje er omheen. 'Nou, dank je wel,' zei haar vader. 'Heel hartelijk bedankt.' Maar hij legde het niet meteen neer en keek er zwijgend een lang ogenblik naar, terwijl hij het in beide handen vasthield. Het was ruitvormig. Lucy had dat nog niet eerder opgemerkt. Justin stond alleen aan het begin bovenaan, en Meg alleen aan het eind onderaan. Er tussenin was een plotselinge glorieuze verzameling kinderen, maar wat was er van hen terecht gekomen? Niets. Claude, Esther, de tweeling, en Richard stonden er allemaal op, zonder nakomelingen. (Laura May was zo tactisch geweest om er niets van Sally's scheiding en de annulering van Richards huwelijk op te zetten.) Alleen Duncan, helemaal links, de zoon van het oudste kind, en Justine, helemaal rechts, de dochter van het jongste kind, stonden met elkaar in verbinding door middel van een V waaruit hun enige nakomeling sproot op de onderste punt van de ruit. Er was geen ruimte meer over voor nog iemand onder Megs naam. Lucy schudde haar hoofd. 'Maar,' zei Justine, 'misschien krijgt Meg wel zes kinderen en begint het allemaal weer van voren af aan!'

Misschien wel. Lucy zag in haar gedachten de ruitvorm eindeloos herhaald, als een ontwerp op de zoom van een deken. Maar de gedachte maakte haar niet vrolijker.

Toen was het laatste cadeau aan de beurt, een gigantische doos van een kubieke meter. De kaart was ook de grootste. Dat moest wel. *Van harte gefeliciteerd en nog vele jaren van uw zoons Justin II, Daniël Jr. , en Marcus.*

'Nou zeg,' zei grootvader Peck.

Twee begon te gniffelen. Het was een surprise.

Eerst gestreept papier, toen een witte doos. Daarin een iets kleinere doos, dan fleur-de-lis papier om nog een doos heen, dan nog een, en nog een en nog een...

Grootvader Peck raakte in verwarring. Bergen van lint en vloeipapier rezen om hem heen. 'Wat is dit allemaal?' vroeg hij steeds maar. 'Wat is... ik begrijp er niets van.'

'Blijft u maar doorgaan,' zei Twee.

Hij was met zijn broers een hele avond bezig geweest met het inpakken ervan. Het waren normaal gesproken geen mannen met een gevoel voor humor, maar terwijl ze bezig waren met de ene doos in de andere te passen op de eettafel van Lucy, hadden ze als schooljongens zitten grinniken en Lucy had erom moeten glimlachen. Ze lachte nu ook, om Twee's gezicht, dat helemaal samengeknepen was om het lachen in te houden. 'Ga door, ga door,' zei hij aldoor.

Een hoedendoos waar een schoenendoos in zat, waar een schrijfpapier doos in zat, waar een kaartspeldoos in zat, waar een luciferdoosje in zat. En uiteindelijk het cadeau zelf, ingepakt in wit papier. Twee lachte zo hard dat zijn ooghoeken er vochtig van werden. 'Het is een grap,' legde hij aan Duncan uit. 'Zie je?'

'Typisch,' zei Duncan.

'Nee, zie je, ze deden het ook op een feestje van kantoor toen Dans secretaresse ging trouwen. Toen hadden ze een piepklein cadeautje in een enorme doos ingepakt, om je gek te lachen.'

'Het zou nog leuker geweest zijn als ze een heel groot cadeau in een *heel klein* doosje hadden gepakt,' zei Duncan.

'Nee, zie je –'

Grootvader Peck verwijderde het plakband van het geringe stukje papier. Hij vouwde het zorgvuldig open, maar vouwde het deze keer niet op om het weer opzij te leggen. Misschien omdat het zo klein was. Misschien omdat hij er zo onthutst was: zijn cadeau was een visitekaartje.

' "Worth en Everjohn, Inc.",' las hij voor. "Voor uw persoonlijk onderzoek. 19 Main Street, Caro Mill, Maryland. Zoekt u iemand of iets? Wij staan voor niets. Alles onder de strengste geheimhouding…" Hij keek Twee aan. 'Ik begrijp niet helemaal waar het om gaat.' zei hij.

Maar in plaats van hem antwoord te geven, stond Twee op en verliet de kamer. Ze hoorden hem de hordeur open doen. 'Komt u maar!' riep hij.

De man die hij met zich mee bracht leek op Abe Lincoln, met inbegrip van het smalle baardje langs zijn kaken. Hij had een zwart pak aan, een gesteven wit overhemd en een veterdas. Hij was waarschijnlijk in de dertig, maar door de vermoeide, hongerige uitdrukking op zijn gezicht leek hij ouder. Er liepen stroompjes zweet over zijn voorhoofd naar beneden. Je kon zijn polsslag in de holte van een van zijn wangen zien. 'Sorry dat ik u zo lang heb laten wachten,' zei Twee. 'U zult het wel warm hebben.'

'Och, ik had toch niets beters te doen.'

'Vader, dit is de heer Eli Everjohn,' zei Twee.

De heer Everjohn stak zijn hand uit, waar buitengewoon veel botten in leken te zitten. Grootvader Peck staarde hem in het gezicht. 'Ik begrijp het niet,' zei hij.

'Uw verjaarscadeau, vader.'

'Oh, natuurlijk', zei Duncan tegen niemand in het bijzonder. 'Ik ben verbaasd dat ze de man zelf niet hebben ingepakt.'

'Nou, daar hebben ze wel over gedacht,' zei Lucy tegen hem.

'Vader, meneer Everjohn is detective,' zei Twee.

'Ja?'

'Hij spoort mensen op.'

'Ja, natuurlijk,' zei grootvader Peck. Hij wachtte geduldig af, klaar om te lachen zodra hij de clou door had.

'Hij gaat oom Caleb voor u opsporen.'

'Hoezo?'

'Ziet u, Dan, Mark en ik hebben ons geld bij elkaar gelegd en hem voor u in dienst genomen. We dachten, waarom kan dit nu niet eens geregeld worden? Ik bedoel, vaststellen voor altijd, dat oom Caleb... Ik bedoel, u schiet zelf niet erg op, vader. Nu hoeft er niet meer op geld gelet worden. We hebben een man uitgezocht die hier in de buurt woont, zodat u hem in de gaten kunt houden en hem kunt helpen als het nodig is en het geeft niet hoe lang hij erover doet, wij betalen de rekening. Begrijpt u? Dat is ons cadeautje aan u. Hartelijk gefeliciteerd.'

Zijn vader staarde hem aan.

'Heeft u het niet verstaan?' vroeg Twee.

'Maar ik zie niet...'

De hand van de heer Everjohn bleef bewegingsloos uitgestrekt. Je zou denken dat hij dit iedere dag meemaakte.

'Ik denk niet dat ik hulp nodig heb, maar bedankt voor de moeite,' zei grootvader Peck tegen hem.

'Maar vader! Het is uw verjaarscadeau.'

'Dan moet hij zelf weten of hij het weigert of niet,' zei Duncan.

'Hou je er buiten, Duncan.'

Duncan stond op en liep om de tafel heen. Hij schudde de hand van meneer Everjohn. 'Ik geloof,' zei hij, 'dat mijn grootvader liever zelf zoekt.'

'Jazeker, *vijftien jaar* lang al!' schreeuwde Twee.

Het was niets voor hem om te schreeuwen. Maar zelfs zijn zusters, die hun fladderende handen naar hun oren brachten, konden het hem niet kwalijk nemen. Het was allemaal de schuld van Duncan, een of andere bacterie die hij verspreidde. 'Twee, schat toch,' zei Lucy tegen hem, en hij sprak meteen zachter.

'Oh,' zei hij, 'je hoeft niet te denken dat ik niet weet waarom je hem hier laat wonen, Duncan. Je vindt het *leuk* om aan te zien dat je grootvader visioenen najaagt per Greyhound-bus. Maar denk nu eens een keer aan hem. Zoals het er nu voor staat, hoelang denk je dat het nog duren zal voordat hij zal slagen?'

'Een eeuwigheid waarschijnlijk,' zei Duncan. 'Maar hij is tenminste gelukkiger dan alle andere Pecks die ik ken.'

Iedereen keek naar grootvader. Hij staarde minzaam terug en liet niets blijken.

'En ik weet nog niet zo zeker of we zo nodig moeten slagen in dit geval,' zei Duncan. 'Wat zou je nu met Caleb moeten beginnen? Waar zou hij passen? Na verloop van tijd zouden jullie hem toch weer moeten laten weglopen, als een vos na een vossejacht.'

'Oh, deed hij aan sport?' vroeg meneer Everjohn.

'Wat? Ik weet het niet, nee.'

'Natuurlijk niet,' zei Twee.

De heer Everjohn nam een bloknoot met spiraal uit zijn borstzak. Hij haalde het dopje van een Bic pen en schreef iets op. In de plotselinge stilte zei Justine, 'Misschien wilt u even gaan zitten.'

'Waarom?' vroeg Duncan. 'Hij blijft niet.'

En zijn grootvader zei, 'Ja, het is zo dat *Justine* en ik –'

'Dat is nou juist wat we u wilden besparen,' zei Twee tegen hem. 'Die eindeloze, vergeefse zoektochten, dwaaltochten door het hele land als een stelletje – laat het toch aan een beroepsspeurder over.' Hij wendde zich tot Duncan. 'Wat Caleb betreft,' zei hij op zachte gehaaste toon, 'ik betwijfel het ten zeerste of dat probleem aan de orde zal komen. Als je me kunt volgen.'

'Wat? Verbeeld je je dat hij dood is?'

Twee wierp zijn vader een zijdelingse blik toe.

'Jullie kunnen het niet uitstaan dat hij nog leeft en het uitstekend maakt en met *opzet* wegblijft,' zei Duncan. 'Hè? Maar hij is een

Peck en nog geen negentig jaar oud, nog maar net in de bloei van zijn leven. Ik wil met jullie om een fles whisky wedden dat hij op dit ogenblik in een bejaardentehuis naar de ShowBizz-Quiz zit te kijken.'

Grootvader Peck sloeg met zijn hand op tafel. Iedereen staarde hem aan.

'Ik heb veel van je door de vingers gezien, Duncan, maar nu ga je te ver. *Ik heb geen broer in een bejaardentehuis.*' Als hij zo'n toon tegen Lucy had aangeslagen dan zou ze ineengestort zijn en het ter plekke bestorven hebben, maar Duncan trok alleen zijn wenkbrauwen op. (En hoewel zij in zijn plaats bloosde ging er een kleine huivering door haar heen omdat niets wat deze Pecks deden hem echt scheen te raken.)

'Meneer Everjohn,' zei de grootvader, 'ik zal u alles vertellen wat ik weet en dan kunt u aan het werk gaan. Ik drink niet, maar ik wil wel graag die fles whisky van mijn kleinzoon winnen.'

Toen stond hij op en nam meneer Everjohn mee naar de zitkamer. Twee ging met hem mee, maar de anderen bleven in de keuken en tuurden naar hun stuk taart waar niemand meer trek in had. Lucy plukte haar servetje uit elkaar en vroeg zich af waar de Rennies waren. Sarah wuifde zichzelf koelte toe met een stapel pakpapier. Justine kauwde op een verjaarskaarsje en Laura May hield de stamboom vast om haar eigen borduursel te bewonderen. Alleen Duncan, die doelloos om de tafel heen liep, leek nog wat fut te hebben. Hij floot iets onherkenbaars. Hij raakte een lok haar van Justine aan terwijl hij langs haar heen liep. Over de schouder van Laura May heen keek hij naar de stamboom.

'Is het bij u opgekomen,' vroeg hij haar, 'dat er nog ergens iemand op zoek zou kunnen zijn naar Justin?'

Het liep tegen vier uur en Twee had nog steeds geen aanstalten gemaakt om te vertrekken. En hij had juist zo'n hekel aan rijden in het donker! Hij zei dat eerst alles met de detective in orde gemaakt moest worden. Lucy zag wel dat hij aan zijn keuze was begonnen te twijfelen, niet dat er veel keus *was* in een dorp als Caro Mill. Deze meneer Everjohn bleek nogal zonderling te zijn. En hoe zonderlinger hij werd hoe onverbiddelijker het gezicht van Twee stond en hoe vrolijker dat van Duncan. Justine werd uitgesproken gastvrij en bood meneer Everjohn ginger ale en taart aan. Ze zaten nu met z'n allen in de zitkamer, de tantes op een rij op de bank en de anderen op keukenstoelen, nadat ze er een voor een heengelokt waren door het gedoe. Grootvader Peck gaf meneer Everjohn de namen van iedereen die ooit bij oom Caleb in de klas had gezeten. Iedere leraar, vriend en zakenrelatie. Hoe kwam hij er aan? Toen de naam van de kerk van oom Caleb, zijn school, kapper, kleermaker, dokter, kroeg... ze had nooit geweten dat een Peck naar de kroeg ging. Maar meneer Everjohn keek er niet van op. Hij vulde zijn spiraal-schrijfblok en krabbelde onverklaarbaar lang door op onverwachte ogenblikken. Hij vroeg om een foto en stak die in zijn zak, de gelief-de foto van grootvader, en zei dat hij er een kopie van zou laten maken, maar waarom, als het een foto was van een halve eeuw gele-den? Hij luisterde naar het opnoemen van de lijst van aanwezigen op een Bijbelschool die was opgericht in de zomer van 1893 en daar-na voorgoed opgedoekt was. Hele reeksen namen liet hij aan zich voorbij gaan, maar stortte zich dan ineens op één zo'n naam en vulde er twee pagina's mee. Wat schreef hij op? Lucy zat heel recht op, maar kon niet in zijn schoot kijken.

Het was ook vreemd dat een man met een zaak zoveel uur verspil-len kon. Natuurlijk was een detective niet te vergelijken met een advocaat, of zoiets, maar je zou toch denken dat hij afspraken had en verplichtingen. Meneer Everjohn leek erop voorbereid de rest van zijn leven aan de Pecks te besteden. Hij zat er rustig bij, hield zijn scherpe knieën tegen elkaar gedrukt en zijn ellebogen dicht tegen zijn lichaam aan. Een van zijn broekspijpen zat omhoog ge-schoven en toonde een scheenbeen als een lat. Terwijl hij schreef hield hij zijn pen zo onhandig vast, dat Lucy er kramp in haar hand van kreeg. Wanneer hij een vraag stelde, was dat altijd iets wat ze totaal niet verwacht had. Bij voorbeeld of Caleb rookte, de naam van zijn vroegere gouvernante, zijn moeders verjaardag en wat voor schoenen hij meestal droeg. Hij vroeg wat Laura voor boeken las, en over het testament van Justin, over godsdienstige opvattingen en de vertektijden van schepen. Hoe vreemder de vragen waren, des te opgewondener werd grootvader Peck. Het was net als wanneer je naar de dokter ging omdat je hoofdpijn had en hij je teennagels onderzocht. Hij moest beschikken over informatie, waar nog nie-mand van had kunnen dromen! Zelfs toen meneer Everjohn naar Margaret Rose vroeg, veranderde de blik in grootvader Pecks ogen nauwelijks.

'Dat is vanzelfsprekend iets waar ik nooit over nadenk,' zei hij.

'Ik ben haar totaal vergeten.'

'Aha,' zei meneer Everjohn. Wanneer hij zijn mond opendeed werd zijn gezicht veel te lang en werden zijn wangen hol.

'Bovendien is ze weggegaan voordat Caleb is verdwenen,' zei de grootvader.

'En waar is ze heengegaan?'

Je kon een speld horen vallen.

'Naar Washington,' zei de grootvader.

'Juist ja.'

'Daar is ze gaan werken. Maar ze is gestorven.'

'Wat voor baantje?'

'Het heeft weinig zin om daar op in te gaan,' zei grootvader.

'Toch moet ik het weten, meneer Peck.'

'Uh, ze waste geld.'

'Geld.'

'Ze werkte bij het Ministerie van Financiën en waste oude bank-biljetten.'

De diepe, gehavende ogen van meneer Everjohn keken droevig de kamer rond.

'Dat is heel goed mogelijk,' zei Duncan tegen hem. 'Vroeger werden de bankbiljetten gewassen en met hars bestreken. Om ze te verstevigen. Vroeger gooiden ze niet zo snel alles weg. Ze hadden een machine die –'

'O, juist,' zei meneer Everjohn. 'Waar is ze aan gestorven?'

'Bij een brand in een kosthuis,' zei grootvader Peck.

'Woonde ze in een kosthuis?'

'Van haar ouders mocht ze niet meer thuis wonen, ziet u. In die dagen werd er van vrouwen verwacht dat ze zich beter gedroegen. Ze hebben geprobeerd haar terug te sturen naar Baltimore. Dat heeft haar vader mij geschreven.'

'Maar weet u zeker dat ze echt dood is?'

'Ze is toch begraven?'

'Ik dacht dat uw broer daar misschien heen was gegaan: naar Washington. Misschien waren ze *samen*. Is dat ooit bij u opgekomen?'

Bij Lucy wel. Maar grootvader Peck werd alleen maar ongeduldig.

'Als hij zo'n schurk was, waarom zou ik dan naar hem op zoek zijn?' vroeg hij.

'*Oh* ja,' zei meneer Everjohn, en hij leek volmaakt tevreden gesteld. Hij stopte het bloknoot en potlood weer in zijn zak. 'Nou, nu heb ik wel genoeg om mee te beginnen.'

'We stellen het zeer op prijs dat u hier gekomen bent, meneer Everjohn,' zei Twee.

'Graag gedaan.'

'Ik had niet verwacht dat we zoveel van uw tijd in beslag zouden moeten nemen, maar ik ben natuurlijk bereid om –'

'Maakt u zich geen zorgen,' zei meneer Everjohn. 'Om u de waarheid te zeggen is er in dit stadje niet veel te doen om iemand bezig te houden.' Hij tastte onder zijn stoel naar zijn hoed en stond toen op, zijn voeten zorgvuldig een voor een ontvouwend. Met een hoed op leek hij nog meer op Lincoln. De hoed was zelfs van boven een beetje vierkant en de rand was op een vreemde manier gegolfd. 'We hebben zo weinig te doen dat mijn partner en ik elkaars vrouw moeten schaduwen om te oefenen,' zei hij.

'U meent het,' zei Twee.

'Ik heb ontdekt dat het leven van een vrouw vreselijk saai is. De vrouw van mijn partner koopt tandpasta in de ene winkel en een tandenborstel in de andere winkel, zodat ze twee aparte uitstapjes heeft.'

'Nou, u zult nu wel weer moeten opstappen,' zei Twee.

'Maar *mijn* vrouw zit op *les*. Die geeft zich overal voor op. Het is niet te geloven waar naartoe Joe haar allemaal heeft moeten schaduwen.'

'Kan ik uw rekening op een maandelijkse basis tegemoet zien?'

'Huisdierenverzorging. Exotisch dansen. Kung-fu. Zigzagnaaien.'

'Oh, Eli,' riep Justine uit, hem tutoyerend met die plotselinge familiariteit die zo typerend voor haar was. 'Neem een stukje taart voor je vrouw mee naar huis.'

'Ze is op dieet,' zei meneer Everjohn somber. 'Ze zit op Weight Watchers en Slenderella en iedere donderdag van twee tot vier zit ze op een cursus "Koken met weinig calorieën".' Hij schudde Justine's hand te hard. 'Ik hou jullie op de hoogte,' zei hij tegen haar.

'Kom gerust langs wanneer je zin hebt. Grootvader zal wel op de hoogte willen blijven.'

'En dank u zeer voor uw geduld,' zei Twee.

Maar meneer Everjohn was nauwelijks de deur uit of Twee plofte neer in zijn stoel. 'Ik wist het wel, we hadden een man uit Baltimore moeten gebruiken,' zei hij tegen Lucy.

'Ach, schat.'

'Ik heb de namen van wel twintig goede detectives thuis. Maar nee, Marcus zei dat het iemand uit Caro Mill moest zijn. Dan kon vader zelf contact onderhouden, zei hij. Anders hadden *wij* –'

'Nou, ik vond hem erg aardig,' zei Justine die hem uitgelaten had.

'Als jullie nou in een beschaafde omgeving woonden, Justine –'

'Caro Mill *is* beschaafd.'

Twee keerde zich tot Duncan die bij het raam stond te spelen met iets wat er uit zag als een auto-onderdeel. 'Je moet weer naar Baltimore komen, jongen,' zei hij. 'Wat houdt je tegen? Een baantje? Je weet toch dat er genoeg te doen is op een advocatenkantoor waar je geen diploma voor nodig hebt. Je neven kunnen je wel helpen. Je hebt een goed verstand, er is *genoeg* –'

'In ieder geval bedankt,' zei Duncan.

'Het zou Justine goed doen. Moet je zien, ze ziet er pips uit.'

Lucy wierp haar een vluchtige blik. Ja, dat was ook zo. Nu ze niet aan het rennen was of lachte of te veel praatte leek haar gezicht gespannen en bleek. Dat was de schuld van Meg, zeker als wat. Kinderen! Ze keek nu naar Duncan, een ouder wordende kleine jongen. In het geheim was hij haar favoriete zoon en ze had zich altijd in haar gedachten voorgesteld wat een prachtige man hij zou worden wanneer hij volwassen was en wat tot rust gekomen. Maar dat was er nooit van gekomen. Hij was voor altijd geconserveerd zoals hij op tienjarige leeftijd was geweest, roekeloos en onbezonnen, helemaal niet aardig, zelfs niet bereid om de zwakheden van anderen over het hoofd te zien. Hij had een goede sterke vrouw nodig om hem wat in te tomen en zijn scherpe kantjes wat bij te vijlen, maar die had hij niet gekozen. Alleen maar Justine. Was Justine met *opzet* zoals ze was? Had ze zich gewoonweg op een dag voorgenomen om te weigeren verantwoordelijk te zijn, zodat Duncan rechtstreeks de hel in zou kunnen vliegen samen met zijn vrouw en dochter voordat zij er iets van zou kunnen zeggen? Lucy voelde zich opeens geroepen om iets hardop te zeggen, zonder dat ze wist dat ze dat zou gaan doen. 'Och,' zei ze, 'als onze arme Caroline hier vandaag ook bij had kunnen zijn!'

De blik die Duncan haar wierp was zo hard en koud als glas, maar

Lucy voelde een triomfantelijke warmte van binnen toen ze zag hoe stil Justine werd.

Tegen de tijd dat ze weer in de auto zaten was het bijna schemer. Toch nam Lucy de van te voren geadresseerde envelop uit haar tasje en vouwde ze een vel schrijfpapier open en schreef, zoals Twee het haar had geleerd:

Lieve Justine,   6 juni 1973.

Hartelijk bedankt voor de gezellige dag! Je was, zoals altijd, een charmante gastvrouw, en de Oorlogstaart was verrukkelijk. We zullen met veel plezier aan ons bezoek terugdenken.

Liefs, tante Lucy.

Ze deed het briefje in de envelop en plakte die dicht. 'Als je een brievenbus tegenkomt, Twee...' zei ze, maar toen hield ze haar mond en klopte afwezig op haar tasje. Twee bewoog zijn lippen terwijl hij reed. Achterin zaten Laura May en Sarah onder hun bruine hoeden met voile en keken uit het raampje naar twee verschillende uitzichten.

TWAALF

Nu konden Justine en haar grootvader nergens meer naartoe. In het begin merkten ze daar niet zo veel van; tijdens de zomermaanden reisden ze toch altijd al veel minder. Maar het leek alsof er geen eind kwam aan juni, waarop een bloedhete, broeierige maand juli volgde, en Justine werd steeds ongelukkiger. Ze kon zichzelf niet genoeg bezighouden. Een vervelend gevoel knaagde in haar achterhoofd. Omdat ze zich onbehaaglijk voelde lokte ze ruzie uit met Duncan en snauwde ze haar grootvader af en scheepte ze haar klanten af met een schrale, onbezielde voorspelling van de toekomst. Dagenlang sprak ze met een onachterhaalbaar buitenlands accent. Ze beledigde Dorcas. De kat kwam niet meer in huis en verdween achter de rozestruiken. Haar grootvader zat op de veranda, ongewoon stil, slap en wezenloos.

'Hoor eens, grootvader,' zei Justine, 'Wilt u niet weer eens bij iemand op bezoek gaan? Die man in Delaware bij voorbeeld, misschien heeft hij zich iets nieuws herinnerd.'

'Het heeft geen nut,' zei haar grootvader.

'Nou, ik zie niet in waarom niet.'

'Die detective heeft zijn naam niet eens opgeschreven. Bijna geen *enkele* naam heeft hij opgeschreven. Hij dacht zeker dat ze nergens voor konden dienen.'

'Ach, wat weet *hij* ervan,' zei Justine.

Ze begon wrevel te voelen over de vreemde, doordringende vragen die Eli stelde en zijn geheimzinnige zwijgen dat op de antwoorden volgde. Iedere keer nadat hij geweest was, voelde zij zich alsof er met haar geknoeid was. Hij kwam meestal langs wanneer er niemand thuis was en zat dan op de veranda op hen te wachten. Wanneer zij dan met haar grootvader thuiskwam, doemde hij ineens op, lang en donker als een raaf, met zijn vierkanten hoed tegen zijn borst gedrukt. 'Eli!' riep ze altijd uit, maar dan werd ze van binnen gesloten, alsof ze zich op een invatie voorbereidde. En haar grootvader, die er altijd voor zorgde de namen van mensen te onthouden, zei, 'Meneer – um,' en stond naar zijn schoenen te staren als een vergeetachtige schooljongen. Maar Eli was onderdanig en onhandig en begon het gesprek met een argeloos gebabbel over zijn oefeningen in het achtervolgen, de calligrafie-les van zijn vrouw. Hij had uiteindelijk alle tijd. Dan nam hij Justine weer helemaal voor zich in, met zijn absurde baardje zo fijn als het reinigingsborsteltje van een schrijfmachine, en zijn belachelijk lange vingers waarmee hij aan zijn hoed friemelde; en haar grootvader werd dan ontspannen genoeg om zich op beleefde manier te vervelen. 'Kom binnen, Eli,' zei Justine dan. 'Dan maak ik ijsthee voor je.' Maar op dat ogenblik kreeg zijn gezicht een scherpe uitdrukking en hield hij op met friemelen. 'Welke platen had de familie allemaal?' kon hij dan wel eens vragen.

'Wat?'

'Grammofoonplaten. Voor die ouderwetse grammofoon.'

Ze moest zich tot haar grootvader wenden, die geprikkeld met zijn voeten op de vloerplanken stond te schrapen. 'Caruso kan ik me herinneren,' zei hij op het laatst. 'En nog andere. Red Label platen.'

'Oh ja. Red Seal.'

'Vroeger heette het Red Label.'

'Oh,' zei Eli.

'Weet u dan helemaal *niets*?'

'Maar wat nog meer behalve Caruso?'

'Dat kan ik me niet herinneren.'

'Daar moet ik achter zien te komen,' zei Eli, maar hij zei niet waarom. 'Nou, dan zal ik weer naar Baltimore moeten. U heeft ze toch wel bewaard?'

'We hebben alles bewaard,' zei grootvader Peck. En als hij dan naar binnen ging, liet hij de hordeur met een klap achter zich dicht vallen. Toch was het duidelijk dat Eli's vragen hem intrigeerden. De rest van de dag was hij dan diep in gedachten, fronsend totdat zijn wenkbrauwen elkaar aanraakten. 'Weet je waarom hij zoiets vraagt? Waar is hij mee bezig? Die kerel moet iets weten waar wij helemaal geen notie van hebben, Justine.'

Maar het vinden van Caleb was voor de grootvader uiteindelijk het enig doel. Voor Justine kwam het alleen aan op de tochtjes zelf en ze voelde zich nu beroofd en nutteloos. Ze bleef door de kamers dwalen met haar rieten tas verstrooid in haar hand, alsof ze op bezoek was, lang nadat haar grootvader zich in een leunstoel had geïnstalleerd om zich voor te bereiden op wat hij tegen Caleb zou zeggen wanneer hij hem voor het eerst weer zag.

Intussen verkocht Duncan tientallen stuks antiek gereedschap, sneller dan dat hij de voorraad weer kon aanvullen. Waarom liep het altijd zo? Newton Norton, de man die de tuinmachine had gekocht, was zijn oude boerderij aan het restaureren tot en met de laatste hooivork in de schuur. Hij kwam steeds weer De Blauwe Fles doorzoeken op roestige nijptangen en lantaarns, hoefsmidgereedschap en keukengerei. 'Je moest het gezicht van Silas eens zien!' zei Duncan tegen Justine. 'Soms moet Newton Norton een vrachtwagen huren om zijn inkopen mee te nemen.'

'Die man is gek,' zei Justine. 'Wat moet hij beginnen als hij eens gaat verhuizen?'

Ze waren op de veranda, waar Duncan op een kruk zat terwijl Justine zijn haar knipte. Hij had dik, steil haar dat je op de vloer kon horen vallen. Ze knipte het van achteren in lagen net als de pannen op een dak en als ze het dan uitkamde vielen die lagen op een magische manier plat op elkaar. Ze kamde weer, terwijl de glimmende gele lokken haar in een trans brachten. Ze knipte er nog een paar centimeter af. 'Misschien had ik kapster moeten worden,' zei ze.

'Overdrijf nou niet,' zei Duncan tegen haar.

Het was augustus en het maïs stond zo hoog dat je de straat niet meer kon zien. Auto's zoefden onzichtbaar, bijna onhoorbaar voorbij. (Duncan was geïnteresseerd in het effect dat begroeiing had op de internationale geluidseenheid.) Voorbijgaande mensen waren stemmen zonder lichaam.

'Hallo!' riepen ze, aannemende dat er wel iemand zou zijn om te antwoorden. 'Hoi,' riep Justine. Ze wuifde met haar flitsende schaar in de lucht. Duncan keek niet op. Hij had wel wat anders om over na te denken. 'Ik zei tegen Silas, "Zie je nou wel?" Hij wilde niet dat ik die oude naaimachine van mevrouw Farnsworth kocht en nu heeft hij er spijt van. Newton Norton heeft hem zelf van haar overgenomen en er twee maal zoveel voor betaald als hij waard is. Maar je weet hoe Silas is. "Jawel," zei hij, "maar als hij eenmaal klaar is met die boerderij, wat dan? Hè?" Nou, Newton Norton heeft zijn boerderij gisteren voor het publiek opengesteld, een volledig uitgeruste authentieke negentiende-eeuwse boerderij. Twee dollar entree. Vijftig cent voor kinderen. Plus kookles. Een cursus van zes weken in het koken uit grootmoeders tijd. Je krijgt les in een keuken met een fornuis waarin hout wordt gestookt en met een open haardvuur dat groot genoeg is om een heel rund in te roosteren. Je leert hoe je koolcustard moet maken en kabeljauwkoek – nou ja, eerlijk gezegd lijkt het me niet te eten. Maar er zijn mensen genoeg die het lekker vinden. De hele ochtend kwamen er vrouwen bij me die vroegen naar worstendraaiers. En aardappelstampers. Zo kochten alle handmachines waarvan ik het gebruik nog niet eens had ontdekt, om komkommers mee te schillen en maïs van de kolf te halen en aardappels te snijden. Tegen lunchtijd had ik ieder stuk gereedschap verkocht.'

'Kun je nagaan! Wat een succes,' zei Justine terwijl ze om zijn oren heen knipte.

'Ja, zo heet dat dan!'

Maar hij geeuwde terwijl hij sprak en niesde toen een plukje haar op zijn neus belandde. Over zijn hele gezicht glinsterden er losse blonde vonkjes. Hij zag er niet bepaald *uit* als een succes.

De vierde zondag in augustus reden ze met hun drieën naar Semple om bij Meg op bezoek te gaan. Ze hadden eigenlijk al eerder moeten gaan, maar Duncan zei altijd op het laatste moment dat er iets tussen was gekomen. Hij moest naar een veiling of een speciale vlooienmarkt, nu Silas hem had aangemoedigd om nog meer gereedscahp op te kopen. Toch kwam hij zonder gereedschap terug – alleen een keer met een hele doos vol roestige Prince Albert tabakstrommeltjes. 'Is dit antiek?' vroeg Justine. 'Vroeger was dit rotzooi. Ik zag ze wel tussen het onkruid langs Roland Avenue liggen. Maar waar is het gereedschap? En de instrumenten voor de keuken?'

'Er was verder niets bij,' zei Duncan. 'Alleen Prince Albert.'

'Op het laatst krijgen de gekste dingen waarde. We moeten *niets* meer weggooien.'

'Dat hebben we voor zo ver ik weet toch nooit gedaan,' zei Duncan.

Nu wilde hij het weer uitstellen (hij zei dat er een openbare verkoop was in de buurt van Washington), maar Justine had hem door. 'Dat kan niet meer,' zei ze. 'Je weet hoe lang we erop hebben gewacht tot Meg ons uitnodigde. We hebben al twee keer afgezegd. Wat moet ze daar nou van denken?'

'Misschien kun jij alleen met grootvader gaan. Dan kan ik naar Washington.'

'Wat? Op de fiets?'

'Ik kan de stationwagen van Silas lenen,' zei hij.

'Maar ik wil niet met grootvader alleen gaan. Ik wil graag dat jij er ook bij bent.'

'Misschien in het najaar dan, als het wat rustiger is.'

'Ik begrijp je niet, Duncan,' zei Justine tegen hem. 'Waarom wil je niet?'

Maar dan werd hij lichtgeraakt. Hij had bezwaar tegen de manier waarop ze zijn geheimste gevoelens aan het licht bracht.

Toch stond hij daar op de vierde zondag in augustus klaar, wellicht iets grimmiger dan gewoonlijk, maar hij had zich erbij neergelegd. Hij stuurde de Ford langs een zanderige tweebaansweg richting Semple, met Justine naast hem en grootvader Peck aan het raam. Op de achterbank lagen een stapel zomerjurken van Meg en een papieren zak met een dozijn maïskolven. ('Maar dat is zonde van de maïs,' had Duncan gezegd. 'Dominee Mikmak eet vast maïs met vork en mes'.) Megs andere spullen – de reeks Nancy Drew detective-boeken en haar wimpels en flesjes eau de cologne – waren in haar kamer achtergebleven. Duncan vond dat ze meteen alles tegelijk moesten meenemen, maar dat had Justine liever niet. 'Ze vroeg alleen maar om haar zomerjurken,' zei ze. 'Misschien heeft ze nog geen ruimte om de rest op te bergen.'

Duncan, die nooit en te nimmer probeerde achter de geheime gevoelens van iemand anders te komen, knikte alleen maar en liet haar haar gang gaan.

Om twee uur 's middags bereikten ze de buitenwijken van Semple. *Welkom in Semple, Va.*, '*Het mooiste stadje van het Zuiden*', stond er op een bord boven een stapel dennehout dat bij een hout-handel lag te drogen. Ze hobbelden over de spoorlijn en langs roes-tige goederenwagons. 'Nou dat was pas een echte stad,' zei grootva-der Peck. 'Met zijn eigen trein.'

'Alleen maar goederentreinen, grootvader,' zei Justine.

'Wat zeg je? Goederen? Zijn we niet een keer hier vandaan naar Nashville gegaan?'

'Nee, vanuit Fredericksburg, drie jaar daarvoor.'

'Oh ja.'

'Hier vandaan moesten we met de bus naar Richmond en *daar* op de trein.'

'In Nashville woonde die jongen die banjo speelde,' zei haar grootvader. 'Zijn oudoom heeft Caleb op een snaarinstrument le-ren spelen toen ze allebei veertien jaar waren.'

'Precies,' zei Justine.

Hij leunde plotseling achterover, alsof het gesprek te veel van hem gevergd had.

In Main Street zag Justine iemand die ze kende – de oude juffrouw Wheeler, die van de kaarten had willen weten of ze haar vader in een rusthuis moest doen – en ze wilde stoppen om met haar te praten, maar Duncan wilde daar niets van weten. 'Ik wil hier zo gauw mo-gelijk van af, Justine,' zei hij. Hij werd altijd kribbig wanneer ze plaatsen bezochten waar ze vroeger gewoond hadden. Toen ze langs het Zwervers Cafetaria reden en toen langs 'Het Volmaakte Innerlijk', de Reformwinkel, waarvan de gehavende luifels en uit-gezakte horren als bekende gezichten op haar af sprongen, kon Jus-tine aan de huid van zijn arm voelen hoe gespannen hij werd. 'Maak je geen zorgen, we blijven niet lang,' zei ze tegen hem. Maar ze was weer in overtreding geweest en hij werd gesloten, schoof verder van haar af zodat hun armen elkaar niet meer raakten en ze voelde een plotselinge kilte langs haar linkerdijbeen.

Arthur Milsoms kerk was een groot bakstenen gebouw aan de andere kant van de stad. Justine had er nooit een dienst bijgewoond, maar Meg had hem uiteraard aangewezen – ze herinnerde zich dat ze de spits, die met een of ander glinsterend metaal was beslagen aan het topje, scherper vond uitgevallen dan nodig was. De pastorie was ook van baksteen, maar het huis van de assistent-predikant daar-naast was een klein wit huisje zonder bomen of struiken, dat op een vierkant stuk gras stond dat er kunstmatig uit zag. In het midden van het grote, kale raam hing een dubbele lamp met kleine roosjes beschilderd en aan het begin van het pad stond een paal in de vorm van een kleine jongen met een witgeschilderd gezicht en zwarte handen. Duncan stond stil om hem te bestuderen, maar Justine nam haar grootvader bij de elleboog beet en liep snel met hem het stoepje op. 'Waar *zijn* we?' vroeg hij aan haar.

'Hier woont Meg, grootvader. We gaan bij Meg op visite.'

'Ja, ja, maar –' En toen draaide hij zich langzaam in de rondte en staarde om zich heen. Justine drukte op de deurbel die in een koperen kruis met een geschulpte rand zat. Ergens ver weg hoorde ze een hele mooie melodie in een trage, uitgemeten, gouden toon. Toen ging de deur open en daar stond Meg, dunner en evenwichtiger en met langer haar. 'Hallo mama,' zei ze. Ze gaf eerst Justine een kus op haar wang en toen haar overgrootvader. Toen Duncan klaar was met het bestuderen van de paal en hij ook de stoep opkwam, kuste zij hem ook op zijn wang. 'Hallo papa.'

'Ha die Meggepeg.'

'Ik dacht dat je je weer had bedacht en niet zou komen.'

'Zou ik zoiets doen?'

Ze lachte niet.

Ze leidde hen over het dikke blauwe tapijt naar de zitkamer, waar Christus hen van iedere muur aanstaarde uit vergulde lijsten. Van bijna alle meubelstukken waren er twee – twee identieke tafels aan weerszijden van de sofa, twee lampen met kralen, twee ijsblauwe satijnen crapauds met bijpassende voetenbanken met een strook. Op het spinet in de hoek stonden twee ingelijste foto's, een van Arthur in een geestelijk gewaad en de andere van Meg met een soort glanzende stof om haar blote schouders gedrapeerd – maar ze waren zo geretoucheerd en de uitdrukkingen op hun gezichten waren zo flets, haar haar was zo perfect in model gemaakt met lak, dat het even duurde voordat Justine haar herkende. Hoe kwam een vreemde vrouw er bovendien bij om een foto van Meg in haar woonkamer te zetten? Justine pakte de foto en keek er aandachtig naar. Meg zei, 'Oh, dat is mijn – dat is de foto die in de krant stond toen er –' Ze pakte de foto uit Justine's hand en zette hem weer neer.

'Ik zal moeder Milsom halen,' zei ze.

Justine keek om zich heen waar Duncan was. Hij had zich op de sofa uitgestrekt en bladerde door een nummer van Lady's Circle. Zijn voeten, gehuld in enorme met vetspatten bedekte suède schoenen had hij op de koffietafel gelegd. 'Duncan!' zei ze en gaf hem een klap op zijn knieën. Hij keek op en verzette zorgvuldig zijn voeten, tussen porseleinen beeldjes van konijnen en vogels en engelvormige kaarsen en een kerststal in een schelp en een groene glazen schoen vol met zuurtjes door. Justine zuchtte diep en ging naast hem zitten. Aan de andere kant van de kamer liep haar grootvader te ijsberen op het tapijt met zijn handen op zijn rug.

Hij vond het vervelend om te gaan zitten als hij toch weer vlug overeind zou moeten komen om een dame te begroeten. Hij stond eerst voor de ene Christus stil, dan voor de andere en tuurde van dichtbij naar een serie weemoedige bruine ogen en lelieblanke nekken. 'Religieuze kunst in de *woon*kamer?' zei hij.

'Sst,' zei Justine tegen hem.

'Maar mij is altijd verteld dat dat van slechte smaak getuigt. Tenzij het originelen zijn.'

'Grootvader.'

Ze keek naar de deur waardoor Meg was verdwenen. Je kon niet weten hoe ver je alles kon horen. 'Grootvader,' zei ze, 'wilt u niet –

'Ze hebben hem ook in de eetkamer hangen,' zei Duncan, terwijl hij door de andere deur loerde. 'En biddend in de tuin.'

'Oh, Duncan, wat kan jou het nou schelen. Wanneer heb je je ooit bezig gehouden met binnenhuisarchitectuur?'

Hij keek haar fronsend aan. 'Dus je staat aan hun kant,' zei hij. 'Ik wist niet dat er verschillende kanten waren.'

'Wat zeg je?' vroeg haar grootvader.

'Duncan vindt dat ik zwakzinnig aan het worden ben.'

'Hè?'

'*Zwakzinnig.*'

'Onzin,' zei haar grootvader. 'Je bent zo slim als wat.'

Duncan lachte. Ze viel hem aan. 'Duncan,' zei ze, 'ik hoop echt dat je je hier niet gaat aanstellen, echt, doe het voor Meg. Kunnen we niet gewoon proberen om –'

Maar toen hoorden ze zachte voetstappen op het tapijt en verscheen er een dame in het wit met Meg er vlak achter aan.

'Moeder Milsom, mag ik u voorstellen aan mijn moeder,' zei Meg. 'En dit is mijn vader, en mijn overgrootvader Peck.' Megs gezicht stond streng en er zat een rimpel in het midden van haar voorhoofd; ze waarschuwde haar familie om haar niet te schande te maken. Dus ging Duncan recht overeind staan, met een duim tussen het tijdschrift en tikte de grootvader tegen zijn slaap en stak Justine haar hand uit. De vingers van mevrouw Milsom voelden aan als vochtige spaghetti. Ze was een lange, verlepte vrouw met lichtbruin in het midden gescheiden haar dat plat op haar hoofd lag en een bleek tragisch gezicht met zwarte ogen die zo zorgvuldig getekend waren als de vrouw op een kaartspel. Haar crêpe-achtige jurk hing slap over haar platte boezem, stond bol in de taille en aan de manchetten en viel in lagen over haar magere, hoekige benen heen. Ze had puntige zilveren pumps uit de zestiger jaren aan. Als ze glimlachte bleven haar ogen wijd en dof alsof ze aan een geheim verdriet dacht. 'Eindelijk ontmoeten wij elkaar dan,' zei ze.

'We hadden al eerder willen komen, maar Duncan moest Prince Albert-trommeltjes inkopen,' zei Justine. Als ze zenuwachtig was praatte ze altijd te veel.

'Dat begrijp *ik* best. Gaat u zitten. Margaret, lieve schat, wil jij de ijsthee serveren?'

Meg keek haar moeder aan. Toen ging ze de kamer uit. Mevrouw Milsom streek zachtjes in een van de satijnen crapauds neer. Het leek alsof zij zich in gedeeltes installeerde. Ze legde haar handen voorzichtig tegen elkaar. 'Ik hoop dat Arthur ook spoedig komt,' zei ze. 'Hij rust op het ogenblik.'

'Arthur rust?' zei Duncan.

'Het is de vierde zondag van de maand. Dan preekt hij. Dat is zo vermoeiend voor hem. We hadden er vanzelfsprekend op gehoopt dat u er zou zijn om de preek te horen, maar dat is blijkbaar niet mogelijk geweest.' Ze wierp Justine een doordringende, rouwende blik.

'Oh, nou –' zei Justine. Ze hadden wel voor de preek willen komen, zelfs Duncan – voor Meg hadden ze alles over – maar Meg had hen speciaal geschreven dat ze na het lunchuur moesten komen.

'Gewoonlijk wordt hij op de vierde zondag met hoofdpijn wakker,' zei mevrouw Milsom, 'en dat blijft de hele ochtenddienst zo en zelfs daarna nog, tot hij toegeeft dat ik gelijk heb en hij gaat rusten. Hij lijdt vreselijk. Dit is niet zomaar een gewone hoofdpijn.'

'Misschien zou hij het prediken dan moeten verzetten tot de *vijfde* zondag,' zei Duncan. 'Of de zesde.'

Justine keek hem snel aan.

'Waar is de dominee?' vroeg grootvader Peck terwijl hij krakend in een crapaud wegzakte.

'*Grootvader*, zet uw –'

'Arthur doet een dutje, meneer Peck,' zei mevrouw Milsom. Haar stem was precies de juiste geluidssterkte en toon afgestemd. 'Ik weet alles van doven af,' zei ze tegen Justine. 'Mijn vader leed er ook onder. Op latere leeftijd was het zelfs zo erg dat hij nog bij de lofzang was, wanneer de hele gemeente al aan "Het hijgend hert" toe was.'

'Oh, was uw vader ook dominee,' zei Justine.

'Ja zeker. *Zeker*. Mijn hele familie.'

'En uw man?'

'Nee, um – die zat in de bouw'.

'Oh.'

'Maar *mijn* familie behoort al een groot aantal jaren tot de geestelijkheid. Ik beoefen zelf gebedsgenezing.'

'O ja?' zei Duncan. Hij liet zijn tijdschrift openrollen. 'U bent een gebedsgenezer?'

'Jazeker.'

Ze glimlachte naar hem met ogen als zwarte poelen. Toen kwam Meg klaterend en rinkelend binnen met een dienblad en werd Justine gespannen want zijzelf zou natuurlijk ijsblokjes in de sneeuwwitte schoot van mevrouw Milsom hebben gemorst of over de aders in het tapijt zijn gestruikeld. Ze was vergeten dat Meg gracieus was en zo zelfverzekerd als haar ongetrouwde tantes. Het dienblad pauzeerde bij iedere persoon en werd keurig en stevig omlaag gehouden. Mevrouw Milsom volgde het met haar onderlip tussen haar tanden. Zij was ook gespannen, alsof Meg *haar* dochter was. Het was niet eerlijk. Daar had ze geen recht op. Justine graaide een glas van het blad en morste op het kussen van de sofa, maar Duncan bedekte het onmiddellijk met zijn Lady's Circle. 'Mama, er zit suiker in.' fluisterde Meg.

'Wat?' zei Justine hardop.

'Er zit *suiker* in.'

'Er zit suiker in de thee,' zei mevrouw Milsom. 'Dank je Margaret. Neem je zelf ook?'

'Ik wou net gaan kijken of Arthur al wakker is.'

'Oh, nee schat, doe dat nog maar niet.'

'Hij zei dat ik hem wakker moest maken als ze er waren.'

'Als we dat doen zit hij tot morgen nog met zijn hoofd, geloof me,' zei mevrouw Milsom. 'Ik ken hem.' Ze glimlachte en klopte op de leuning van de crapaud. 'Kom maar even bij ons zitten.'

Dus ging Meg aan de zijde van mevrouw Milsom zitten en Justine wendde haar ogen af en concentreerde zich op haar thee. Het was een feit: het enige waar ze niet tegen kon was thee met suiker. Ze ging er van kokhalzen. Ze werd er misselijk van en voelde zich de hele dag niet lekker. Toch dronk ze het op en zocht met haar tong naar een ijsblokje om de zoete smaak te verdunnen. Duncan, wie het niets kon schelen, dronk het in een teug op en zette het glas op de gepolijste tafel neer.

'Zo,' zei hij. 'Je hebt je diploma nu, hè, Meggie.'

Ze knikte. Haar haar kwam tot haar kraag en zag er iets minder netjes uit dan gewoonlijk. Misschien probeerde ze er ouder uit te zien.

'En wat ga je nu doen?' vroeg Duncan aan haar.

'Oh, dat weet ik niet.'

'Ga je een baantje zoeken?'

'Meneer Peck,' zei mevrouw Milsom, 'als vrouw van een dominee heb je al een hele baan.'

Duncan keek haar aan. Justine maakte zich ongerust, maar hij zei uiteindelijk alleen maar, 'Wat ik bedoelde was, *behalve* dat.'

'Oh, behalve dat is er niets. Gelooft u me, want ik weet er alles van. Ik ben de dochter van een dominee. En al deze tijd sta ik Arthur bij, tot hij ging trouwen: theepartijen bijwonen en naaikransjes, helpen met bazaars, met koken voor –'

'Je moeder kent een heleboel mensen, Meggie,' zei Duncan. 'Allereerst mensen die je vast wel aan een baantje kunnen helpen. Pooch Sims, de dierenarts bij voorbeeld.' Hij wendde zich tot Justine. 'Die kan best hulp gebruiken hè.'

'Oh, meneer Peck toch,' zei mevrouw Milsom. Ze lachte en haar ijsblokjes rinkelden. 'Dat zou Margaret helemaal niet willen.'

Iedereen keek Meg aan. Ze staarde in haar glas.

'Zou je dat willen, Meg?' vroeg Duncan.

'Nee,' zei Meg, 'dat denk ik niet.'

'Nou, wat dan wel?'

'O ik weet het niet, pap. Moeder Milsom heeft gelijk, ik heb al een heleboel te doen. Ik hou me al bezig met het kinderverblijf van de kerk en ik moet bij zoveel mensen op bezoek en alles.'

Ze had een hele vieze smaak in haar mond maar het leek alsof Justine nog niets van haar thee gedronken had. Ze verlangde naar iets zouts of zuurs. Ze had trek in augurk, citroenschil of zelfs potato chips. Maar mevrouw Milsom keek haar zó verwijtend aan dat ze haar glas pakte en nog een slok nam.

'De vrouw van een dominee is natuurlijk voornamelijk een stootblok,' zei mevrouw Milsom. 'Ze sorteert zijn telefoontjes voor en probeert alle kleine dingetjes die zich opstapelen zelf af te handelen – Margaret kan het u wel vertellen. We zijn het haar allemaal aan het leren. Arthur is niet erg sterk, ziet u. Hij heeft zoveel last van allergie. En dan die hoofdpijn.'

'Maar ik dacht dat u kon helen,' zei Duncan.

'Helen, jazeker! We hebben een groepje dat op zondagavond bij elkaar komt. Iedereen is welkom. Ik heb de gave van mijn vader geërfd, die een keer een blinde weer heeft doen zien.'

'Maar uw vader was doof.'

'Toch bezat hij de *gave*, meneer Peck.'

'Ik bedoel –'

'De gave moet vanzelfsprekend in stand worden gehouden door gebed en vertrouwen in het geloof, het moet gekoesterd worden. Dat zeg ik ook tegen Arthur. Ik heb het gevoel dat Arthur de gave ook heeft. We werken er samen aan. Tot nu toe leek hij – ik weet het niet, een *weerstand* te hebben, ik ben er nog niet, maar we werken er aan, ik weet zeker dat we iets zullen bereiken.'

'En wat denkt u van grootvader?' vroeg Duncan. 'Die kan ook hulp gebruiken.'

Ze weifelde.

'Kunt u hem niet even een draai om de oren geven om ons een plezier te doen?'

'Nou, ik weet niet – is het zenuwdoofheid, of –?'

'Oh, als je met gebed alleen maar bepaalde *soorten* kunt genezen,' zei Duncan.

Meg en Justine verschoven allebei ongemakkelijk op hun stoel. Duncan glimlachte breed en onschuldig maar dat stelde hen niet gerust. 'Maar het geeft niet,' zei hij, 'waar ik werkelijk benieuwd naar ben is hoofdpijn.'

'Hoofdpijn, meneer Peck? Heeft u last van hoofdpijn?'

'Nee, maar uw zoon wel.'

'Mijn zoon.'

'Arthur.'

'Oh, *Arthur*,' zei ze mat.

'Zei u niet dat Arthur last had van hoofdpijn?'

'Ach, ja.'

Duncan keek haar een ogenblik werkelijk verbluft aan. 'Maar,' zei hij, 'waarom kunt u hem daar dan niet van verlossen?'

Mevrouw Milsom sloeg haar handen heftig ineen. Ze bibberde met haar mond en haar ogen vulden zich met wat ongetwijfeld zwarte tranen waren; maar nee, toen ze overtroomden bleken het heldere tranen te zijn die witte sporen op haar holle witte wangen achterlieten.

'Duncan toch,' zei Justine. Maar wat had hij eigenlijk gedaan? Niemand begreep er iets van behalve Meg misschien, die onmiddellijk haar neus in haar theeglas verborg. Toen ging mevrouw Milsom rechtop zitten en veegde, snel als de tong van een kikker, met haar vingers onder haar ogen. 'Nou!' zei ze. 'Wat een heerlijk weertje voor augustus, hè?'

'Heerlijk,' zei Duncan zachtaardig tegen haar. Hij leek van plan te zijn om verder de hele dag in die houding te volharden, nuchter en hoffelijk; nooit kwetste hij iemand opzettelijk. Op dat moment stak Justine een hand uit naar de groene glazen schoen op tafel – zuurtjes! en vlak voor haar neus! – pikte er een citroengele bal uit en stak die in haar mond, waarop ze ontdekte dat het een knikker was. Terwijl iedereen haar aankeek nam ze hem voorzichtig tussen duim en wijsvinger uit haar mond en legde hem weer terug, een beetje glimmender dan voorheen. 'Ik vind dat het niet genoeg geregend heeft,' zei ze tegen de kring van gezichten.

Duncan maakte een zonderling geluid. Dus hij zou toch gaan giechelen. Justine ging zo recht mogelijk overeind zitten, met een waardigheid voor twee, terwijl Duncan op de bank naast haar met tussenpozen pruttelde en ronkte als een elektrische percolator.

Toen Arthur op was (hij zag er bleek en verfomfaaid en inadequaat uit in een Hawaï-hemd met korte mouwen) gingen ze naar de tuin om de bloemperken van mevrouw Milsom te bewonderen, en vervolgens naar de kerk om het nieuwe rode tapijt te bekijken dat onlangs op de gangpaden was gelegd. Met ernstige gezichten liepen ze op hun tenen door het gewelfde, hol klinkende schip van de kerk. Ze waren allemaal heel voorzichtig met elkaar, met uitzondering van Duncan toen hij Justine kneep op een moment dat hij dacht dat mevrouw Milsom niet keek. Ze waren zó lovend en hielden zich dusdanig in dat ze uitgeput waren tegen de tijd dat er afscheid werd genomen bij de Ford. Maar mevrouw Milsom hield moedig haar handen op om de zak zongerijpte maïs in ontvangst te nemen en Arthur stond er op de gehele lading huwelijksbestek zelf uit de achterbak te halen. Met gespierde armen en een holle rug strompelde hij ermee weg. Meg bleef met haar stapel jurken bij de auto staan.

'Nou,' zei Justine, 'tot spoedig ziens, hoop ik.' Ze voelde zich gekwetst van teleurstelling. Ze had gemeend dat een bezoek aan Meg op een andere manier iets zou afronden – dat wat er ook in haar gezin verkeerd was gegaan eindelijk opgelost zou zijn, of tenminste begrepen zou zijn; en dat ze haar eindelijk zou kunnen los laten nadat ze gezien had hoe Meg haar draai gevonden had en daarmee gelukkig was. Ze had verondersteld dat zorgzaamheid en verantwoordelijkheid als een oude huid afgeschud konden worden, en dat ze dan weer koel en rimpelloos en luchtig zou zijn. Maar Megs gezicht was zo gespannen dat het pijn deed als ze ernaar keek, en ze zou Megs oude, angstige ogen nooit kunnen vergeten. 'Heb je nog iets nodig, Meggie,' vroeg ze. 'Ik bedoel, mocht er iets zijn, wat dan ook –'

'Het spijt me van de thee,' zei Meg.

'Thee?'

'Ik had tegen haar gezegd dat je er geen suiker in wilde.'

'O, dat geeft niet, lieverd.' ⋆

'Ze stond de thee na de lunch te maken en ik zei, "Doet u er maar geen suiker in, want mama lust alleen maar thee met citroen." Maar ze zei, "Nou, iedereen houdt van suiker in de thee, het is zo verkwikkend," en ik zei, "Maar –"'

'Meg, het geeft helemaal niets,' zei Justine.

'Toen zei ik dat ik wel een apart glas zou klaarmaken.' zei Meg tegen Duncan, 'maar ze vindt het vervelend als ik in haar keuken ben.'

Duncan nam haar op. Grootvader Peck streelde zijn kin.

'Ze doet alles, ze maakt zelfs ons bed op. Ze zegt dat ik de lakens niet om de hoeken kan vouwen zoals ze in ziekenhuizen doen. Dat heb je me nooit geleerd, mama.'

'Het spijt me, lieverd.'

'Ik wilde jullie te eten vragen vandaag, ik zei dat ik zelf wel zou koken. Ik kan best koken. In ieder geval eenvoudige dingen. Uit Fannie Farmer. Maar ze zei dat het niet kon omdat haar groepje 's avonds kwam eten, die mensen in haar gebedsgenezingsgroep. Daar had ze de keuken voor nodig. Die mensen zijn allemaal oud en vreemd, ze hebben een chronische ziekte en ze denken dat zij hen kan helpen en soms brengen ze een nieuwe mee en dan zitten ze allemaal met hun handen in elkaar te bidden.'

'En helpt het?' vroeg Justine.

'Wat? Dat weet ik niet. Ik had gedacht dat als we getrouwd waren alles zo – gewoon zou zijn. Ik dacht dat we eindelijk – ik wist nergens van af. Toen ik haar voor het eerst ontmoette, zag ze er uit net als ieder ander. Behalve dat ze in het wit was. Ze was altijd in het wit. Maar toen wist ik nog niets van dit helen af. Ze wil dat Arthur het ook leert en ze wilde zelfs naar mijn handen kijken, ze vroeg zich af of ik ook de gave had.'

'En is dat zo?' vroeg Justine.

'Mama! Ik wil er niets mee te maken hebben.'

'Nou, ik weet niet, dat zou in ieder geval iets nieuws zijn om mee te maken.'

'Ik wil helemaal niets nieuws meemaken, ik wil een gewoon, normaal gelukkig leven. Maar Arthur durft haar niet tegen te spreken, echt waar – en nu wil ze dat hij die gave ook gaat ontwikkelen omdat zij het begint te verliezen. Ze denkt dat het komt omdat ze ouder wordt. Op die samenkomsten bidden en schreeuwen ze, je kunt ze door het hele huis horen. Dan herinnert ze God eraan wat ze ooit gepresteerd heeft: ze heeft een keer een man midden in een hartaanval weer beter gemaakt.'

'Echt waar?'

'Ze zegt dat er nog zoveel te doen is, dat zij haar gave moet kunnen behouden. Ze zegt dat het onredelijk is. Overal zijn er zieke mensen, zegt ze, en blinde en kreupele mensen die lijden en zij is machteloos en kan niet eens haar eigen zoon van zijn hoofdpijn af helpen. Ze gaat er maar over door, en roept het uit zodat iedereen het kan horen: het verstrijken van de tijd *alléén*, zegt ze, is nog geen reden om haar krachten op deze manier te laten afnemen.'

'Nee, dat is ook zo,' zei Justine.

Meg zweeg en keek haar aan. 'Luister je wel?' vroeg ze.

'Natuurlijk luister ik.'

'Ik leef hier tussen *gekken*!'

'Je moet weggaan,' zei Duncan tegen haar.

'Nou, Duncan,' zei Justine. Ze wendde zich tot Meg. 'Meggie, lieve schat, misschien kun je – of je moet het zo bekijken: doe net of je een heleboel instructies hebt gekregen. Dingen die je moet doen. Geheime opdrachten, zonderlinge uitnodigingen..., waar je je doorheen moet slaan en waar je dan weer uit te voorschijn komt als een ander mens. Je woont bij een gebedsgenezer. Dat heb *ik* nog nooit meegemaakt.'

'En dat zeg je tegen je dochter?' zei Duncan. 'Dat ze moet accepteren wat er op haar weg ligt? Zich er doorheen moet slaan? Zich moet aanpassen?'

'Ach –'

'En wat zou er van de wereld terecht komen als iedereen dat deed?'

Justine weifelde.

'Laat maar, mama,' zei Meg tegen haar. 'Ik had er niet eens over willen beginnen.'

Dus stapte Justine in de auto, maar ze keek steeds schichtig om zich heen, want ze had het gevoel dat er nog zoveel geregeld moest worden. Het onrustige gevoel knaagde weer. Ze kon er niet precies de vinger op leggen. Ze had het gevoel alsof ze een of ander voorwerp kwijt was, iets belangrijks waar ze aan zou blijven denken tot ze het gevonden had. Maar ze ging stijf overeind zitten en riep uit het raampje, 'Meggie!'

'Wat is er?'

'Als je met een bazaar bezig bent, weet je wel, als je hulp nodig hebt dan kom ik graag een keer waarzeggen, hoor.'

'Dank je wel, mama.'

'Ik weet dat er een heleboel klanten zijn hier.'

'Nou, dat is erg lief van je, mama,' zei Meg. Maar Justine voelde dat ze een blunder had geslagen. Ze had iets gewoners, iets soliders moeten aanbieden – iets anders dan weer zo'n geschenk uit de hemel.

Het was donker toen ze in Caro Mill terug kwamen en de straten zagen er treurig en verlaten uit, het cafetaria was het enige wat nog open was, spookachtig verlicht, en het was er op Zwarte Emma na, die de toonbank stond te lappen, leeg.

'Zullen we een kopje koffie drinken,' zei Justine. Maar de auto reed door en Duncan noch haar grootvader gaven antwoord. (Ze hadden de hele weg terug al geen woord gezegd. Alleen Justine had maar zitten babbelen tot ze zich zelf tenslotte begon af te vragen wanneer ze haar mond eens zou houden.) 'Duncan?' vroeg ze. 'Kunnen we niet even stoppen om een kop koffie te drinken?'

'We hebben thuis koffie.'

'Ik wil niet naar huis,' zei ze. 'Ik heb zo'n vreemd voorgevoel. Ik zou het niet eens erg vinden om ergens te gaan logeren. Duncan?'

Maar hij zei, 'Aanpassen', en reed met een scherpe bocht Watchmaker Street in. Ze knipperde met haar ogen en keek naar hem.

Toen ze voor hun huis waren aangekomen en de koplampen gedoofd waren en de motor afgezet was, zaten ze gedrieën een poosje bewegingsloos door de voorruit te turen, alsof ze deelnemen aan een andere donkere, zwijgzame tocht. Toen raakt Justine de arm van haar grootvader aan. 'We zijn er,' zei ze.

'Hè?'

Hij stommelde uit de auto en deed de deur besluiteloos achter zich dicht, en Justine gleed achter Duncan aan langs het stuur de auto uit. Ze liepen achter elkaar de oprit af tussen de opdoemende ruisende maïsstengels door. Bij de veranda bleven ze stilstaan. Een schaduw ontvouwde zich uit de trap. 'Eli!' zei Justine.

'Hè?' zei de grootvader.

En Duncan zei: 'Nou, Eli, wat heb je voor ons gevonden?'

'Caleb Peck,' zei Eli.

DERTIEN

Eli Everjohn dronk slappe koffie, had liever een plakje hotelcake dan borrelnootjes en had er geen bezwaar tegen om op een keukenstoel met stalen poten te zitten. Dat moest hij allemaal duidelijk maken voordat hij met zijn verslag mocht beginnen. 'Hoor eens,' zei hij aldoor. 'Hoor eens. Ik dacht al van het begin af aan –' Maar dan viel Justine hem in de rede om hem te vragen of hij zijn hoed niet wilde af zetten, zou hij zijn jasje maar niet uit doen? En de oude heer Peck bleef maar om hem heen sjokken, diep nadenkend en deed van tijd tot tijd een mededeling. 'Ik geloof dat ik mijn opschrijfboekje erbij neem, Justine.'

'Ja grootvader, dat zou ik maar doen.'

'Volgens mij zit er een scheur in de hor. Waar komen anders al die muggen vandaan?'

'Ik zal de vliegenmepper opzoeken.'

'Oh, laat maar, laat maar. Meneer Everjohn heeft ons iets te vertellen.'

Maar Eli schraapte zijn keel en Justine zei: 'Een ogenblikje, ik heb de hele dag al trek in iets zuurs. Wacht even op mij.'

'*Justine* –' zei Duncan.

Eli Everjohn was een geduldig man. (Met zijn beroep moest hij dat wel zijn.) Maar hij had al zo lang van dit ogenblik gedroomd. Hij was expres op zondagavond gekomen om zijn nieuws te vertellen, want hij dacht dat hij zou barften als hij tot maandag moest wachten: binnen één enkele maand had hij voor elkaar gekregen waar een gehele familie eenenzestig jaar lang in had gefaald. Hij had gevolgtrekkingen gemaakt op spectaculaire wijze en dat wilde hij nu op zijn eigen zijdelingse wijze gaan uitleggen, langzaamaan, opdat iedereen zou kunnen bewonderen hoe hij de ene aanwijzing op de andere had gestapeld, hoe het ene pad tot het andere had geleid, overbrugd door plotselinge geïnspireerde sprongen van zijn verbeelding. Het ware detectivewerk was een kunst. *Opsporen* was een kunst. Hij was de familie Peck dankbaar voor deze opdracht. (Hoe zou hij ooit weer tevreden verjaarscadeaus kunnen bewaken of net doen alsof hij *Newsweek* aan het lezen was voor een schoonheidssalon.) Dus schraapte hij zijn keel nog eens en schoof zijn kopje koffie een beetje van zich af en strengelde zijn lange vingers op tafel voor zich ineen en stak hij van wal zoals hij zich voorgenomen had. 'Van het begin af aan,' zei hij, 'viel het me op dat één element steeds weer terugkeerde als er over Caleb Peck werd gesproken.'

'U zult wat harder moeten praten,' zei de oude man.

'Oh. Neem me niet kwalijk. Van het *begin* af aan –'

'Justine, ik geloof dat mijn batterij bijna op is.'

'Laten jullie die man nou eens *uitspreken*?' zei Duncan.

Zo kwam het dat Eli, toen zijn laatste restje geduld uitgeput was, tenslotte alles uitflapte en dat het moment, dat hij al zo lang had voorbereid, was verpest. 'De heer Caleb Peck,' zei hij, 'woont in Box Hill, Louisiana, gezond en wel.'

Van het begin af aan was het Eli direct opgevallen dat er één ding was waar het Caleb Peck om ging: muziek. Zijn familie zag dat alleen maar als een detail, zo als de kleur van zijn ogen of zijn gewoonte om een Panama hoed te dragen als het seizoen daarvoor al voorbij was. Maar betekende het voor Caleb niet veel meer? Eli had erover gepeinsd, zeefde de dingen die hij had gehoord en rangschikte ze steeds weer opnieuw. Een paar maal kwam hij op een doodlopende weg terecht. Hij las nauwkeurig de leerlingenlijsten door van verscheidene bekende muziekscholen, met inbegrip van het Peabody Instituut in Baltimore. Hij keek de oude grammofoonplaten na op zoek naar zangers of solisten die Caleb wellicht was gaan opzoeken. Hij informeerde of Caleb pianoles had gehad – misschien van een knappe jongedame? Iemand die hem inspireerde en hem die

Czerny-oefeningen leerde spelen die hij bovenop de piano in de zitkamer van de oude meneer Peck had zien liggen? Maar nee, die waren van Margaret Rose, zei meneer Peck. Caleb hield niet van Czerny. Hij hield helemaal niet zo van klassieke muziek, om de waarheid te zeggen. En hij had nooit les gehad. Alleen de kleine Billy Pope had hem zijn viool-oefeningen doorgegeven, en hij had een in leer gebonden boek waarin stond hoe je op houten blaasinstrumenten moest spelen (die in die tijd werkelijk van hout waren – die ebbehouten fluit in Calebs oude slaapkamer gezien?) en wat de piano betreft had Lafleur Boudrault hem ragtime leren spelen.

Wie was die Lafleur Boudrault dan wel? Toevallig een knappe jongedame?

Lafleur Boudrault was de creoolse tuinman, in het geheel niet knap – hij had een litteken op een van zijn wangen en een tic aan zijn oog. Allang dood. Zijn vrouw Sulie leefde nog. Hij zou trouwens nooit hebben geholpen: hij was zo'n nurkse man.

Eli reisde opnieuw af naar Baltimore en nam Sulie apart, die op zolder met haar stofdoek liep te zwaaien. Tegenwoordig stofte ze alleen nog maar af. Ze liet zich haar stofdoek niet afpakken, die moest tussen haar vingers vandaan worden getrokken wanneer ze sliep, zoals je een kind een favoriete zakdoek of dekentje ontfutselde wanneer het gewassen moest worden. En de dingen die ze afstofte deden er niet toe – nooit de meubelen, die waarachtig wel een stofdoek konden *gebruiken* met al die knoppen er aan en spleten en uitschulpingen; maar alleen de verborgen plekken, die niet meetelden, de onderkant van laden of de achterkant van schilderijlijsten en nu deze kisten en dozen op zolder, waar ze al weken mee bezig was. Niemand kon haar tegenhouden. Ze wilden haar met pensioen sturen; had ze niet ergens familie zitten? Ze wisten het bijna zeker dat ze ergens nog een dochter had. Maar Sulie lachte alleen maar op haar kakelende snelle manier en zei: '*Nu* willen jullie dat wel. Nu wel.' Ach, ze was gek, zonder twijfel gek. Maar Eli was op zoek naar tijdgenoten van Caleb en er was niet zo veel keus. Hij beklom de nauwe, uitgeholde naar dennehout ruikende trap naar de zolderkamer van Laura en stak eerst zijn hoofd, toen zijn schouders en vervolgens zijn in het wol gestoken lichaam door het trapgat heen en kwam in een hitte terecht die zo intens was dat die vloeibaar leek, zodat hij zich op het laatst naar boven voelde zweven op een dof trillende luchtlaag. Tussen gebarsten stormlampen en schuinhangende portretten door en over opgerolde en als brandhout opgestapelde tapijten heen, zwom hij naar de magere figuur toe die een Pears zeepdoos stond te poetsen bij het raampje waar het stoffige licht door de luiken viel. 'Mevrouw Sulie Boudrault?' vroeg hij en zonder op te kijken knikte ze en ging ze door met poetsen en neuriën.

'U bent de weduwe van Lafleur Boudrault?'

Ze knikte weer.

'U weet toevallig niet waar Caleb Peck is gebleven?'

Toen hield ze op met poetsen.

'Alsjemenou, ik dacht dat het daar nooit van zou komen,' zei ze.

Ze zette hem neer op een ton vol met porseleinen spullen en ging zelf op een stapel tijdschriften zitten met haar stofdoek keurig in haar schoot. Zij was een kleine vrouw met een uitgerekte huid en gele ogen. Haar manier van praten was helder en logisch en zij vertelde haar verhaal op goedgeordende wijze. Geen wonder: ze had er een halve eeuw de tijd voor gehad om alles op een rijtje te zetten.

'Toen meneer Caleb pas weg was,' zei ze, 'zei ik tegen Lafleur, "Lafleur, wat moet ik zeggen?" Want ik wist wel waar hij naartoe was, maar ik wilde hem niet verraden. "Lafleur, moet ik erom liegen?" "Er wordt toch nooit over gesproken," zei hij. "Die mensen denken dat we helemaal geen *verstand* hebben." Nou, ik dacht dat hij het mis had. Ik heb zitten wachten tot de oude mevrouw Laura mij met haar oogjes zou vastprikken. Met die vrouw moet je oppassen. Meneer Justin de Eerste kon niets doen, zou misschien ook niets gedaan hebben, maar mevrouw Laura was zo bang voor hem dat zij het wel voor hem zou willen doen, en nog wel meer ook. Ze was zo'n bang mens, dat ze gemeen en hatelijk was geworden. Uitkijken voor Mevrouw Laura, zei ik tegen mezelf, en dus keek ik uit en wachtte ik af en bedacht wat ik zou zeggen als ze iets zou vragen. Maar dat heeft ze nooit gedaan. Geen enkele keer. Ze heeft zelfs nooit eens gevraagd, "Sulie, kun je je herinneren of je op die dag meneer Caleb zijn ontbijt hebt gebracht?" Geen woord. Sulie spreidde haar rok om zich heen – een lang verkreukeld ding van piqué die tot halverwege haar magere kuiten hing en waaronder haar enkelhoge werkschoenen met koperen neus bengelden. Nadat ze eventjes had nagedacht stak ze een hand in haar zak en hield een handvol verkruimelde zachte Oreo chocoladekoekjes op. 'Neem een koekje,' zei ze.

'Dank u,' zei Eli.

'Ze heeft nooit iets gevraagd. En de anderen ook niet. Het heeft even geduurd voordat ik me realiseerde dat ze dat nooit zouden doen ook. "Alsjemenou!" zei ik tegen Lafleur, en hij zei, "Heb ik je toch gezegd. Die denken dat wij ouwetjes *nergens* wat van af weten," zei hij. Dus waren de schellen van m'n ogen gevallen. Ik nam me voor nooit iets te zeggen tenzij ze het me ronduit vroegen. "Sulie, weet jij er niets van?" En mevrouw Laura keek ik niet eens meer aan. Nooit meer. Ze heeft nog zesenveertig jaar geleefd nadat meneer Caleb weg ging en ik heb geen woord tegen haar gezegd, maar ik weet bijna zeker dat ze dat nooit in de gaten heeft gehad. "Sulie wordt zo *nors*," zei ze wel eens. Maar het heeft vijf jaar geduurd voordat ze *dat* in de gaten had.'

Eli at het chocoladekoekje op en veegde zijn handen schoon. Hij nam een opschrijfboekje en een Bic pen uit zijn jaszak. Hij opende het op een blanco pagina.

'Nou,' zei Sulie.

Ze ging staan, alsof ze een voordracht ging houden.

'Meneer Caleb hield erg veel van muziek,' zei ze.

'Dat heb ik ook gehoord.'

'Hij hield van bijna alle muziek, maar het meest van negermuziek. Hij was gek op ragtime en nam alles over wat Lafleur op de piano speelde. Hij was dol op zijn verhalen over de muzikanten in New Orleans, waar Lafleur vandaan kwam. Lafleur was daar een beetje in moeilijkheden geraakt en daarom kon hij er niet weer naartoe, maar hij vertelde verhalen over de pianisten in Storyville en de dingen die er allemaal gebeurden. Begrijp me goed, dit was een *hele* tijd geleden. Niet veel mensen wisten daar iets van. Toen brak er een moeilijke tijd aan en ging Maggie Rose bij ons weg. Ik moest verhuizen naar het huis van meneer Daniël om voor de babies te zorgen. Ik was toen nog maar een tiener. En ik was net met Lafleur getrouwd. Ik wist nog niet veel, maar ik had wel in de gaten dat meneer Caleb erg stil was en misschien een druppeltje meer dronk dan goed voor hem was. Maar ik had nooit gedacht dat hij er vandoor zou gaan. Op een avond kwam hij naar beneden naar de kelder waar onze slaapkamer was, die van mij en Lafleur. Klopte op de deur. "Lafleur," zei hij, "er zit een kerel in het café die heeft het over een reis naar New Orleans."

"Oh ja?" zei Lafleur.

"Die wil dat ik met hem mee ga."

"Oh ja?"

"Nou, ik denk dat ik ga."

"Waarom niet," zegt Lafleur tegen hem.

"Voorgoed," zegt meneer Caleb. "Zonder het tegen iemand te zeggen." Maar nog dachten we dat hij het niet echt meende. Hij vroeg aan Lafleur of hij onderdak voor hem wist, ergens waar hij een poosje zou kunnen logeren. En Lafleur heeft hem toen de naam gegeven van een pension voor blanken vlakbij waar zijn zuster woonde. Meneer Caleb heeft het op een stukje papier geschreven en zorgvuldig opgevouwen en toen ging hij weg. We hebben er toen verder niet bij stil gestaan. 's Morgens komt hij ontbijten, dat deed hij wel eens. In de keuken bij meneer Daniël. "Maak maar een hele-boel voor me klaar, Sulie," zei hij. "Met een lege maag kun je niet ver reizen." Nou, ik dacht dat hij het had over een tochtje de *stad* in. Ik heb pannekoeken voor hem gebakken. Ik zette zijn ontbijt voor hem klaar en toen hij het op had bedankte hij me beleefd en ging hij weg. Ik heb hem nooit weer gezien.'

Ze keek peinzend naar haar nagels, die ribbelig en geel geworden waren als oude pianotoetsen.

'Mag ik het adres hebben van dat pension?' vroeg Eli haar.

'Ja, natuurlijk,' zei ze en gaf het hem, langzaam en duidelijk, om-dat ze het al die jaren in haar geheugen had opgeslagen en hij schreef het in zijn boekje op. Toen verdween ze en Eli dacht dat ze vergeten was dat hij er was. Hij stond voorzichtig op en liep op zijn tenen naar de zoldertrap. Hij had al een enkel laten zakken in de koelte beneden toen ze hem riep. 'Hé, meneer uh...'

'Ja mevrouw?'

'Wanneer u vertelt hoe u hem gevonden hebt,' zei ze, 'dan moet u er beslist bij zeggen dat Sulie het al deze tijd heeft geweten.'

Nu had hij dus een adres, maar het was van eenenzestig jaar geleden. Hij wist dat hij niet veel kon verwachten. Die avond nog nam hij een vliegtuig naar New Orleans. Per taxi ging hij naar de plek waar in 1912 een pension had gestaan. Het enige wat hij zag was een supermarkt, een kolos aan een geasfalteerde parkeerplaats, spookachtig blauw verlicht.

'Ik denk niet dat het veel nut heeft om hier te blijven rondhangen,' zei hij tegen de taxi-chauffeur.

Hij liet zich inschrijven in een klein hotel van waaruit hij onmiddellijk, ondanks het late uur, iedere Peck opbelde die in het telefoonboek stond. Geen van hen had een familielid met de naam Caleb. Hij ging naar bed en sliep geluidloos en droomloos. De volgende dag ging hij te voet op pad. Hij vervolgde zijn weg langs ongure verborgen binnenplaatsen en balkonnen met balustrades als kantwerk, geheime, spattende fonteinen, stuukwerk dat er melaats uitzag, monsterachtige tuinen en eikebomen met mosbaarden, door verrassende verlichte stadsgedeeltes waar de lucht in leek te hangen als gekleurde voiles. Hij doolde somber door verscheidene hol klinkende gebouwen, officiële en onofficiële archieven, met zijn handen in zijn zak, turend naar vergeelde muziekboeken, krantenknipsels, menus en gidsen van sportverenigingen achter glas, zowel als vitrines vol gedeukte trompetten en trombones die uit een tweedehands winkel leken te komen. 's Avonds bezocht hij nachtclubs waar hij, huiverend van het geschetter en gekletter van koperblazers en drummers tussen de tafeltjes door schoof om naar de omkrullende foto's aan de muur te staren en de programma's die vroeger op Onafhankelijkheidsdag werden verstrekt. Caleb Peck was er niet bij. Geen enkel teken van dat stijve ouderwetse blanke gezicht of die Panama-hoed. Eli's vrouw belde op, met een schrale, geïrriteerde stem vanwege de hitte. 'Maar hier is het nog warmer,' zei hij tegen haar. 'En je moet de insecten eens zien.' Dat kon haar niks schelen; ze wilde dat hij naar huis kwam. Wat deed hij daar trouwens?

'Over een week ben ik weer terug,' zei hij tegen haar. 'Binnen een week heb ik dit zaakje uitgezocht.'

Het was 18 augustus. Hoewel hij geen enkele nieuwe aanwijzing had, begon hij een zekere opwinding te voelen. Hij begon de opzichtige toeristen met zonnebrillen te volgen, die over informatie beschikten die hij niet had. Ze waren altijd in het bezit van geheime adressen: de verblijfplaatsen van oude verlamde saxofoonspelers, klarinetten, gewezen werknemers van de Streckfus Excursie Lijn en van de kleindochters van de vriendinnen van Buddy Bolden. (Wie was Buddy Bolden eigenlijk?) Eli glipte achter ze aan door nauwe deuren, armoedige zitkamers of kroegen of slaapkamers in. Soms werd hij er weer uitgegooid. Soms kwam hij er onopgemerkt in. Dan stelde hij zijn eigen vragen, die onder de omstandigheden nergens op sloegen.

'Kent u toevallig geen jazz-*cellist*?'

'Zijn er nog goede muzikanten uit Baltimore?'

'Waar was u in het voorjaar van negentientwaalf?'

Oude, stoffige ogen keken hem dan aan, maar ze waren nooit oud genoeg. 'Negentientwaalf? Dacht je dat ik zover terug kon denken, jongen?'

Op een onmerkbare, geleidelijke manier hadden de Pecks Eli veranderd. Hij begon alle gevoel voor het verstrijken van tijd kwijt te raken, alsof het *gewoon* was. Hij vond het irritant dat andere mensen dat ook niet konden doen. Het waren vermoeiende dagen, zeker, vooral voor zijn voeten, maar de nachten waren nog erger. Aan de reeks bars, cafés, nachtclubs en striptease-tenten kwam geen eind en alle muziek klonk hetzelfde, vond hij: rommelig. Eli sleepte zich van de ene tent naar de andere. Wanneer er toegangsgeld betaald moest worden dook hij weg en hij wuifde alle kelners en diensters opzij. Wanneer hij werd gedwongen iets te drinken te bestellen, nam hij een glas Dr. Pepper cola; meestal ging hij weer weg voordat het zover gekomen was. De geur van succes ontmoedigde hem. Hij zocht naar mislukking, enge cafétjes, een gat in de muur. Want het stond vast, dacht hij, dat Caleb zelf een mislukkeling was. Wat hij ook uiteindelijk had gedaan, had in ieder geval geen stempel op deze stad gedrukt. Hij liep bars binnen die naar verrot hout roken, met namen als 'The High Note' of 'Sportin' Life', waar een paar muzikanten ongelijk en ongeïnteresseerd zaten te spelen. Een neger zong boven een gitaar:

My train done left, Lord, done left me by the track,
My train done left, Lord, done left me by the track.
Tell the folks in Whisky Alley
I ain't never coming back...

Eli schudde zijn hoofd. Hij schoof langs een dronkelap de straat weer op, waar hij meedoolde temidden van de toeristen, in de vettige, neonverlichte nacht, die naar knoflook rook.

De volgende ochtend stond hij vroeger op dan gewoonlijk. Hij ontbeet in een koffiehuis vlak bij de kroeg waar hij de voorafgaande nacht was geweest en wandelde langs dezelfde bars, die nu gesloten waren. Verderop stond een man met een schort voor de stoep aan te vegen voor een stripteasetent, die er vrolijk en gezellig uitzag bij daglicht. 'Zeg,' zei Eli tegen hem, 'Die kleine oude bar eventjes terug, 'Easy Livin', hè?'

'De man kneep zijn ogen dicht. 'Wat is er mee?'

'Weet u hoe laat die open gaat?'

'Waarschijnlijk vanavond pas,' zei de man. 'Je hebt de tijd.'

'Nou, bedankt,' zei Eli.

Die ochtend begroef hij zich niet weer in de jazz-archieven. Hij kocht een krant en ging die in een park zitten lezen. Hij dronk nog een kop koffie en at een geglazuurde doughnut. Toen de bioscopen opengingen liep hij iedere Jimmy Stewart film af die in de stad draaide. Eli had een grote bewondering voor Jimmy Stewart. Om zes uur at hij een bord roereieren in een cafetaria, gevolgd door nog een kop koffie en een stuk appeltaart met vanille-ijs.

Toen vertrok hij in de richting van 'Easy Livin' – te voet, want het was niet ver. Hij haastte zich niet. Hij knikte ernstig met zijn hoofd terwijl hij doorwandelde en keek met een welwillende uitdrukking op zijn gezicht om zich heen, zoals Jimmy Stewart eruit had kunnen zien. Toen hij op zijn bestemming aankwam, trok hij zijn veterdasje recht voordat hij door de gehavende deur naar binnen liep.

Zelfs nu was het donker in 'Easy Livin' en het was nog nauwelijks schemer. Er was een bar met een koperen stang, een paar tafels vol met littekens en achter in het vertrek was een ruw houten podium voor de optredende muzikanten. Er waren op dat ogenblik geen andere klanten aanwezig. Er stond alleen een jongen achter de bar en de neger die de vorige avond had gezongen zat op zijn hurken op het podium een of andere elektrische draad vast te maken. Hij keek niet eens om toen Eli achter hem ging staan.

'Zeg,' zei Eli. 'Mag ik iets vragen over een liedje?'

De zanger gromde, stond toen op en klopte zijn werkbroek af. Hij zei, 'Dit is geen jazz-tent, man, daarvoor moet je verderop zijn.'

'U zong *gisteravond* toch,' zei Eli.

'Alleen maar de blues.'

'Ah,' zei Eli, die het verschil niet kende. Hij dacht eventjes na. De zanger keek op hem neer met zijn handen op zijn heupen. 'Nou,' zei Eli, 'u zong een liedje en daar wou ik iets over weten.'

'Welk liedje?'

'Over een trein.'

'*Alle* liedjes gaan over treinen,' zei de zanger geduldig.

'Liedje over Whisky Alley.'

'Huh-huh.'

'Herinnert u het zich?'

'Ik heb het toch gezongen?'

'Weet u wie het geschreven heeft?'

'Hoe zou ik dat nou weten?' zei de zanger, maar toen zei hij plotseling: "Stringtail Man".'

'Wie?'

'De Stringtail Man.'

'Wie was dat dan?'

'Weet *ik* veel. Een of andere blanke vent.'

'Maar die moet toch een naam hebben,' zei Eli.

'Nah. Voor zover ik weet niet. Blanke vent met een fiedel.'

'Een fiedel,' zei Eli. 'Nou – ik bedoel, is dat niet een tikkeltje vreemd voor jazz?'

'Blues,' zei de zanger.

'Blues dan.'

'Verder weet ik niks,' zei de zanger. Maar toch boog hij zich wat voorover, meer op Eli's hoogte. 'Dat was *heel* lang geleden, van die kerel. Hij was de leider van White-Eye, een oude negergitarist die vroeger op straat speelde. White-Eye was blind en die vioolspeler leidde hem rond. Maar iedere keer dat-ie aan het spelen was werd hij gewoon *bezeten* van die muziek en dan begon ie te dansen. Dan hoorde ouwe White-Eye de noten van de ene kant naar de andere huppelen en soms verdween de muziek helemaal uit zijn gehoor als het snelle muziek was en de vioolspeler erop weg danste. Dus maakte White-Eye zichzelf aan de riem van de vioolspeler vast met een touwtje, en daar komt de naam Stringtail vandaan. *Iedereen* hier in de buurt kan je dat verhaal vertellen.'

'Ja, ja,' zei Eli.

'Waarom vraag je me dat?'

'Nou, omdat er vroeger in Baltimore een kroeg was die Whisky Alley heette,' zei Eli. 'Vlak bij de haven.'

'En?'

'U herinnert zich toevallig niet waar die kerel, die Stringtail vandaan kwam?'

'Nee.'

'En White-Eye dan?'

'Weet ik ook niet.'

'En, hoe heette hij, had ie geen achternaam?'

'White-Eye. White-Eye. White-Eye – Ramford!' zei de zanger,

terwijl hij met zijn vingers knipte. 'Dacht dat ik het totaal vergeten was.'

'Zeer bedankt,' zei Eli. Hij wurmde met zijn hand in zijn zak. 'Kan ik u een Dr. Pepper aanbieden?'

De zanger keek hem een ogenblik aan. 'Nee, man,' zei hij tenslotte.

'Nou, bedankt, dan.'

'Laat maar zitten.'

De volgende dag tegen het middaguur had Eli contact opgenomen met iedere Ramford in het telefoonboek. Hij had White-Eye Ramfords achterkleindochter opgespoord, die kelnerin was; na haar bracht hij een bezoek aan ene mevrouw Clarine Ramford Tucker die in het Lydia Lockford Bejaardentehuis voor Negers en Armen woonde; en daarna was hij naar een Baptistische begraafplaats gegaan in een buitenwijk van de stad, die moerassig rook. Het aanzicht van de afbrokkelende gedenksteen bij het graf van Abel Ramford, een klein gotisch boogje overwoekerd door fluitekruid en paardebloemen, deed Eli even tot bezinning komen, en hij stond daar een hele tijd met zijn hoed in zijn handen zich af te vragen of hij aan het einde van zijn speurtocht gekomen was. Toen kwam hij weer tot leven en ging naar de parkwachter. Daar kwam hij te weten dat er nooit iemand naar het graf van de heer Ramford kwam, voor zover bekend was; maar wel dat er ieder jaar op Allerheiligen een boeket witte anjers bezorgd werd door bloemenzaak 'Altona', een hele chique bloemenwinkel die lavendelkleurige besoelwagens had. En bij bloemenwinkel Altona zeiden ze dat ze inderdaad een blijvende bestelling hadden voor die datum: een dozijn witte anjers, die bezorgd moesten worden op een kleine begraafplaats voor negers ergens in een uithoek van de stad; en de rekening werd gestuurd naar Box Hill, Louisiana, naar ene meneer Caleb Peck.

Dat was op zaterdag 25 augustus. Eli had er precies eenentachtig dagen over gedaan om zijn speurtocht tot een einde te brengen.

Omdat hij gewaarschuwd was Caleb niet persoonlijk te benaderen ('Dat wil ik absoluut zelf doen,' had de heer Peck gezegd), kwam Eli zonder die allerlaatste genoegdoening weer thuis. Maar het was bijna net zo bevredigend om zijn verhaal in de keuken van Justine te kunnen vertellen en om de verwondering van de oude man te aanschouwen. 'Wat? Wat?' zei hij, zelfs wanneer hij alles duidelijk verstaan had. Hij begon weer rondjes om de tafel te lopen en zijn handen te kneden alsof hij het koud had. 'Ik begrijp het niet.'

'Hij woont in Louisiana, grootvader.'

'Maar – wij zijn daar helemaal niet in de buurt geweest, hè, Justine?'

'We wisten het niet.'

'We hebben er nooit aan gedacht,' zei meneer Peck. 'Louisiana is de enige staat die je vergeet als je alle staten van de Verenigde Staten opnoemt. Wat moet hij daar nou?'

'Eli zegt –'

'Ik heb altijd al gedacht dat Sulie niet deugde.'

'Nou, grootvader, dat is niet waar, u weet hoe u altijd op haar kon rekenen.'

'Ze heeft ons bedrogen,' zei hij. 'Ach, als we haar op een of andere manier over het hoofd hebben gezien en haar niets hebben gevraagd – en dat geloof ik geen ogenblik – dan was dat per abuis. Bij toeval! Hoelang moeten we ons blijven verontschuldigen voor ieder gemis en iedere fout?' Hij fronste tegen Eli. 'En u zegt dat Caleb –'

'Viool speelt.'

'Dat begrijp ik niet.'

'Een fiedel.'

'Ja, maar ik –' Hij keerde zich naar Justine. 'Daar klopt niets van,' zei hij tegen haar.

'U heeft altijd gezegd dat hij van muziek hield,' zei ze.

'Het is de verkeerde Caleb.'

'Nee meneer!' zei Eli, terwijl hij zijn hoofd kwiek omhoog hief. 'Absoluut niet, meneer Peck!'

'Dat moet wel.'

'Zou ik hier zitten als ik er niet zeker van was?' Eli friemelde in zijn borstzakje, nam zijn opschrijfboekje eruit en sloeg de omgekrulde grauwige blaadjes om. 'Hier. Ik heb het gecontroleerd, luistert u maar. Caleb Justin Peck, geboren in Baltimore, Maryland, op veertien februari achttienvijfentachtig. Wie zou het anders kunnen zijn?'

'Hoe bent u daar achter gekomen? Ik had u toch gezegd om hem niet te benaderen?'

'Ik heb met een verpleegster van het Tehuis gesproken.'

'Tehuis?'

Eli sloeg een pagina van zijn boekje terug. 'Evergreen Tehuis voor

Bejaarden, Hamilton Street tweehonderd veertien, Box Hill, Louisiana.'

De heer Peck tastte achter zich naar een stoel en ging er heel langzaam op zitten.

'Als je er iets van zegt, dan vermoord ik je,' fluisterde Justine tegen Duncan. 'Dan vermoord ik je echt.'

'Ik was helemaal niet van plan om iets te zeggen.'

Eli keek verward van de een naar de ander.

'Maar hij woont natuurlijk niet *in* het Tehuis,' zei de heer Peck.

'Ja hoor.'

'Hij woont daar vlakbij. Of heeft er een kennis.'

'Hij woont er zelf.'

'Oh ja?'

'Kamer negentien.'

Meneer Peck wreef over zijn kin.

'Het spijt me,' zei Eli, hoewel hij er voorheen helemaal geen mening over had gehad.

'Mijn broer woont in een tehuis.'

'Nou, het is vast een –

'Mijn eigen broer in een tehuis.' Plotseling flitste hij met zijn ogen naar Duncan, felle blauwe ogen die op stekelige klitten leken. 'Dan ben ik jou een fles bourbon of zo schuldig.'

'Laat maar,' zei Duncan. Hij zag er moe uit, leek helemaal niet zichzelf.

'Ach!' zei meneer Peck. 'Ach, Caleb moet *oud* zijn!'

Iedereen zweeg.

Meneer Peck dacht een ogenblik na. 'Hij is achtentachtig jaar,' zei hij ten slotte.

Eli vond het vertellen van het nieuws lang niet zo leuk als hij had gedacht.

VEERTIEN

Watchmaker Street 21
Caro Mill, Maryland
27 augustus, 1973

Beste Caleb,

Ik neem mijn pen ter hand om

Watchmaker Street 21
Caro Mill, Maryland
27 augustus, 1973

Beste Caleb,

   Toen ik vernam dat je nog in leven was, Caleb, voelde ik in mijn
hart

Watchmaker Street 21
Caro Mill, Maryland
27 augustus, 1973

Beste Caleb,

Dit is een brief van je broer. Omdat je waarschijnlijk vergeten
bent hoe ik heet,

Watchmaker Street 21
Caro Mill, Maryland
27 augustus, 1973

Beste Caleb,

Ik neem mijn pen ter hand om uitdrukking te geven aan mijn
hoop dat je gezond bent van lichaam en geest.

Aanvankelijk was ik van plan je een onverwacht bezoek te
brengen om je persoonlijk te komen uitnodigen om bij ons in
Caro Mill te komen logeren. Maar mijn kleinzoon herinnerde mij
er aan dat je wellicht je familie niet weer wilt zien. Ik heb tegen
hem gezegd dat dat vanzelfsprekend niet het geval is. Of wel?

Er is heel wat water door de rivier gestroomd. In totaal heb ik
nu zeven kleinkinderen en één achterkleinkind. Het spijt me je te
moeten berichten dat onze ouders beiden al enige tijd geleden
zijn gestorven, evenals de baby, Caroline. Mijn zoons en twee
van mijn kleinzoons staan aan het hoofd van de firma etc – het is
moeilijk om dit alles via de post mede te delen. Ik hoop dat wij
elkaar spoedig zullen kunnen spreken.

Mijn kleinkinderen Duncan en Justine, die op het bovenstaan-
de adres wonen en bij wie ik geregeld logeer, ondersteunen mijn
uitnodiging en verlangen er naar je te ontmoeten. Mocht je op het
ogenblik krap zitten dan ben ik bereid om je vliegticket te betalen. Ik heb begrepen dat je uit New Orleans hierheen kunt
vliegen en uit Box Hill met de Greyhound bus naar New Orleans
kunt gaan, het enige openbaar vervoer in die omgeving. Ik heb
zelf verscheidene malen gevlogen. Vliegtuigen zijn heel gewoon
vandaag de dag, en hoe de Ford zich heeft ontwikkeld zul je je
moeilijk kunnen voorstellen. Het is natuurlijk geen schande om
in een Tehuis te verblijven, wanneer er een gebrek is aan een alternatief en men geen familie meer heeft. De alternatieven in jouw
geval ken ik niet, maar wel weet ik dat je wel *degelijk* nog *familie*
hebt. De meeste familieleden zijn nog in leven en zij zouden
nooit in overweging nemen het toe te staan dat een familielid van
hen, om welke reden dan ook, in een Tehuis zou gaan wonen.
Dat zul je zelf ook wel weten en toch heb je verkozen, als gevolg
van een logica waar ik niets van begrijp, om geen beroep te doen
op je eigen bloedverwanten in het uur van de nood.

Maar laten we het verleden laten rusten.

Maar op welke wijze heeft de familie je ooit gekwetst? Al ging onze vader wellicht te veel op in zijn werk, en was onze moeder een tikkeltje streng, dat was toch geen reden om je leven te ruïneren en vervolgens, als geruïneerd man niet bij ons terug te komen voor hulp?

Maar het heeft geen zin om hierbij stil te staan.

Ik ben nog vergeten te vermelden dat ik rechter ben geworden, maar vanzelfsprekend ben ik nu gepensioneerd. Ik heb begrepen dat jij de wereld van de muziek bent binnengetreden in een capaciteit die mij niet helemaal duidelijk is, maar ik hoop daar meer over te horen wanneer wij elkaar ontmoeten.

Mijn kleinzoon zegt dat je het recht hebt om alleen gelaten te worden en dat je zeker met ons contact opgenomen zou hebben als je ons had willen zien. Het is vanzelfsprekend niet mijn bedoeling om mij op te dringen waar ik niet gewenst word.

Van iedere plek in het land had je ons een telegram kunnen sturen, betaald door de ontvanger, maar toch heb je verkozen dat niet te doen. Voor mij, Caleb, spreekt daar een zekere *wrok* uit, want je wist best dat het ons pijn zou doen te vernemen dat een Peck in een dergelijk Instituut woont. Je bent altijd in de contramine geweest, zelfs als kind al, waardoor je onze moeder veel ongerustheid bezorgde, als gevolg van je koppige natuur die je, zoals ik heb begrepen, nooit overwonnen hebt.

Maar genoeg daarover. Het is allemaal voorbij.

Mijn kleinzoon zegt dat je verblijfplaats jouw eigen geheim is en dat je het moet bewaren als je dat wilt en dat ik daarom de rest van de familie niet moet vertellen waar je bent zonder jouw toestemming. Hij heeft de vriend die je gevonden heeft opdracht gegeven mijn zoons er niet van te verwittigen, totdat jij daar toestemming voor geeft. Hij zegt dat we het recht niet hadden om je op deze manier na te jagen. Ik heb tegen mijn kleinzoon gezegd dat jij het niet zo zou zien. Je begrijpt toch zeker wel dat ik je alleen zo graag nog eens wilde zien en misschien een praatje met je maken, over niets in het bijzonder want daar was nooit genoeg tijd voor in 1912.

Om je de waarheid te zeggen, Caleb, lijkt het er op dat mijn band met het heden verzwakt is. Ik heb niet het gevoel dat wat er vandaag de dag gebeurt werkelijk van belang is. Ik ben niet zo sterk verbonden met mijn nakomelingen, zelfs niet met mijn kleindochter.

Ze bedoelt het goed natuurlijk, maar ze is zo anders dan ik en zo anders dan ik mij haar van vroeger kan herinneren, dat ik haar waarschijnlijk niet eens zou herkennen als ik haar bij toeval op straat tegen kwam. Ten gevolge daarvan hoop ik dat je mijn brief zult beantwoorden en dat we elkaar spoedig kunnen ontmoeten om over die jaren te praten die eens zo ver weg leken maar die nu duidelijker in mijn gedachten zijn dan zij waren terwijl wij ze beleefden.

Ik verblijf,

Je broer
Daniël J. Peck, Sr.

VIJFTIEN

Justine stond op het pad voor haar huis en sloeg geen acht op de bui, die meer mist was dan regen. Ze stond met Rooie Emma te praten.

'Stel dat je op 27 augustus een brief op de post hebt gedaan,' zei ze. 'Of weet ik veel, het was al in de middag, misschien is hij pas de achtentwintigste weggegaan. Nee, hij heeft hem op het postkantoor verzonden. Hij vertrouwt de brievenbussen niet meer sinds ze rood en blauw geverfd zijn. Stel dat je op zevenentwintig augustus een brief hebt gepost naar een stadje in Louisiana. Hoe lang doet ie erover?'

'Luchtpost?' vroeg Rooie Emma.

'Luchtpost vertrouwt hij niet.'

'Hij vertrouwt ook *niets*!'

'Er zijn de laatste tijd zo veel vliegtuigen neergestort.'

'Nou, ik zou zeggen drie dagen,' zei Rooie Emma. En in aanmerking genomen dat hij pas 's middags is verstuurd en naar een klein stadje, zeg maar vier dagen.'

'Dus is hij op de dertigste aangekomen,' zei Justine.

Rooie Emma knikte. Er bleven kleine druppeltjes in haar krullen hangen als dauw in een spinneweb en haar gezicht glom en haar posttas was gespikkeld van de regen.

'En dan weer terug?' vroeg Justine. 'Nog eens vier dagen?'

'Dat denk ik wel, ja.'

'Plus een dag er tussenin voor het schrijven van een antwoord.'

'Als dat een hele dag in beslag zou nemen.'

'Vier september,' zei Justine. 'Een week geleden. Ik denk niet dat grootvader nog lang kan wachten.'

'Hij zou zich ergens anders mee bezig moeten houden,' zei Rooie Emma tegen haar. 'Hij moet lid worden van de Gouden Eeuw Club.'

'Oh, ik denk niet dat hij dat leuk zou vinden.'

'Maar hij zou zo populair zijn als wat! Met dat mooie hoofd van 'm en al zijn tanden nog.'

'Misschien wel,' zei Justine, 'maar ik zie het nog niet gebeuren.'

Ze wuifde goeiendag en liep het huis in met de post – een monsterpakje slasaus en een ansichtkaart van Meg. 'Hier,' zei ze tegen Duncan. Hij zat op de vloer van de kamer patience te spelen. Toen ze hem de kaart toewierp pakte hij hem op en keek met toegeknepen ogen naar de foto, waarop duizenden mensen halfnaakt op een strand lagen te zonnebaden. Hij draaide de kaart om. 'Lieve mama en papa en grootvader,' las hij. 'We zijn hier met de Vereniging voor Jong Gehuwden en we hebben enorm veel plezier. Wou maar dat jullie . . .' Hij gaf de kaart aan zijn grootvader door, die op de bank niets zat te doen.

'Wat is dit?' zei zijn grootvader.

'Een kaart van Meg.'

'Oh.'

Hij legde de kaart voorzichtig naast zich neer op de bank en staarde weer de ruimte in.

'Grootvader heeft u zin om cribbage te spelen?' vroeg Justine.

'Cribbage? Nee.'

'Zoveel te beter, want je vergeet altijd de spelregels,' zei Duncan tegen haar.

'Een spelletje schaken, grootvader?'

Hij keek haar afwezig aan.

'Of zullen we een eindje gaan rijden. U kunt daar toch maar niet blijven *zitten*.'

Duncan lachte.

'Het is helemaal niet grappig,' zei Justine tegen hem. 'Als het nou maar ophield met regenen.' Ze maaide een wirwar van planten opzij om door het raam te turen. 'Ik wou dat we ergens naartoe konden gaan. Ik wou dat we gewoon in de auto konden stappen en ergens naartoe rijden of een treinreis maken.'

'Weet je,' zei de grootvader, 'ik zou het helemaal niet zo erg vinden als hij geen antwoord geeft.'

Justine draaide zich om en keek hem aan.

'Maar wat wou ik zeggen. Het zou erg vermoeiend zijn om hem alles te vertellen wat er in tussentijd gebeurd is. Het is te veel om op te noemen. Het kan zijn dat ik hem niet eens herken. Of dat hij *mij* niet herkent. Het kan zijn dat ik er oud uit zie. Ik kan me nu weer herinneren dat we vaak kribbig waren tegen elkaar. We kunnen geen vijf minuten bij elkaar zitten zonder dat we ons geduld verliezen! En voor kinderen heeft hij nooit veel belangstelling gehad. En ik zou niet weten wat ik over die muziek van hem zou moeten zeggen. En dat huis waar hij woont. Wie weet hoe het daar toe gaat? Waarschijnlijk hebben ze een activiteiten schema en speciale planken om je pyama op te leggen en regels en medicijnen en wandeltijden en plaatsschikkingen waar ik gewoon geen idee van heb. We hebben niets gemeen. Weet je waar ik vannacht van heb gedroomd? Nee, *twee* nachten geleden misschien. Ik droomde dat ik Caleb de straat uit zag rijden. Hij zag er net zo keurig uit als altijd. Maar zijn auto! Een merkwaardige kleine buitenlandse stationwagen, met een toegeknepen gezicht en veel te grote ruiten, net iets als die verdraaide Chihuahua honden die je overal ziet. Ik riep "Caleb! wat *doe* je in dat ding?" En het enige wat hij deed was zich omdraaien en wuiven. Je zou denken dat hij er zich in thuis voelde.'

'Het zal wel loslopen, grootvader,' zei Justine tegen hem. 'Ik heb de hele week al het gevoel dat er een verandering op komst is. Hij kan ieder moment schrijven. Dan sturen we hem een vliegticket en installeren we hem in Megs vroegere kamertje.'

'En dan?'

'Wat?'

'En *dan*, zei ik. Wat doen we dan? "Oh, het zal wel loslopen, het zal wel loslopen." Je bent altijd zo verfoeid vrolijk, Justine. Maar waar is je gezond verstand?'

'Nou, grootvader –'

'Soms wordt het me te veel,' zei hij tegen Duncan. 'Jij verwacht van me dat ik het geduld van een heilige opbreng.'

'Helemaal niet,' zei Duncan.

'Je vindt dat ik mijn gevoelens niet moet blootgeven. Dat vindt jij heimelijk.'

'U doet maar wat u wilt. Mij kan het niet schelen.'

'Ik heb in mijn jeugd geleerd om me te beheersen, zie je. Maar ik dacht dat dat maar een beperkte *tijd* noodzakelijk was. Ik veronderstelde dat ik op zekere dag de gelegenheid zou hebben om al die opgespaarde emoties te uiten. Wanneer zal dat zijn?'

Niemand gaf antwoord. Justine bleef tegen het raamkozijn staan leunen, Duncan legde een schoppen drie neer en staarde hem aan. Ten slotte stond hun grootvader op en ging naar zijn kamer, leunend op ieder meubelstuk waar hij langs liep.

Justine moest tussen de middag alleen lunchen. Duncan was naar de winkel gegaan en haar grootvader zei dat hij ergens mee bezig was toen ze op de deur van zijn kamer klopte. Uit een plotseling gekras van metaal meende Justine op te kunnen maken dat hij bezig was met het ordenen van zijn archief. 'Maar kunt u niet even een kopje koffie drinken?' riep ze.

'Hè?'

'U zou me gezelschap kunnen houden.'

'Wat zeg je?'

Ze gaf het op en ging terug naar de keuken. Ze maakte een fles zure uitjes open en zette die op tafel neer, liep naar de lade om een vork te pakken en ging toen plotseling overeind staan. Dit voorgevoel dat ze had drukte nu tegen haar slapen en in de holte van haar rug. Ze liep naar de kamer van haar grootvader terug en klopte weer aan. 'Ik vroeg me af,' riep ze, 'of u liever een kopje thee hebt?'

'Justine.'

'Ik vroeg of —'

'Justine, ik voel me niet goed.'

Ze deed de deur onmiddellijk open. Haar grootvader zat op zijn bed met een stapel papier in zijn handen. Zijn gezicht was wit en het glom en de papieren trilden. 'Wat is er?' vroeg ze.

Hij ging met een hand over zijn ogen. 'Ik stond daar, zie je,' zei hij, 'en ik was gewoon mijn papieren een beetje aan het opruimen. Ik *stond* daar zo maar en toen voelde ik me zo —'

Hij ging niet verder en zat naar de bibberende papieren te kijken.

'Ga maar liggen,' zei Justine. Toen hij haar niet leek te horen raakte ze zijn schouder aan en duwde hem zachtjes achterover tot hij toegaf. Ze bukte om zijn voeten op te pakken en legde zijn benen op bed neer. Nu lag hij half op zijn zij en half op zijn rug en ademde een beetje te snel. Voelt u zich misselijk?' vroeg ze hem.

Hij knikte.

'Nou . . . maar geen pijn in uw borst.'

Hij knikte weer.

'Wel? Zegt u eens wat.'

'Ja.'

'Oh,' zei Justine.

Ze dacht een ogenblik na. Toen liep ze naar het open raam en leunde naar buiten. Bij de buren stond Ann-Campbell in een zwembadje met een bikinibroekje aan met haar gezicht in de regen te zingen.

Meerminnen zijn we, hoeladijee,
we eten graag haaitjes en piesen in zee . . .

'Ann-Campbell!'' riep Justine. 'Ga je moeder halen, snel. Ze moet de ambulance in Pankhurst bellen.'

Ann-Campbell hield op met zingen.

'Schiet op, Ann-Campbell! Zeg dat ze Duncan ook moet bellen. Mijn grootvader heeft een hartaanval.'

Ann-Campbell rende er vandoor, een en al flitsende sproeten en stukjes vervelde huid. Justine draaide zich weer naar haar grootvader toe. 'Wat?' zei hij verbijsterd. 'Wat heb ik?'

'Ach, misschien niet.'

Hij drukte met een hand op zijn borstkas.

'Kan ik iets voor u halen?' vroeg ze hem. 'Wilt u water? Of – ik weet het niet, misschien mag dat niet. Blijf maar rustig liggen, grootvader.'

Hij leek niet tot iets anders in staat.

Hij leek helemaal platgedrukt te zijn, weggezonken in zijn matras. Desondanks stonden de spieren in zijn nek gespannen alsof hij vast beraden was zijn hoofd een klein stukje boven het kussen te laten zweven; het was niet waardig om gezien te worden in een horizontale houding. Misschien wilde hij wel dat zij hem alleen liet, maar dat kon ze niet doen. Ze ijsbeerde maar door het kleine kamertje en bracht op hem via haar wil al haar eigen krachten en doelloze brandende energie over. Ze werd voortdurend aangetrokken door het raam, dat uitzicht bood op de zijtuin en waar ze de ambulance niet door zou kunnen zien zelfs al was hij al zo snel gekomen. 'Ik wou maar dat er in Caro Mill ook een ziekenhuis was!' riep ze uit.

'Ik zou er nooit mee instemmen om naar een ziekenhuis te gaan,' zei haar grootvader. Hij sloot zijn ogen.

Toen klapte de hordeur dicht en kon Justine weer op adem komen. 'Duncan?' riep ze. 'Ben jij het?'

Maar het was Dorcas die over de vloer aan kwam kletteren op haar naaldhakken. Ze stak haar bolle gezicht door de deur en zette grote ogen op toen ze grootvader Peck zag liggen, die net deed alsof hij sliep. 'Justine, schat, ik heb direct gebeld,' zei ze. 'De ambulance is onderweg. Ik ga op de hoek staan om ze de weg te wijzen.'

'En Duncan? Heb je Duncan ook gebeld?' vroeg Justine.

Dorcas was al op weg naar buiten, maar ze riep nog: 'Hij komt er aan, hij komt er zo aan.'

Justine liep terug naar het bed en ging op de rand zitten. Ze legde haar hand op het koude, vochtige voorhoofd van haar grootvader. Hij deed zijn ogen open en keek haar aan met een uitdrukking die ze nog nooit eerder van hem gezien had: het leek alsof hij haar iets vroeg. 'Wat is er?' zei ze.

'Justine, ik – de pijn wordt veel erger.'

'Oh, waar is Duncan toch?'

'Ik geloof dat ik een hartaanval heb.'

Ze nam allebei zijn handen in de hare, die ook begonnen te trillen. Hij wendde zijn ogen af en dacht na over iets op het grijze plafond. 'Nou,' zei hij eindelijk, 'ik had gehoopt dat er meer zou zijn dan *dit*, in het leven.'

'Niet praten!' zei ze tegen hem. Ze sprong op en rende weer naar het raam. 'Waar is die –'

Toen was er iets waardoor ze zich omdraaide, een geluid nog zachter dan een klik, en ze zag dat haar grootvader eindelijk zijn hoofd had laten rusten en dat zijn handen niet meer trilden en dat zijn gezicht rustig was en dood.

Ze ging naar de zitkamer om op Duncan te wachten, maar het idee dat ze haar grootvader zo maar had achtergelaten stemde haar treurig, dus ging ze weer naar zijn kamer. Daar was het nog steeds, dat overhemd zonder boord met de fijne streepjes en de zilverachtige lok haar, de perfecte tanden die tussen zijn dunne Peck-lippen heen flitsten, het wasachtige grijze snoertje van zijn gehoorapparaat en de diepliggende ogen, die gesloten waren maar toch nog blauw door de witte oogleden heen schemerden. Er lag meer dan maar een ziel;

er lag een lichaam, dat er heel anders uit zou hebben gezien als het door iemand anders was gedragen. Ze prentte de scherp getekende lijnen aan weerszijden van zijn mondhoeken, die getekend waren door trots en vastberadenheid, in haar geheugen. In haar gedachten drukte zijn knokige hand nog een maal een bitter haverstroballetje in de hare, maar ze raakte hem niet weer aan. Hij was nog teveel aanwezig en hij zou dat niet goed gevonden hebben. In plaats daarvan verlegde ze het kussen een beetje, zodat zijn hoofd rechter lag; en toen ze door die beweging een geruis van papier hoorde, trok ze de stapel brieven die hij in zijn hand had gehad onder zijn schouder uit, doorslagen op gewatermerkt papier. De verse kreukels erin en het zachte grijs van de letters deden denken aan een brief van iemand die al lang geleden gestorven en vergeten was. 'Beste Caleb,' las ze op het bovenste vel. 'Ik neem mijn pen ter hand om . . .' Ze liet haar ogen langs de regels naar beneden gaan. Toen ze hem helemaal gelezen had liet ze de brief zakken en staarde ze naar haar grootvaders gesloten en onbeweeglijke gezicht.

'Justine!' riep Duncan.

Ze draaide zich snel om.

'Justine? Dorcas heeft gezegd –'

Hij bleef in de deuropening staan en kwam toen naar binnen en nam de pols van zijn grootvader in zijn hand. 'Ach,' zei hij na een poosje en toen legde hij de pols weer heel voorzichtig neer zonder een enkel geluid. Daarna ging hij voor Justine staan.

'Wat erg,' zei hij tegen haar.

Ze hield de brief naar hem uit en hij pakte hem aan en las hem door. Eerst zuchtte hij en toen glimlachte hij; toen hield hij op met lezen en keek haar aan.

'Oh, Duncan,' zei Justine, 'hoe heeft hij zo'n brief kunnen schrijven?'

Maar toen hij haar wilde omhelzen, dook ze onder zijn armen vandaan en ging ze aan de andere kant van de kamer staan.

ZESTIEN

In het pakje dat ze op de begrafenis van haar moeder had gedragen en met één rafelige witte handschoen aan (ze had de andere niet kunnen vinden), liep Justine zwakjes naast haar man de gewreven bochtige trap af (waar ze als tiener vanaf had gerend met een hand op haar borst om te voorkomen dat ze het weinige wat ze had zou verliezen door de vaart), en de veranda over, waar haar overgrootmoeder zo vaak geoorloofde excuses had zitten bedenken (een beroerte, een gescheurde pees, een amputatie) om een condoleancebriefje te typen. Ze stapte in de auto van haar oom Mark; ze reed door Roland Park, stapte voor de kerk weer uit en liep de trap op, een beetje achterover leunend alsof ze bang was voor wat ze binnen aan zou treffen. Maar binnen lagen alleen maar dikke tapijten en er hing een schaduwrijk licht in pasteltinten en voorin stond een anonieme doodskist. Daarna volgde een begraafplaats, waarvan het gras zo keurig gemaaid was als het gras van een golfbaan, met rijen geglazuurde granieten grafstenen, ook die van PECK Justin Montague, PECK Laura Baum, MAYHEW Caroline Peck en ten slotte een bewonderenswaardig rechthoekig gegraven gat waarnaast de doodskist stond alsof hij vergeten was, op het laatste moment achter gelaten, terwijl er nog een toespraak gehouden werd. Naderhand ging de familie naar huis om condoleance-bezoek te ontvangen, dat de afgelopen paar dagen al voorbij was gestroomd en nog doorging nu het voorbij was – oudere heren, dames die ondanks de hitte hoedjes en handschoenen en voiles en gehaakte sjaals droegen. 'Ach,' zeiden ze tegen Justine, 'ben *jij* dat kleine meisje van Caroline? Maar je was vroeger zo – nou, je bent zeker – nou, en dit is je man hè? *Hem* herken ik wel.'

Hem herkenden ze wel. Met een nieuwe afstandelijkheid keerde Justine zich naar hem toe en keek hem aan. Ze zag zijn jongensachtige puntige kin en de lummelachtige manier waarop hij erbij stond: met een been om het andere gestrengeld en zijn handen in zijn achterzakken, zodat zijn ellebogen wijd uiteen stonden om voorbijgangers mee te priemen, stond hij een beetje heen en weer te wiebelen. Door de plooitjes bij zijn mondhoeken leek het alsof hij geheimzinnig en plagerig stond te glimlachen en dat was misschien ook wel zo. 'Hé, Duncan,' zei Justine, terwijl haar handschoen op de grond viel, 'je bent totaal niet veranderd!'

De oude dame mompelde iets en schaamde zich voor de blunder die ze had gemaakt. Het was duidelijk dat die twee niet met elkaar getrouwd waren en zelfs niet eens familie van elkaar waren, hoewel ze op elkaar leken. Duncan bukte zich en raapte de handschoen op en overhandigde hem beleefd aan Justine en toen draaide Justine zich om en liep alleen weg.

Duncan was niet de enige die niet veranderd was, dat waren de tantes ook niet. Ze waren gestold in hun gebloemde jurken en zomerensembles en haar nichtjes droegen dienbladen met cake af en aan net als ze vroeger deden. In een hoek aan de andere kant van de kamer stond Justine met een holle rug op een lege vinger van haar handschoen te sabbelen.

'Je was vroeger zo'n schattig klein meisje,' zei een vrouw met scheenbenen als latten. 'Dat ben je vast en zeker nog. Je kwam me altijd bosjes bloemen brengen, maar je bleef nooit want je was te verlegen om iets te zeggen.' Justine nam de handschoen uit haar mond en lachte lief en verlegen naar haar, maar daar trapte de vrouw niet in en ze liep onmiddellijk weg.

Toen de gasten vertrokken waren, kneep Duncan er tussenuit en ging naar bed, maar de rest van de familie genoot gezamelijk van een lichte maaltijd in de keuken, terwijl Sulie de buizen onder het aanrecht stond af te stoffen. Een voor een hadden ze herinneringen aan grootvader Peck. Tante Lucy huilde een beetje. Tante Sarah begon zich te ergeren en zei tegen Justine dat het niet nodig was om in het huis van haar eigen familie een muts op te hebben. 'Oh, sorry,' zei Justine en zette hem af. Toen wist ze niet wat ze ermee doen moest. Ze liet hem op haar schoot balanceren en raakte haar boterham niet aan. Ze was ontzettend moe. Ze had eigenlijk ook naar bed willen gaan. Maar ze bleef toch en tegen de tijd dat de ooms en tantes opstonden en vertrokken, was ze weer op adem gekomen en bleef ze bij haar neven en nichten in de keuken zitten en haalde nog meer herinneringen op. Wat *zij* zich konden herinneren was de uitdrukking op grootvaders gezicht toen Duncan voor hem een boterham met Nivea en olijven had klaargemaakt op een picknick, en eerst proestten zij in hun ijsthee en toen lachten ze hardop. Justine keek naar die blonde, stralende gezichten en dacht terug aan de tijd dat zij hier ook een lid van het huisgezin was geweest. Waar hadden ze in 's hemelsnaam tot barstens toe om moeten lachen, toen zij elf en twaalf en dertien waren?

Esther was nu kleuterleidster, Alice bibliothecaresse, en Sally, de knapste van de tweeling, weer thuis na haar huwelijk van een maand, ging wat minder uit dan vroeger en gaf nu pianoles op een moderne blanke piano, die helemaal niet paste in de wijnkleurige zitkamer van overgrootmoeder. Richard had een flat in de binnenstad en Claude woonde boven de garage van oom Twee en gaf al zijn geld uit aan etsen die verder niemand mooi vond. Er waren nieuwe rimpels bij gekomen in hun gezicht en hun haar was droger en doffer geworden, hun handen zaten vol sproeten; maar ze waren dezelfde gebleven. Alleen Justine was veranderd, en als ze probeerde een gesprek met hen te voeren had ze het gevoel dat ze tegen een sterke stroom opzwom. Het gevoel van frustratie maakte haar onhandig en ze morste een glas vol met ijsblokjes in de schoot van Claude, maar iedereeen zei dat het helemaal niet erg was.

Boven, in haar oude wit met roze slaapkamer, kleedde ze zich zachtjes uit om Duncan niet wakker te maken en ging ze naast hem liggen. Het zou een slapeloze nacht worden. Ze voelde dat haar benen op een bekende manier waakzaam waren, alsof ze op een elastiekje aan het koorddansen was. Haar gedachten werden overstroomd door stemmen: Duncan op twaalfjarige leeftijd die een poker-spelletje uitlegde; Richard die vroeg of hij ook mee mocht; tante Bea die alle huwelijkscadeaus opnoemde die ze in de zomer van 1930 had gekregen; haar grootvader die riep: 'Wacht even op mij, Justine! We hoeven ons toch niet zo te haasten?' Maar ze had zich toch gehaast. Ze was vreselijk haastig geweest en zo ontstuimig, luid en ongeduldig. Dat was natuurlijk de reden waarom hij de laatste tijd aldoor zo verbijsterd gekeken had; want wat was er van de oude, trage, tedere Justine geworden?

'Wacht op mij,' hoorde ze Meg zeggen, en ze zag Megs vijfjarige gezichtje, rond als een appel en rozig van de warmte, duidelijk voor zich op een wenteltrap in een vuurtoren aan de kust van New Jersey. Ze waren daar gestopt op de terugweg van een mislukt sollicitatiegesprek. (Justine had altijd in een vuurtoren willen wonen.) Justine was steeds hoger geklommen en struikelde over haar eigen voeten omdat ze zo'n haast had om er achter te komen wat er in het topje te zien was, terwijl Meg hijgend achter haar aan sjokte. Maar toen Justine helemaal boven was, zag ze dat het smalle pad ingesloten was door plastic, waardoor het uitzicht vertroebeld was. Het enige vertrek was een kleine alkoof, waarin een wachter in uniform een Mickey Spillane zat te lezen. Daar wilde ze eigenlijk toch niet wonen. Ze liep wat langzamer naar beneden, nog buiten adem van de tocht omhoog en op de een na onderste trap trof ze Meg snikkend op een vensterbank aan, terwijl Duncan haar probeerde te sussen.

'Oh, lieve *schat* toch!' riep Justine uit. 'Ik was je helemaal vergeten!'

Maar had ze er iets van geleerd? Ze was alleen maar ieder jaar sneller geworden, met een steeds grotere stuwkracht. Ze snelde op een of andere onbekende toekomst af en liet het verleden achter zich oprollen, sleurde Meg onder een arm mee, maar verzuimde naar haar te luisteren of haar te vragen of ze wel mee wilde. Dus was Meg alleen groot geworden – ze had zichzelf opgevoed – en ze had alleen het ouderlijk huis verlaten om een zielig bekrompen leventje te leiden dat ze helemaal niet had willen leiden; en grootvader Peck was steeds meer in de war geraakt en verbijsterd geworden terwijl hij werd meegesleept van het ene kartonnen hutje naar het andere. En Justine kwam op een dag tot bezinning en vroeg zich af hoe het allemaal zo gekomen was: wat ze kwijt geraakt was, was Justine zelf.

Maar Duncan, die haar hele leven had veranderd en haar hele verleden van haar afgenomen had, lag kalm te slapen, en op zijn kruin stond, net als toen hij vier jaar was, een plukje haar recht overeind.

De volgende ochtend stelde iedereen voor dat ze nog een poosje zouden blijven, maar Duncan zei dat hij meteen weer terug naar huis wilde. De langdurige gesprekken over de verkeerstoestand, de zijwegen of het wel of niet meenemen van een Thermosfles, tolereerde hij nauwelijks. Hij was zenuwachtig en geprikkeld terwijl ze de auto inlaadden, terwijl de ooms meer en meer huwelijkscadeaus voor Meg tussen de gebloemde lakens, die ze van tante Lucy hadden moeten aannemen, wegstouwden. ('Ik kan die kale matras in dat huisje van je maar niet vergeten,' had ze huiverend gezegd. *'Niemand* legt lakens meteen weer op de bedden direct nadat ze gewassen zijn. Eerst moet je ze een poosje in de linnenkast leggen om ze te laten rusten, dan gaan ze zesenzestig procent langer mee.')

Toen gebruikten ze volgens ritueel nog een koud drankje op de veranda, dat Duncan in één teug opdronk, waarna hij zijn ijsblokjes liet rinkelen en wachtte tot Justine klaar was. Justine deed er extra lang over om zijn gedrag weer goed te maken. Ze keek steeds maar om zich heen naar haar familieleden. 'Had je Meg maar te pakken kunnen krijgen,' zei tante Sarah tegen haar.

'We zullen haar bellen en het haar vertellen zodra ze van vakantie terug is.'

'Ze zal het vreselijk vinden om de begrafenis te hebben gemist.'

Er hing een zacht getril in de lucht van de verdrietige gedachten die om hen heen waarden. Oom Twee schraapte zijn keel hard.

'Ach!' zei hij. 'Ik heb je niet eens gevraagd hoe het met je reformzaak gaat.'

'Antiek,' zei Duncan.

'Antiek, dan.'

'Best hoor.' Hij tuurde over het grasveld en tikte tegen zijn glas. 'Justine, we moeten nu echt weg, voordat het zo heet wordt.'

'Oh. Nou, goed dan,' zei ze. Maar ze had liever nog wat langer willen blijven. Ze voelde zich verscheurd, omdat ze moest opstaan om ieder zacht, vriendelijk gezicht te kussen.

Met een uitgebreide zorgvuldigheid liep de familie de trap af, om hun weerstand tegen het afscheid te bewijzen – behalve Duncan die voor alle anderen de trap afhuppelde, terwijl hij zijn autosleuteltjes in de lucht gooide en weer opving. 'Duncan, jongen,' zei oom Mark, 'als je grootvader nog onbetaalde rekeningen heeft achtergelaten, van de dokter of iets dergelijks –'

'Dan zal ik het u wel laten weten.'

'En ik zal ook die detective schrijven en hem vragen de zaak af te sluiten.' Hij deed het portier open voor Justine. 'Die dekselse kerel heeft geld uitgegeven alsof het aan struiken groeit,' zei hij tegen haar. 'Ik zal blij zijn als ik van ze af ben.'

Justine keek vlug naar Duncan, maar hij keek haar niet aan. Hij had haar laten beloven dat ze Calebs geheim voor altijd bewaren zou, tenzij hij zelf schreef dat dat niet hoefde. Dus het enige wat ze tegen haar oom kon zeggen was: 'Ik zal het Eli zelf wel even zeggen, als u dat wilt.'

'Zijn laatste uitgaven waren gewoon op het *bizarre* af,' zei haar oom. 'Waarom vond hij het nodig om een bloemist om te kopen?'

'Ik zal het wel afhandelen.'

Ze ging in de auto zitten en Duncan startte de motor. 'Eindelijk,' mompelde hij. Toen zoefden ze de oprijlaan af en stoof er een wolk esdoorn-propellertjes op terwijl Justine uit het raampje hing om te wuiven. Tante Lucy schreeuwde nog iets na. 'Wat?' riep Justine. Tante Lucy schreeuwde weer.

'Stop even, Duncan,' zei Justine. 'Je moeder zegt nog wat.'

Duncan ging op de remmen staan. De auto reed gierend achteruit. 'Wat?' riep Justine.

'Ik zei, *vergeet je linnengoed niet te laten rusten!*'

Duncan sloeg met een hand tegen zijn voorhoofd, maar Justine knikte alleen maar en riep: 'Bedankt, tante Lucy,' en blies haar een kus toe, en toen nog meer kussen voor alle anderen, totdat Duncan de auto weer in de eerste versnelling zette en haar wegvoerde.

ZEVENTIEN

Duncan was al maandenlang patience aan het spelen, maar niemand had dat in de gaten want in het begin deed hij het heimelijk. Dat deed hij altijd in het begin. Zoals een alcoholist zijn fles verstopt terwijl iedereen in het openbaar drinkt, had hij zijn speelkaarten op onopvallende plekken verscholen en speelde hij in ongemakkelijke, slecht verlichte hoekjes. Bij het geringste geluid stond hij klaar om zijn kaarten bijeen te graaien en om zich heen te kijken met een onschuldige uitdrukking en een glimlach op zijn gezicht. (Hij vond het vervelend om gesnapt te worden en niet te weten wat er om hem heen aan de hand was.) Maar langzaamaan, onder verdoving van patience en andere geduldspelletjes, vergat hij zijn omgeving en vergat hij zijn kaarten te verstoppen, en merkte hij het niet meer wanneer er iemand op hem af kwam en op het laatst liep hij verstrooid de woonkamer binnen en legde zijn kaarten midden op de vloer, zodat iedereen over de grote V van zijn gespreide benen struikelde. Hij speelde door onder het eten, als ze bezoek hadden, tijdens ruzies en tijdens de nachtwake van zijn grootvader. Hij keerde uit Baltimore terug met een koffer waarin een spel kaarten los uiteen gevallen was – ze zaten tussen de plooien van Justine's begrafenisrok en stonden overeind in haar haarborstel. Hij nam de moeite niet om ze bijeen te garen. Hij pakte gewoon andere kaarten die lagen te wachten achter een begoniapot en installeerde zich op de vloer en legde de kaarten voor zijn favoriete spel 'Spin', een spel waardoor hij geheel in beslag werd genomen, waar uren, dagen van overweging en strategie in gingen zitten en waarvoor ingewikkelde plannen gesmeed moesten worden. Hij kwam niet uit en begon steeds weer opnieuw. Justine zwierf door de kamers met haar muts nog op.

In De Blauwe Fles, als hij er heen ging, speelde hij op een gehavend houten bureau achter de toonbank. Stapels rekeningen, folders en correspondentie schoof hij dan opzij, omdat je voor 'Spin' erg veel ruimte nodig had. Wanneer de deurbel rinkelde, hoorde hij het niet. Als hij antwoord moest geven op een vraag, of een bedrag moest aanslaan, was hij openlijk geïrriteerd. Was het niet duidelijk dat hij walgde van antiek. Hij walgde van de mensen die antiek verzamelden – onechte oude dames, die zonder twijfel dertig jaar geleden dezelfde beukehouten deegrollers hadden weggegooid die ze nu tegen buitensporige prijzen weer kochten. En, om alles nog erger te maken, was Silas Amsel vreselijk lastig geworden. Toen de winkel eenmaal een succes bleek te zijn, begon hij iets van Duncan te *verwachten*. Hij verwachtte voortdurend goede berichten. Duncan kon er helemaal niet tegen als er iets van hem verwacht werd. Hij begon steeds minder te verkopen, kocht minder gereedschap in, gedroeg zich steeds meer onbehouwen tegen de klanten. Silas begon te klagen. Hij viel over kleine dingen die Duncan vergeten was: de paar keer dat hij was vergeten af te sluiten en de ochtenden dat hij te laat gekomen was. Er was een bronzen beeldje kwijt, en hij beweerde dat het gestolen was. (Alsof iemand de moeite zou nemen om zoiets lelijks en zwaars te stelen.) Ze vielen tegen elkaar uit en iedere keer dat Silas in de winkel was hadden ze ruzie. En hij kwam steeds vaker en bleef steeds langer en bemoeide zich steeds meer met alles. Hij begon al te mopperen voordat hij goed en wel binnen was. Duncan deed net alsof hij hem niet zag. (Soms *zag* hij hem ook niet.) Dan bleef hij zitten peinzen over een enorm netwerk van speelkaarten met een vinger in de hals van een Old Crow whisky-fles. Dan voelde hij de lucht om hem heen plakkerig worden van de afkeuring, achterdocht, hoop en voorbarige denkbeelden van andere mensen. Alleen bij Justine kon hij zichzelf zijn.

Justine wandelde de winkel in en uit met de fladderende linten van haar muts achter zich aan.

'Ik ben zo klaar,' riep hij en ze zei: 'Hmmm?' en kwam de winkel weer binnen, met haar gedachten heel ergens anders. Ze deed nooit deuren achter zich dicht; dus maakte zij de antieke slee-bellen nooit aan het rinkelen, hetgeen hij zeer op prijs stelde. Ze bezat geen beslistheid. Hij keek op van zijn kaarten en zond onverwacht een glimlach op haar af die zo diep uit zijn binnenste kwam dat vast en zeker alle troosteloosheid van haar gezicht was verdwenen als ze het gemerkt had, maar ze had het niet opgevangen. Ze stond een paperweight waar een stukje uit was te bestuderen. Ze zag er verloren uit. Ze praatte tegenwoordig alleen nog maar over haar grootvader, zijn wensen waarop zij niet was ingegaan en de cadeaus waar ze hem niet voor bedankt had. Ze sprak niet over Caleb. Duncan wachtte daar op, maar ze zei geen woord over hem. Het was nu oktober en als ze teleurgesteld was, nadat ze de post iedere ochtend met haar lusteloze, onzekere handen had nagekeken, dan liet ze dat niet merken. Ze kwam alleen steeds meer op hetzelfde onderwerp terug: eindeloos pakte ze het verleden uit, trok de linten los, verwijderde het vloeipapier, en trok nog meer strikken los. 'Weet je nog toen hij ons meenam in de trein? Ik weet niet meer waar we naar toe gingen. Alle kinderen mochten met hem mee voor een of ander uitstapje. Voor een of andere patriotistische gelegenheid. Ik geloof dat hij er al spijt van had voordat de trein vertrok, maar het was te laat om terug te gaan en hij wilde niet –'

Duncan kon het zich niet meer herinneren. Waarschijnlijk had hij die keer thuis moeten blijven. Maar dat zei hij niet tegen Justine. Hij keek toe hoe zij de kristallen paperweight omdraaide en erin keek en toen haar ogen opsloeg en verstrooid naar haar eigen spiegelbeeld in een goudbronzen spiegel keek. 'Moet je mij eens zien,' zei ze, 'ik ben net een van die excentrieke ouwe vrouwtjes die je wel 's op straat ziet, met een verfomfaaide muts en een boodschappentas.'

Maar in zijn ogen was zij het onhandige nichtje met hele grote schoenen aan, en de komische manier waarop haar haar onderaan omkrulde was genoeg om van zijn kaarten weg te lopen om haar een kus op haar koele wang te komen geven.

'Zo'n vrouwtje die je door de vuilnisbakken ziet rommelen,' zei ze, nog steeds tegen de spiegel. Ze negeerde zijn kus.

'Misschien moeten we weer eens een tochtje gaan maken,' zei Duncan tegen haar. 'Ergens naartoe waar we nog nooit geweest zijn.'

'De kinderen op straat sluiten vast een weddenschap af over wat er in mijn tas zit.'

Maar hij *wist* wat er in haar tas zat. Koffiebonen en zoutjes om op te knabbelen en de toekomst gewikkeld in een stuk vergane zijde. Dat zat toch altijd in haar tas? Ze wendde zich van de spiegel af, alsof ze zijn gedachten had geraden en deed haar tas open om het hem te laten zien. Hij zag geen etenswaren of kaarten, alleen maar een heleboel vergeelde foto's die van haar grootvader waren geweest. Tantes en ooms in de branding, naast watervallen, naast nieuwe auto's; neven en nichten die vissen, diploma's en Bijbelstudie-getuigschriften omhoog hielden; grootvader Peck zorgvuldig poserend of formaat 13 × 18 achter een enorm, kaal bureau, met boven hem stapels van de *Maryland Digest* en afleveringen van de ALR; iemands bruid; iemands baby; een lachende Duncan; overgrootmoeder die haar ziel behoedde voor diefstal via de camera; nog meer ooms; nog meer tantes op een tuinfeest, in een groepje bij elkaar met hun gezichten versteend in een uitdrukking van verrassing. (Vlak voordat er een foto genomen werd renden ze naar een spiegel en ze droegen hun uitverkoren uitdrukkingen net zo voorzichtig als gelatinepudding op een bord.) Justine knipte haar tas weer dicht. Ze keek hem zo lang en peilend aan, dat hij er koud van werd. 'Dat heb ik bij me,' zei ze, 'maar niet tegen de kinderen op straat zeggen.'

Toen liep ze de winkel uit. De bel sidderde maar bleef stil. Duncan dacht er over om achter haar aan te gaan – om te vragen waar ze naartoe ging en of ze thuis zou zijn wanneer hij thuis kwam. Of belangrijker nog: waar hij die blik van haar aan verdiend had. Een blik waarmee alle andere mensen hem zijn hele leven lang al hadden aangekeken. Zijn hele leven lang hadden zij hem als onnadenkend en ondeugend, duivels zelfs, bestempeld; toch bleef hij op een of andere manier van binnen geloven dat hij een goed mens was. Bij Justine *was* hij ook een goed mens. Dacht zij daar nu anders over? Hij wilde het niet weten. Hij wilde het niet vragen omdat hij het antwoord niet wilde aanhoren. Ten slotte ging hij door met zijn patience-spel.

Op een ochtend om half twaalf zat Justine met haar rieten tas op schoot op een stoel in de wachtkamer op een vliegveld. Ze keek naar een groepje studenten die vlogen zonder gereserveerde plaats. De passagiers met gereserveerde tickets waren al doorgelopen en nu pakte een beambte een stapeltje blauwe kaarten van de toonbank en begon de namen van iedere passagier zonder reservering af te roepen. Ze juichten en stapten een voor een op de beambte af. Ze namen hun tickets in ontvangst alsof het Oscars waren, met een glimlach naar de beambte en wuifden vervolgens naar hun vrienden, die applaudisseerden. Justine klapte ook. 'De heer Flagg!' riep de beambte uit. 'De heer Brant!' Meneer Flagg glom. Meneer Brand zoende zijn ticket. 'Mevrouw Peck!' En hoewel Justine alleen was, werd ze zo door alle vrolijkheid aangestoken dat zij ook glom van vreugde en ze draaide zich om en maakte een buiging naar de lege rij stoelen voordat ze verdween door de ingang waar *New Orleans* boven stond.

ACHTTIEN

Terwijl overal om hem heen oude mannen lagen te snuiven en te snurken, lag hij 's nachts plat op zijn rug in het smalle witte ledikant naar het plafond te glimlachen en *Broken Yo-Yo* te neuriën, totdat de directrice er aan kwam, die zei dat hij ermee op moest houden. 'Hoe haalt u het in uw *hoofd*?' Hij gaf geen antwoord, maar hield op met neuriën. Een man aan het eind van de rij bedden riep om een ondersteek. De directrice liep weg op doffe rubberen zolen. De man bleef een poosje roepen maar met weinig interesse, en tenslotte hield hij er mee op en piepte hij alleen nog maar van tijd tot tijd. Caleb bleef naar het plafond glimlachen. Niemand wist dat de noten van *Broken Yo-Yo* nog steeds in zijn hoofd rondbuitelden.

Van 4 tot 5 uur in de ochtend sliep hij en droomde eerst dat hij door een straat met keistenen rende, veel sneller dan hij in jaren was geweest; toen droomde hij van velden vol gele margrieten; toen van een onverbiddelijke machine die zijn handen verbrokkelde en vermaalde. Toen hij wakker werd, masseerde hij zijn vingers. In de vroege ochtenduren was de pijn altijd het ergst. Hij lag te kijken naar hoe de duisternis wegtrok en het plafond wit werd en de hemel buiten het gigantische raam steeds meer kleur kreeg. De woelende gestaltes om hem heen verstilden, wat op waakzaamheid duidde, hoewel niemand iets zei. Dit was het uur dat oude mannen zich aan de slapeloosheid, die hen de hele nacht al had achtervolgd, gewonnen gaven. Zij kwamen liever niet voor hun nederlaag uit. Ze lagen hun kaken tegen elkaar te wrijven, zo gespannen alsof ze op wacht waren, en verrieden zich alleen door een droog hoestje of nu en dan door het schuurpapierachtige geluid van voeten die tegen elkaar aan gewreven werden. Caleb maakte het minste geluid van allemaal, maar *Stone Pony Blues* draaide nu in zijn hoofd af.

Om zes uur kwam de directrice het licht aan doen. Lang nadat ze weer weg was flikkerden de neonlampen nog en toen werd het vertrek gevuld met een verblindend licht. Het leek of de hemel weer donker werd. Het werd laat licht nu; het was najaar. In december zou hij hier zeven jaar zijn en hij kende iedere schaduw en lichtval, alle geluiden van de nacht en de ochtend en de etenstijden, die hij met een gevoel van tevredenheid rangschikte.

Degenen die zichzelf konden behelpen, begonnen zich nu uit bed te wurmen en trokken hun badjas aan. De badjas van Caleb was een gummi regenjas, waarvan hij de ceintuur onhandig vastmaakte zonder zijn vingers te bewegen. Hij had Luray, de vrouw van Roy, gevraagd om een nieuwe, echte badjas voor Kerstmis en hij was er bijna zeker van dat zij er een voor hem zou meebrengen. Hij stak zijn voeten in kartonnen slippers en liep de hal door naar de toiletten. Daar had zich al een rij gevormd. Hij neuriede terwijl hij op zijn beurt wachtte. De andere oude mannen vervolgden hun gesprekken over verstopping, maagklachten, beenkramp en rugpijn. Ze waren aan zijn neuriën gewend.

Voor het ontbijt kregen ze havergrutten, tarwebiskwie en koffie. De mannen zaten op lange houten banken en aten van blikken borden met vakjes. De vrouwen zaten aan de andere kant van de eetzaal. Ze mochten best bij de mannen zitten als ze dat wilden, maar dat deden zij niet, wellicht omdat zij hun gebloemde duster met hun beaderde witte benen er onderuit en hun schedelhuid die door hun dunne slierten haar schemerde liever niet wilden tonen. Maar Caleb maakte een buiging en glimlachte in hun richting voordat hij op een van de banken plaats nam.

Na het ontbijt gingen ze naar de recreatiezaal. Sommigen gingen naar de televisie kijken, de meesten zaten alleen maar voor zich uit te staren. Degenen die verlamd waren, werden binnen gereden en als supermarkt-karretjes geparkeerd. In een hoek van de zaal werd een spelletje gin-rummy opgezet, maar het liep af en de spelers zaten er ledig bij, met hun kaarten in hun hand, alsof ze versteend waren. Een man met een wandelstok vertelde aan een andere man hoe zijn zoon hem een huis met een lap grond door de neus geboord had. Caleb had niemand om mee te praten op het ogenblik. Zijn enige vriend was in augustus gestorven. Jesse Dole, een trompettist, die nog platen had gemaakt in de tijd dat een grote zwarte hoorn ervoor zorgde dat de muziek in iemands huiskamer te horen was. Ze hadden altijd op deze plek bij elkaar gezeten, tussen de radiator en de formica koffietafel, en discussieerden dan over de fijne details van hun verschillende stijl van muziek. Toen overleed Jesse op een nacht en werd hij in een laken op een stretcher overgeheveld en moest Caleb zijn dagen alleen doorbrengen met de met vinyl beklede stoel leeg naast hem. De anderen vonden hem een beetje zonderling. Maar Caleb was het gewoon om met iedereen vriendschap te sluiten en hij wist dat hij vroeger of later wel weer iemand zou vinden of dat iemand vroeger of later hem zou vinden, misschien een nieuwkomeling die met nieuwe verhalen zou komen aanzetten. Tot die tijd zat Caleb rustig in de recreatiezaal met zijn knokige handen op zijn knieën en zijn ogen op de groene linoleum vloer gericht. Bij gebrek aan iets anders, was hij begonnen na te denken over het verleden, wat eigenlijk niets voor hem was. Hij was er nooit de man naar geweest om bij het verleden stil te staan. Wanneer hij uit een plaats vertrok, vergat hij die onmiddellijk en keek hij weer uit naar de volgende plaats; maar hij had aangenomen dat eens de dag zou aanbreken wanneer hij tijd zou hebben om terug te kijken op de plaatsen waar hij geweest was, en die zou nu dan wel aangebroken zijn.

New Orleans in het begin van de eeuw: dansen voor een stuiver in het Okeh-paviljoen en de zwoele melodieën van quadrilles, Schotse polka's en muzikale bedelaars op iedere straathoek, die alles speelden wat maar leuk klonk. White-Eye Ramford die over het trottoir liep met zijn kromme benen, die noten als kleine stukjes gouden fruit uit zijn gitaar tokkelde en die zong en waggelde dat je dacht dat hij dronken was, totdat je zag hoe zijn oogleden als zwart papier flikkerden en hoe zijn hoofd op die blinde manier zijn omgeving aftastte. Hij was blind geworden toen hij twaalf was, of misschien twintig, want hij vertelde afwijkende verhalen; en tegen de tijd dat hij de middelbare leeftijd had bereikt, had hij moeten kunnen navigeren, maar dat was niet zo. Hij was een hopeloos geval. Een gezette, onhandige, hopeloze man met een zachtmoedig gezicht, dat vertrok wanneer hij struikelde, waarna hij berustend weer doorliep en meer noten uit zijn gebarsten gitaar tokkelde. Er zat een rafelige witte anjer in zijn knoopsgat en hij droeg een derby hoed. Dat was het najaar van 1914. Caleb was van de suikerraffinaderij op weg naar huis en hij bleef staan en staarde naar hem. Toen liep hij achter hem aan. Tot de blinde man uitriep: 'Wie is dat?' en Caleb zich in een portiek verschool. De volgende dag nam Caleb zijn fiedel mee naar diezelfde straat. Zodra hij de gitaar hoorde, begon hij te spelen. Hoge toverachtige noten stegen klagend op en maakten commentaar op het deuntje en achtervolgden het. Caleb wist onmiddellijk wat een dergelijk liedje voor begeleiding vereiste. De gitaar herstelde zich en liet een weg open voor de viool en zo vervolgden de twee mannen hun weg langs de straat. Iemand gooide een muntstuk in het reuzel-blikje dat aan de riem van de gitarist hing. 'Dank u wel,' zei Caleb, die altijd welgemanierd was. De gitarist draaide zich op zijn hielen om. 'Een *blanke*?' riep hij uit. Caleb was zo verheugd dat White-Eye dat nu pas door had dat hij nauwelijks in de gaten had dat hij domweg alleen gelaten was. Hij was er zeker van (omdat hij dat zo graag wilde) dat zij elkaar weer zouden ontmoeten, en dat hij met die gebarsten gitaar mee zou spelen op zijn fiedel, net zolang totdat hij geaccepteerd zou worden. Of in ieder geval getolereerd. Of dat White-Eye zou inzien dat het onvermijdelijk was.

In 1912 of 1913 kon je Caleb in ongeveer elke danshal of muziektent in de stad tegenkomen. Hij stond altijd tegen de piano aan te hangen of tegen de rand van de bandstand, verlegen en weemoedig, afgepeigerd van zijn slaafse baantje en hij hoopte dat hij een van de muzikanten zou mogen vervangen, hoewel niemand hem graag wilde hebben. Hij speelde uiteindelijk geen blaasinstrument en bijna niemand had behoefte aan een fiedel-speler. Hij kon ook van alles op de piano spelen. Dat had hij geleerd van een man die in de negentiende eeuw uit New Orleans was weggegaan, toen jazz nog met twee s-en gespeld werd. Dus hing Caleb in 1912 en 1913 nog rond aan de rand van de scène, met zijn magere gezicht gespannen van al het luisteren, van het absorberen, van het proberen te begrijpen. Maar in 1914 ontdekte hij de blues, die hem onmiddellijk aansprak en de daarop volgende twintig jaar kon je hem aantreffen in dezelfde kleine buurt van het Oude Kwartier, door middel van een touw met de blinde man verbonden, terwijl hij een glad deuntje speelde op zijn fiedel.

Nu, terwijl hij naar de strepen die het wasmiddel op het linoleum had achtergelaten zat te staren, kon hij de ijle stem van White-Eye horen en het ploing-geluid dat hij maakte met de hals van een fles waarmee hij langs de snaren van zijn gitaar gleed. Hij zong *Careless love* en *Mr. Crump*. Hij zong liedjes die Caleb had verzonnen – *Shut House* en *Whisky Alley* en *Cane Sugar Blues*. En *The Stringtail Blues*, die sommige mensen toeschreven aan Caleb, maar het was duidelijk een liedje van White-Eye; het ging over hoe een blinde man zich voelt om zo afhankelijk te zijn van andere mensen. De fiedel van Caleb trilde en zong lustig en de gitaarnoten tjingelden op een lagere toon. Caleb begon er haveloos uit te zien en was meestal niet zo erg schoon. Om schoon te zijn had je geld nodig. Soms, wanneer hij zijn weerspiegeling in een winkelruit zag, stond hij verbaasd van zichzelf: een slungelachtige man in een smerig rafelig pak. Vaak was hij opgezwollen van de vlooiebeten uit het pension waar hij jaren achtereen woonde. Hij was niet getrouwd. Hij had veel vrienden, maar dat waren grotendeels zwervers, die onverwacht weer verdwenen en soms maanden later pas weer boven water kwamen, en soms helemaal niet meer. Alleen White-Eye was zijn constante metgezel. Toch kon je niet zeggen dat zij vrienden waren, tenminste niet dat je kon zien. Ze praatten nauwelijks tegen elkaar. Ze hadden het nooit over persoonlijke dingen. Door slechts enkelen werd het opgemerkt hoe hun twee snaarinstrumenten voortdurend met elkaar converseerden, als oude familieleden die herinneringen ophaalden en tegen elkaar knikten en met elkaar instemden, en hoe Caleb en White-Eye, wanneer ze elkaar als de dag erop zat verlieten, een moment zwijgend naast elkaar stonden, alsof ze wilden dat er nog wat te zeggen viel voordat ze zich zouden omdraaien om ieder hun eigen kant op te gaan. White-Eye ging iedere avond naar zijn vrouw, die hij nooit bij name had genoemd, en een onbekend aantal nakomelingen. Caleb ging naar zijn werk, als nachtwaker in een koffiepakhuis; anders zou hij van de honger omkomen. (Hij nam nooit meer dan een bedrieglijk gerinkel van muntstukken uit het blikje.) Twintig jaar lang hield hij het vol op vier uur slaap per nacht. Dat deed hij ter ere van één soort muziek: die merkwaardige trotse liedjes ter verheerlijking van de neerslachtigheid, een gevoel dat hij eens heel goed had gekend. Hij kon zich geen ander soort leven meer voorstellen. Als je hem vroeg waar hij vandaan kwam, of wat voor familie hij had, dan kon hij je prompt antwoord geven zonder er echt over na te hoeven denken. Hij zag de stad of de mensen waar hij het over had dan nooit in gedachten voor zich. Zijn gedachten volgden op een of andere manier een andere koers. Hij gaf de voorkeur aan het heden. Hij was blij te zijn waar hij was.

Er waren nog maar enkele straatmuzikanten overgebleven, en Storyville werd gesloten en de jazz-muzikanten vertrokken naar Chicago of gingen spelen op de excursie-boten of in de kunstmatige bands die werden ingehuurd door de moeders van debutantes. Maar White-Eye en Stringtail Man gingen er mee door en konden er min of meer van leven, zelfs tijdens de *Crash*, de depressie van 1929. Ze waren een vast straatbeeld geworden. Hoewel ze niet beroemd waren, waren ze vertrouwd; en de armste mensen waren bereid hen een muntstuk toe te werpen om te bewerkstelligen dat de wereld niet nog erger zou veranderen.

Op een maandagochtend in het begin van het jaar 1934 ging Caleb, zoals altijd, op zoek naar de eerste vage geluiden van White-Eye's gitaar. (Ze maakten nooit een afspraak. Je had nooit kunnen vermoeden, aan het einde van een dag samenspelen, dat zij elkaar de volgende dag weer zouden zien.) Maar hij had nog geen twee straten uit gelopen, toen een bruine vrouw met een sjaal om de krul van zijn viool aanraakte en tegen hem zei dat White-Eye dood was. De ochtend na de nachtwake had zij de moeite genomen om Caleb te gaan zoeken en hem het nieuws te vertellen en hem voor de begrafenis uit te nodigen – iets wat hij zeer op prijs stelde, hoewel hij alleen maar knikte. Hij ging terug naar huis en zat een hele tijd op zijn bed. Hij gaf geen antwoord toen zijn hospita hem riep. Maar de volgende middag ging hij wel naar de begrafenis en ging hij zelfs met de familie mee naar de begraafplaats, een afgelegen veld buiten de stad. Hij stond aan de rand van het vochtige graf tussen twee meisjes met een teint de kleur van thee in, die hem aanstaarden en giechelden. Tijdens de gehele ceremonie stond hij het haar van zijn voorhoofd te vegen met de rug van zijn hand. Hij was toen bijna vijftig jaar oud en stond daar voor de eerste keer bij stil.

Nu ging Caleb alleen de straat op. Omdat hij nooit had kunnen zingen, speelde hij alleen op zijn fiedel. (Niemand vermoedde dat de stem van White-Eye in zijn hoofd bleef doorklinken.) De eenzame klanken van zijn muziek vermengden zich op een merkwaardige manier met de geluiden van de straat – de stemmen van de negerinnen die langs liepen of het gezoem van de tram of het geschreeuw van een sjacheraar. Aanvankelijk hoorde je niets; toen begon je je af te vragen wat je toch hoorde en dan scheidde de muziek zich af van de rest en zwierf door de lucht en stond je erbij met je mond open. Maar wanneer mensen hem een muntstuk wilden aanbieden, ontroerd door wat ze dachten gehoord te hebben, troffen ze bij hem geen kopje of blikje aan om het in te gooien. In plaats daarvan stopten ze het dan maar in zijn zak. 's Avonds kwam hij thuis met bobbels in zijn zak en soms was er zelfs een gekreukeld bankbiljet tussen zijn riem gestoken. Hij kon zich niet altijd herinneren waar het vandaan kwam. Hij legde het gewoon op zijn ladenkast neer. Terwijl de maanden verstreken, begon hij het versufte gevoel kwijt te raken en toen hij op een middag van zijn bord bonen met rijst opkeek naar de dienster in een café die hem koffie inschonk, besefte hij dat het leven nog steeds doorging. Hij bleef nog twee jaar in New Orleans en was daar voor altijd gebleven als hij niet tegen een stelletje cornet-spelers was opgelopen, die hem overhaalden om naar Peacham te gaan. Peacham was een klein, aardig stadje even ten noorden van New Orleans, dat leed onder de moeilijke tijden en de werkeloosheid, net als elke andere stad. Maar de burgemeester was met een oplossing op de proppen gekomen: hij was van plan om er een vakantieoord van de maken. (Niemand dacht er aan om hem te vragen waar de mensen dan wel het geld vandaan moesten halen om er heen te reizen.) Hij gaf een driekleuren-folder uit waarin hij beweerde dat Peacham alle voordelen van New Orleans bezat, maar zonder de drukte en het stadsvuil; uitstekend eten, levendige bars, twee nachtclubs met swingende jazz-muziek en muzikanten op iedere straathoek. Toen ging hij aan het werk met het inhuren van busladingen vol koks, diensters en obers, zowel als bespelers van ieder soort muziekinstrument. (Onder de stadsbevolking zelf waren maar drie pianisten – van klassieke muziek – en de dochter van de dominee, die harp speelde.) In een krakkemikkig houten hotelletje in de verkeerde buurt van de stad waren muzikanten bovenop elkaar gestapeld als kippen in kratten, en iedere ochtend gingen zij er op uit om zich op pittoresque wijze op bepaalde aangewezen straathoeken op te stellen. Maar er was niemand die geld in hun blikjes wierp. De enige bezoekers aan Peacham waren zoals gewoonlijk de op leeftijd gekomen zoons en dochters van bejaarden, die een verplicht weekendje bij hun ouders doorbrachten. Een voor een verloren de nieuwe werknemers de moed. Ze beweerden dat ze altijd gedacht hadden dat het toch niet zou lukken en gingen weer uit Peacham weg. Alleen Caleb bleef. Hij was daar min of meer per ongeluk terecht gekomen en had New Orleans met tegenzin verlaten, maar hij had het toevallig best naar zijn zin in Peacham. Hij vond het daar net zo leuk als elders.

Hij vond een baantje als concierge van een lagere school en 's avonds speelde hij op de hem aangewezen straathoek op zijn fiedel. Hij at bij Sams café, waar een grote rode dienster met een vriendelijk gezicht hem dubbele porties gaf omdat ze hem te mager vond. Deze vrouw heette Bess. Met haar zoontje van twee woonde ze in een straat vlak achter het café. Zij vond Calebs hotelkamer te duur en beetje bij beetje haalde ze hem over om bij haar in te trekken. Dat was niet zo moeilijk. (Hij was een meegaand persoon.) Voordat hij het wist bevond hij zichzelf in haar met petroleumlampen verlichte optrekje, in haar bruine ijzeren ledikant onder haar dunne versleten wattendeken, die een beetje naar spek rook. Zij was misschien niet de vrouw die hij zou hebben gekozen uit alle vrouwen van de wereld, maar zij was tenminste opgewekt en gemakkelijk in de omgang. Soms overwoog hij zelfs om met haar te trouwen, om haar zoontje Roy een achternaam te verschaffen, maar ze voelden zich al zo op hun gemak met elkaar dat het er nooit van kwam.

In 1942 had Bess genoeg geld opgespaard om zelf een café te kopen in Box Hill, een stadje dat 20 mijl verderop lag. Caleb was er niet helemaal zeker van of hij ook mee wilde; hij had het hier naar zijn zin. Maar Bess stond er op en, beminnelijk als hij was, ging hij toch mee, met zijn fiedel en zijn fluit en wat schone kleren. Deze keer kreeg hij een baantje als kok in het café van Bess. Hij ontdekte een park waar hij op zijn fiedel kon spelen, met een andere groep kinderen en vrijende paartjes die 's avonds naar hem luisterden. Alleen droegen tegenwoordig steeds meer mannen uniformen en leken de kleren van de meisjes ook op een uniform – met vierkante schouders, zuinig van snit – en hij vroeg zich soms af of die oude muziek die hij speelde de mensen wel echt aansprak. In zijn hoofd zong White-Eye Ramford nog steeds over wanhoop en jaloezie en wrede vrouwen en andere prachtige, overdadige zaken. De paartjes die ernaar luisterden leken daar veel te efficiënt voor.

Caleb begon last van zijn vingers te krijgen – in de ochtend waren ze wat stijf. En hij kon de hand waarmee hij de strijkstok vasthield wanneer het vochtig weer was soms helemaal niet op gang krijgen. En zijn haar was al helemaal wit en zijn bakkebaarden groeiden zilverachtig uit wanneer hij zich niet schoor. Verscheidene malen schrok hij van zijn vaders gezicht dat hem uit de spiegel aanstaarde. Behalve dat zijn vader natuurlijk geen smerige Panama-hoed op zou hebben, vooral niet in huis, en geen wit schort met ketchup vlekken of een broek die met een veiligheidsspeld was vastgemaakt.

Het café van Bess stond dicht bij de spoorlijn, tussen een zaad-handel en een wijnhandel. Er woonden ruwe kerels in die buurt, maar Bess kon ze wel aan. Dat zei ze tenminste. Tot een avond in maart 1948, toen twee klanten begonnen te redetwisten over een muilezel en een van hen zijn pistool trok en Bess per ongeluk door het hart schoot. Caleb was op dat moment aan het fiedelen. Toen hij thuiskwam had hij het gevoel dat hij in een film terecht was geko-men. Al die rondlopende politieagenten, detectives en ambulance-dokters en die vrouw op de grond met een paarse vlek op haar borst hadden toch zeker niets te maken met de werkelijke wereld? Hij had er in feite moeite mee te geloven dat ze dood was, en rouwde niet om haar, behalve in stukjes en beetjes – als hij jaren later met een onverwachte flits terug dacht aan haar vriendelijke glimlach, haar warme handen, haar trage dikke benen in witte kousen.

Caleb kon nu natuurlijk gaan en staan waar hij wilde, maar hij had de verantwoordelijkheid voor het zoontje van Bess, Roy, die toen dertien of veertien was. Bovendien vond hij het prettig in Box Hill. Hij hield van zijn werk in de keuken, waar hij aardappelen en spie-geleieren bakte in een record tijd, en nu het café van Roy was zat er niets anders op dan maar te blijven.

Het café begon er met de jaren steeds verweerder uit te zien; het bord waar *Bess's Café* op stond bladerde af en trok krom. Roy groeide op tot een gebogen, magere jongeman die er schichtig uit zag. Ze deden om beurten dienst in het café. 's Avonds kon Caleb er nog steeds op uit om *Stack O'Lee* en *Jogo Blues* te spelen. Maar zijn handen werden steeds stijver en er waren dagen dat hij zijn viool in de kist moest laten liggen. Toen kon hij zelfs zijn fluit niet meer aan; met geen mogelijkheid kon hij de luchtgaatjes meer voldoende af-sluiten wanneer zijn vingers zo stijf waren. Dus begon hij weer op zijn harmonica te spelen, waar hij voor het laatst op had gespeeld toen hij nog jong was. Het warme metaal en de geur van hout dat vochtig was van spuug, deed hem aan thuis denken. Hij stopte even met spelen en tuurde over de tapkast voor zich uit. Waar waren ze nu allemaal? Dood? Hij veegde de harmonica aan zijn broek af en ging door met zijn deuntje.

Roy zei dat ze een dienster nodig hadden. Dit was in 1963 of zoiets. Ze hadden hetzelfde groepje stamgasten als altijd, voornamelijk mannen die aan de spoorlijn werkten en bejaarden uit pensions in de buurt. Caleb zag helemaal niet in waarom ze opeens een dienster nodig hadden. Maar Roy ging toch zijn gang en nam iemand aan, en zodra zij er was begreep Caleb het. Het was een knap blond meisje, Luray Spivey. Voordat er zes weken verstreken waren, was ze mevrouw Pickett en stond er een jukebox in de hoek van het café met rock-and-roll muziek, om het maar niet te hebben over de veranderingen die ze aanbracht in het appartement boven, waar hij en Roy zoveel jaren alleen hadden gewoond. Ze bedekte de muren van Roy's slaapkamer met foto's van filmsterren, die ze uit tijdschriften had gescheurd, voornamelijk van Troy Donahue en Bobby Darin. De woonkamer versierde ze met gordijnen, kussens, plastic anjers en schelpen. Ze liep Caleb achterna om zijn vuile kleren op te rapen, met huisvrouwtjes-geluiden waar hij om moest lachen. 'Oi!' zei ze dan, en pakte een van zijn hemden vast met haar vingertoppen. Maar ze was niet van het soort dat een man opjaagt. Ze wist ook wel wanneer het tijd was om ermee op te houden en samen met Roy en Caleb en zes blikjes bier voor de tweedehands televisie te gaan zitten, die Roy na lang zeuren voor haar gekocht had. In het café vrolijkte ze iedereen op met haar brutale mopjes en de manier waarop ze haar hoofd opzij wierp, en haar kittige witte rokje fladderde om haar heen wanneer ze naar de keuken liep met een bestelling. Alle stamgasten vonden het fijn dat ze er was.

Toen werd in het najaar van 1964 de tweeling geboren. Nou, het spreekt vanzelf dat het leven moeilijk is met een tweeling; je kunt van een vrouw niet verwachten dat ze dan alles net zo gemakkelijk opneemt als voorheen. Maar er zat ook een financiële kant aan. Het staat vast dat mensen meer geld nodig hebben wanneer ze kinderen krijgen. Luray werd gewoon *verscheurd* door geldzorgen, dat kon je zo aan haar zien. Ze wilde zoveel dingen kopen voor haar babies. Ze zat altijd achter Roy aan om een baantje erbij te nemen, bij voorbeeld als taxi-chauffeur. 'Hoe moeten we anders het brood op de plank krijgen?' vroeg ze hem dan, angstig en vurig in haar cloqué duster. (Ze had een tijd haar kleren besteld per postorder, van de achterpagina's van filmtijdschriften, allemaal laag uitgesneden jurken met lovertjes en push-up beha's.) Dus ging Roy werken bij de Stipte Taxi Dienst van zes tot twaalf iedere avond en beheerde Caleb het café alleen. Niet dat hij dat erg vond. Het was toch niet zo druk en hij speelde 's avonds ook bijna geen viool meer nu het park verdwenen was en zijn handen zo koppig en strijdig waren. (Bovendien had hij de laatste tijd het gevoel gehad, wanneer hij aan het spelen was, dat mensen hem een – type, vonden. Een kleurrijke figuur. Dat wilde hij niet wezen, hij wilde alleen maar wat muziek maken.) Dus rommelde hij wat in het café en bereidde speciale gerechten en praatte wat met de gasten, voornamelijk vrienden van hem, en nadat de borden waren afgespoeld, haalde hij wel eens zijn harmonica te voorschijn en ging hij op een kruk zitten en speelde een paar deuntjes voor hen. Hij speelde *Pig Meat Papa* en *Broke and Hungry Blues* en *Nobody knows you when you're Down and Out*. De oude mannen luisterden en knikten zwaar met hun hoofd en zeiden: 'Dat is een waar ding,' wanneer hij uitgespeeld was – veel beter publiek dan de vrijende paartjes. Totdat Luray naar beneden kwam met krulspelden in haar haar en haar duster strak om zich heen gewikkeld. 'Wat is dit nou? Caleb, je hebt allebei de babies wakker gemaakt en ik had me net uitgesloofd om ze in bed te krijgen. Waarom zit iedereen hier maar te zitten? Weg met jullie, weg.' Alsof ze stoelen bezet hielden die voor anderen waren bedoeld, terwijl het duidelijk was dat er niemand meer kwam; en bovendien hadden ze plezier. Je ging toch niet weg als je plezier had?

Daarna trok Luray haar doorzichtige witte stofjas weer aan en zei dat ze wel inzag dat ze weer zou moeten gaan bedienen; de mannelijke klanten gaven haar wel fooien en Caleb niet. 'Nou, natuurlijk,' zei Caleb. 'Het zijn persoonlijke vrienden van me, ze willen me niet beledigen.' '*Mij* beledigen ze er niet mee,' zei Luray, terwijl ze haar hoofd achterover gooide. Ze deed de deur naar de trap open om te horen of de babies huilden. Caleb was ongerust als ze hen alleen liet, maar ze zei dat het best kon. Ze spaarde voor een elektrische flessensterilisator. Caleb vond zo'n ding overbodig, maar hij had wel door dat in het geval van Luray er altijd kans op was dat ze haar oog had op een of ander magisch voorwerp, dat borg zou staan voor het eeuwige geluk van de babies; en misschien was dat de zuigflessensterilisator. Dus keek hij er niet van op dat zij, nadat ze een sterilisator had, begon te sparen voor een dubbel wandelwagentje en daarna voor een tweetal opklapbare canvas bedjes, hoewel ze geen auto hadden. En hij nam het haar niet kwalijk wanneer ze zijn werk bekritiseerde, hoewel er wel tijden waren dat hij er moedeloos van werd. 'Wat zie ik nu? Gebruik je pure room? Waarom gebruik je zoveel eieren?'

Caleb was intussen een soort lijf-kok geworden. Hij kende zijn gasten al heel lang en sinds hij er de man niet naar was om ronduit te laten merken dat hij op mensen gesteld was, kookte hij in plaats daarvan hun favoriete kostje – troostende gerechten waar iedere man naar snakt wanneer hij zich niet zo kits voelt. Voor Jim Bolt was dat hete melk met whisky; voor de oude Emmett Gray verse gebakken tomaten met een heel klein beetje suiker er overheen gestrooid; en Meneer Ebsen, van het goederen-agentuur, was gek op eigen gebakken brood. De smalle aluminium plankjes boven het aanrecht, die bedoeld waren voor havermout, potato chips en gevulde koeken, stonden vol met kruiden en weckflessen, Twinings thee uit Engeland, blikjes Schotse havermout, 'Old Bay' krab in blik en 'Major Grey' chutney. Het leek op de keuken van een heel groot gezin. Dat was al jaren zo, maar Luray merkte het nu pas voor het eerst op. 'Wat hebben we hier eigenlijk voor een zaak?' vroeg ze. 'Wil je ons allemaal in de bijstand hebben? Ik zit hier met opgroeiende babies en lig 's nachts te piekeren hoe we het in godsnaam zullen redden en jij staat daar maar Franse omeletten te bakken en rijstpudding te maken, dingen die niet eens op het menu staan en ik wil niet eens weten hoeveel je ervoor rekent . . .'

Luray nam het van hem over en knoopte een schort om haar dunne taille. Ze behandelde Caleb alsof hij niet goed bij het hoofd was. Ze stuurde hem naar boven om op de babies te passen. Caleb was nooit goed geweest in de omgang met kinderen. Alleen al als hij ze zag werd hij er ellendig van; hij had zo'n vreselijk medelijden met mensen in de kinderjaren dat hij er niet tegen kon om in hun nabijheid te zijn. Wanneer een van de babies huilde, raakte hij helemaal in de war van binnen en voelde hij zich akelig en hopeloos. Daarom behandelde hij ze van een afstand, gereserveerd, en zodra het tijd was voor een dutje, haastte hij zich naar beneden om gezellig bij stamgasten te gaan zitten. Dan zat hij op een kruk rond te draaien en te praten en te lachen, een beetje melig van opluchting, en telde geld uit zijn eigen zak neer voor een kopje koffie, zodat Luray hem niet weer weg zou sturen. Hij viste zijn harmonica uit zijn zak en met stijve, gezwollen vingers en speelde hij *Shut house* of *Whisky Alley*. Tot Luray recht voor hem kwam staan met haar handen op haar heupen en haar hoofd opzij. 'Hoor je dat? Hoor je wat ik hoor? Hoor je die babies huilen?' Dan stopte Caleb zijn harmonica weer weg en liep hij traag met lood in zijn schoenen de trap op.

In het najaar van 1966 kwam Luray tot de ontdekking dat ze weer zwanger was. Dat vond ze niet zo leuk. Ze verdienden minder dan ooit, ze had haar handen vol aan de tweeling en het huis was al veel te klein. Caleb sliep nu op de bank en de babies kregen zijn oude kamer. Wanneer hij 's nachts opstond, struikelde hij over bouwblokken en speelgoed op wieltjes en koude natte luiers als hij naar de wc moest, waar Luray zich meestal al opgesloten had. 'Ga weg,' riep ze dan. 'Ga terug naar je bed, ouwe stinkerd!'

Op een ochtend ging ze uit, heel netjes gekleed; ze liet Roy in het café achter en Caleb moest voor de babies zorgen. Toen ze terug kwam zei ze tegen Caleb dat ze een ander huis voor hem gevonden had. 'Oh, nou!' zei Caleb.

Hij had er zelf al een paar keer over nagedacht om te gaan verhuizen, maar nog niet op zo'n concrete manier. En dan was het ook nog een kwestie van geld. 'De opbrengst van het café is gewoon niet *genoeg* voor twee huizen, Luray,' zei hij.

'Het is geen huis.'

'Oh, een kamer dan? Nou, goed, dat is –'

'Het is een huis waar de staat aan mee betaalt.'

Ze gaf Roy plotseling een flitsende blik en die liet zijn hoofd hangen op die typische schuchtere manier van hem en hij werd rood in het gezicht. Maar nog had Caleb het niet door.

Hij had het pas door toen zij hem in het grijze bakstenen gebouw met geplaveide buitenplaats deponeerden, waar verplegers door de gangen piepten op rubberen zolen. 'Maar – Luray?' zei hij. Roy ging een eindje verderop staan en bekeek een prikbord. Er zaten vlekken in zijn nek. Alleen Luray was bereid om Caleb recht in de ogen te zien. 'Ze zorgen hier heel goed voor je, hoor,' zei ze tegen hem. 'En je bent eigenlijk ook geen familie van ons.' Ze balanceerde een baby op iedere arm en leunde achterover onder het gewicht – een magere, hoogzwangere vrouw met gebleekt haar en een doffe huid. Wat kon hij tegen haar zeggen? Hij kon niet eens kwaad op haar worden, zo triest en zielig was ze. 'Nou,' zei hij. 'Het is wel goed.'

Maar later, toen de verpleegster tegen hem zei dat hij hier niet op zijn harmonica kon spelen, voelde hij een golf van woede over zich heen komen waarvan hij van top tot teen beefde, en hij vroeg zich af of hij het wel zou uithouden.

Nu moest hij neuriën om muziek te maken. Helaas had hij een tamelijk matte, eentonige stem en de neiging om de noten zonder versieringen aan te slaan, wat White-Eye Ramford vroeger wel deed. Toch was het beter dan niets. Na verloop van tijd sloot hij vriendschap met een paar mensen en ontdekte hij een rode kornoel-tje boom op de cementen binnenplaats en begon hij het ritueel van bedtijd en etenstijd en recreatietijd en middagdutjes aangenaam te vinden. Hij had altijd van zichzelf gedacht dat hij overal zou kun-nen aarden. Hij kreeg ook bezoek. Sommigen van de oude mannen kregen nooit iemand op bezoek. Roy en Luray kwamen een keer per maand of vaker, met hun vier kleine jongetjes met haar als touw – Roy ging er op een of andere manier steeds jonger uitzien, maar Luray zag er opgedroogd en uitgehold uit. Ze was nu erg aardig. Wanneer de klok vier uur sloeg en de directrice hen de ontvangstka-mer uitjoeg, reikte Luray voorover en raakte ze Calebs hand aan, en soms gaf ze hem een kneepje in zijn wang. 'We komen gauw weer terug, hoor!' zei ze. Ze zei altijd: 'Je hoeft ons niet uit te laten, blijf maar lekker zitten,' maar dat deed hij toch. Hij liep de stalen deur uit en stak de binnenplaats over tot het hek in zijn gezicht dicht-sloeg. Dan wuifde hij door de spijlen heen en zei Luray tegen haar jongens dat ze terug moesten zwaaien. En op weg naar de bushalte, halverwege de straat keek ze nog eens om en glimlachte naar hem en dan stak ze haar kin net zo vooruit als ze vroeger deed, alsof ze hem liet weten dat ze nog steeds die lieve, opgewekte Luray Spivey was en dat zij het net zo erg vond als hij dat het allemaal zo gelopen was.

In zijn verstelde vinyl stoel zat hij stukjes van oude liedjes te neu-riën, vrolijk-sombere liedjes over St. Louis en East St. Louis, Mem-phis en Beale Street, Pratt City en Parchman Farm. Maar het was een feit dat hij nooit de *Stringtail Blues* neuriede, hoewel White-Eye Ramford het voortdurend zong in de echo van zijn gedachten:

Once I walk proud, once I prance up and down,
  Now I holds to a string and they leads me around . . .

De ochtend dat de brief kwam zat hij in de recreatiezaal. Hij herin-nerde zich dat, toen een verpleger hem de envelop in de schoot had geworpen, hij zich er op had voorbereid om een goed half uurtje te kijken naar foto's van bloemstukjes. (De enige correspondentie die hij ontving kwam van de Altona Bloemenspecialist.) Boeketten met namen als 'Aandenken', 'Een vriendelijke groet' en 'Elegantie', die je kon verzenden naar de andere kant van het land zonder ooit een voet in een winkel te hoeven zetten. Maar toen hij de envelop openscheurde trof hij een getypte brief aan. Hij keek het adres op de envelop na. Ja hoor, aan de heer Caleb Peck. Er stond alleen maar 'Postdienst Md' op gestempeld. Bestonden er geen postzegels meer?

Maryland.

Hij schudde de brief uit de envelop. 'Beste Caleb,' las hij. Hij sloeg de rest over en las de ondertekening. 'Je broer Daniël J . Peck Sr.' Het leek alsof er een baksteen op zijn borstkas viel. Maar vanzelfsprekend was hij blij te weten dat zijn broer nog in leven was. Hij dacht met veel genegenheid aan Daniël, en zag hem wel eens in een ontroerende flits voor zich als hij zich dat toeliet – het gele hoofd van Daniël gebogen over een schoolboek; de moedige, dappere manier waarop hij soms naar zijn vader keek; zijn verlegen, trotse gezicht toen Maggie Rose in haar bruidsjapon het kerkpad afliep. Toch zonk Caleb ineen op zijn stoel en gluurde om zich heen of er indringers in het vertrek zaten. Toen las hij de rest van de brief.

Daniël scheen hem uit te nodigen om op bezoek te komen. Hij vroeg hem te komen naar een plaats die Caro Mill heette. Caleb had nog nooit van Caro Mill gehoord. Hij had er moeite mee om zijn broer voor te stellen op een andere plaats dan Baltimore. En toen hij in gedachten de uitnodiging aannam, zag hij dan ook Baltimore voor zich, zelfs met de brief nog in zijn hand – een tram die door de zanderige, schaduwrijke straten naar Roland Park ratelde, een huis met lappen poppen en stokpaardjes op het grasveld. Daniël, die de trap af kwam om hem te verwelkomen, met een glimlach op zijn gezicht en die evenwichtige, heldere ogen die hij altijd dichtkneep alsof ze duizelden van hun eigen blauwheid. Caleb glimlachte terug, en knikte bedeesd. Toen schrok hij op en herlas de brief.

Hij vernam dat zijn ouders gestorven waren, wat hij natuurlijk al jaren had vermoed. (Toch was hij verbluft.) En de baby, Caroline, die hij helemaal vergeten was, ook. Maar waar was Maggie Rose, was zij ooit weer teruggekeerd? Daar had Daniël het niet over. Caleb sloeg zijn ogen op en zag haar kleine, lieve, lachende gezicht onder een hoedje met linten. Maar zij zou nu een oude dame zijn. Ze had kleinkinderen. Haar zoons waren advocaat en haar man was rechter. Het was nu 1973.

Toch was de brief geschreven in een taal uit een vroegere eeuw, en kon Caleb de stijve, zelfbewuste stem van de jonge Daniël Peck er duidelijk in horen. Alle oude lasten werden weer op hem neergegooid: verwijten, vergiffenis, nog meer verwijten. Een eindeloos aanvallen en terugtrekken en nog meer aanvallen, waar geen tegenaanval op mogelijk was. 'Dat zul je zelf ook wel weten . . .' en 'Maar laten we het verleden laten rusten.' Maar, 'Je bent altijd in de contramine geweest, zelfs als kind al, waardoor je onze moeder veel ongerustheid bezorgde . . .' Toen kwam Caleb bij de laatste paragraaf, hij liep de brief vlug door in plaats van hem echt te lezen (zodat niets van wat er in stond echt kon bezinken). 'Om je de waarheid te zeggen, Caleb,' zei zijn broer, en toen stond hij daar met zijn hand uitgestoken te wachten. Zoals hij vroeger, na een wekenlange verwijdering, de trap naar Calebs kamer op liep om hem eenvoudigweg voor een wandeling uit te nodigen; of zoals een ander familielid dat kon doen; want ze waren allemaal hetzelfde, ze vielen allemaal aan en trokken zich dan weer terug, en Caleb had er al veel te veel jaren aan besteed zijn verdediging op te bouwen, die dan alleen maar weer de grond in werd geboord door een liefdevolle hand op zijn schouder, of enkele woorden in die geheime taal die alle families wellicht hadden, maar deze taal was de enige die Caleb ooit had verstaan. Hij werd eerst kwaad en kreeg toen spijt; hij rebelleerde tegen hen allemaal, tegen hun pietluttige bekrompen manieren, maar dan werd hij weer aangetrokken door de vertrouwde trekjes die ze op hun mond hadden; dan stelde hij zich open en verdronk hij in hun stille warmte en werd hij bedolven onder de manier waarop ze hem herinnerden aan hoe hij hen allemaal teleurstelde.

Dus vroeg hij de verpleegster om schrijfpapier en ergerde zich en wond zich op toen ze er drie uur over deed om het te brengen. Maar toen hij het had, kwam dat zware gevoel weer boven en kon hij met geen mogelijkheid de juiste woorden vinden. Bovendien deden zijn handen pijn. Hij kon het potlood niet goed vasthouden. Hij vouwde het blanco papier op en stak het in zijn zak, waar Daniëls brief ook in opgeborgen zat. Dagen verstreken. Weken verstreken. Een poos lang infiltreerde zijn familie alle gedachten die bij hem opkwamen, maar na verloop van tijd vervaagden zij en kwamen ze alleen sporadisch weer terug, wanneer hij de jas aan deed die hij als badjas gebruikte en een papier geritsel in de zak eventjes een schaduw wierp over zijn ochtend.

Voor het middageten kregen ze kip en geroosterd brood. Na de lunch was het tijd voor een dutje. De rolstoel-patiënten werden als reepjes spek op hun bed neergelegd, maar de meesten – een klein beetje rebellerend – liepen tussen de bedden heen en weer of stonden bij het raam of zaten overeind in bed in hun nest van dunne, verstelde dekens. Caleb ging liggen, maar hij sliep niet. Hij speelde in gedachten op zijn fiedel. Iedereen die hem zorgvuldig gadesloeg kon waarnemen dat de vingers van zijn linkerhand van tijd tot tijd vertrokken of dat zijn lippen zwakjes bewogen, zonder geluid voort te brengen. Hij was de *Georgia Crawl* aan het spelen, en alle noten lukten precies zoals hij het wilde.

Na hun middagslaap moesten ze eigenlijk tot het avondeten in de recreatiezaal blijven. Maar Caleb wandelde de binnenplaats op en omdat hij altijd naar dezelfde plek ging, probeerde niemand hem tegen te houden. Hij ging op een bank onder de kornoeljeboom zitten, die uit een rond gat in het cement groeide. De bovenste takken waren droog en kaal. Wat lager bewogen een paar rode blaadjes in de koude wind. Caleb zette de kraag van zijn regenjas op en zat ineen gedoken. Het zou niet al te lang duren voordat het winter was en dan zou hij niet meer naar buiten mogen. De boom zou het volgende voorjaar waarschijnlijk niet halen. Hij gaf niet zo veel om de natuur, maar het idee dat hij daar in het niets zou zitten, onbeschut door ook maar een paar droge takken zoals deze, maakte dat hij zich blootgesteld voelde. Hij keek om zich heen, plotseling op zijn hoede. Hij zag alleen een vrouw met een platte muts op de binnenplaats oversteken.

Het bezoekuur was nu in volle gang en er waren overal buitenstaanders, die met hun onverwachtse kleuren het tehuis ineens veel valer maakten. Misschien was deze bezoekster verdwaald. Ze baande zich een weg in zijn richting alsof ze een rivier vol met gladde stenen doorwaadde. Haar strokleurige haar, dat onflatteus op haar schouders hing, deed hem denken aan de jonge meisjes uit zijn jeugd, maar toen ze dichterbij kwam zag hij dat ze van middelbare leeftijd was. Ze keek hem recht aan met een vreemde onderzoekende blik. Ze stak haar hand uit. 'Bent u Caleb Peck?' vroeg ze.

'Jazeker.'

Hij schudde haar hand, hoewel hij haar niet kende. Hij deed altijd wat er van hem verwacht werd, zo was hij altijd geweest.

'Ik ben Justine Peck.'

'O ja?'

Hij keek haar zorgvuldig aan, niet alleen naar haar onbesuisde muts en oude kleren, maar ook naar haar zandkleurige gezicht, haar scherpe neus en blauwe ogen. Hij zou haar overal hebben herkend, dacht hij. (Maar dat was niet zo.) Er ging een soort van treurige schok door hem heen. Hij bleef haar magere hand vasthouden.

'Ik ben de kleindochter van Daniël Peck.'

'Oh, ja, zijn kleindochter.'

'Waar hij niet zo'n sterke band mee had,' zei ze.

'Ja, ik herinner me . . .'

Hij liet haar hand los en stak hem in de zak, waarin papier ritselde.

'Ik heb slecht nieuws,' hoorde hij.

Zijn – niet? Achternicht. Ging naast hem op de bank zitten, zo licht als een vogeltje. Hij wist wel wat zij ging zeggen. 'Daniël is gestorven,' zei hij tegen haar. Hoe had hij vanmorgen zo tevreden wakker kunnen worden, niet vermoedend wat er gebeurd was?

'Hij heeft een hartaanval gehad,' zei ze.

Hij voelde zich bedrogen en bitter. Van binnen begon er een diepe pijn bij hem op te bloeien. Automatisch ging zijn hand naar zijn jaszak en haalde de brief tevoorschijn. 'Maar ik had nog niet teruggeschreven,' zei hij. 'Dat zou ik op een *gegeven ogenblik* echt gedaan hebben.'

'Natuurlijk.'

Zij had niet gezegd wat hij vreesde dat ze zou zeggen.

Hij vouwde de brief open, met een waas voor zijn ogen, en streek hem glad tussen hen in op de bank. Daniëls schrijfmachine-schrift was netjes en vastberaden en pathetisch. Het was niet rechtvaardig; het was alsof hij twee keer doodging. 'Het is niet rechtvaardig,' zei hij tegen Justine.

'Nee helemaal niet.'

Ze zat naar een duif te kijken terwijl Caleb de brief herlas. De kantlijn trilde en glinsterde. Nu werd alles duidelijk. Hij zag in dat er aardiger, zachtmoediger betekenissen zaten achter de woorden van Daniël; de andere betekenis was verdwenen. Hij begreep hoeveel moeite het hem gekost moest hebben, de weifels, het zoeken naar de juiste woorden, de valse starten die hij in de prullebak had gegooid.

'Ik had moeten schrijven,' zei hij tegen Justine.

Ze bleef naar de duif kijken.

'Het is altijd zo geweest; ik deed nooit wat zij graag hadden gewild. Of deed altijd wat ik niet had moeten doen.'

Zij verlegde haar blik naar hem, doorzichtige blauwe ogen die hem nog steeds in de war brachten.

'Hoe heeft hij me gevonden?' vroeg hij aan haar. Hij had daar nog niet eerder bij stil gestaan.

'Een detective heeft het voor elkaar gekregen,' zei Justine, 'maar we zaten al jaren achter u aan.'

'Ik dacht dat ze me gewoon zouden vergeten.'

Ze wilde iets zeggen, maar weerhield zich ervan. Toen zei ze: 'Ik probeerde er achter te komen door in de kaarten te kijken.'

'De –?'

'De kaarten die de toekomst voorspellen.'

'Oh, juist ja,' zei hij.

'Dan was mijn vraag: zou grootvader u ooit weer terug vinden? Dan zeiden de kaarten ja. Maar een vergissing was altijd mogelijk, want grootvader coupeerde de kaarten nooit zelf. Dat zou hij nooit hebben goedgekeurd. Ik heb er nooit aan gedacht om te vragen of hij u ooit weer terug zou *zien*.'

Caleb vouwde de brief weer op en stak hem in zijn jaszak. Hij begreep niet zo goed waar zij het over had.

'Oom Caleb,' zei Justine, 'gaat u met mij mee naar huis?'

'Oh, nou, – dat is erg vriendelijk van je aangeboden.'

'We zouden het heel fijn vinden. Duncan en ik. Duncan is ook een van de kleinkinderen, ik ben met hem getrouwd. U mag hem vast wel.'

'Oh, je bent met hem getrouwd,' zei Caleb zonder verrast te zijn. Hij haalde zijn neus op en depte toen beide ogen met de mouw van zijn regenjas. *'Nou,'* zei hij. 'En van wie ben je dan een dochter?'

'Van Caroline.'

'Van Caroline? Dat was toch de baby, ik dacht dat zij gestorven was.'

'Pas toen ze volwassen was,' zei Justine. 'Duncan is van oom Twee.'

'Twee? Oh, Justin Twee.'

Hij beoogde de duif, wier veren hem deden denken aan een taffeta jurk die Maggie Rose ooit had gedragen. Justin Twee was de meest veeleisende van al haar kinderen, als hij zich goed kon herinneren; met de luidste en meest snerpende stem, degene die het vaakst een gesprek onderbrak. 'Zeg eens,' zei hij, 'is hij nog steeds hetzelfde?'

'Ja,' zei Justine, alsof ze wist wat hij bedoelde.

Hij lachte.

Justine zei: 'Luistert u eens. U kunt hier niet blijven! Ik ging naar het kantoor om te vragen waar u was en toen zeiden ze: "Hij zit buiten bij de boom, maar u heeft nog maar twintig minuten. Dan is het bezoekuur afgelopen" zeiden ze. Ik zei: "Maar ik ben al sinds gisteren onderweg! Ik ben zijn achternicht, Justine Peck, uit Caro Mill, Maryland. Ik *moet* meer dan twintig minuten met hem praten!" "Het spijt me, juffrouw," zeiden ze, "regels zijn regels." In zo'n huis kunt u toch niet blijven!'

'Dat is waar,' zei Caleb, 'ze zijn gek op regels.'

'Gaat u met mij mee? We kunnen vanavond nog vertrekken.'

'Ach, ze laten me nooit gaan, weet je,' zei Caleb. 'Nee hoor. Jij bent niet de persoon die me hier ingeschreven heeft, dat zouden ze nooit toelaten . . .of je moet zoveel formulieren invullen. Dat moet allemaal voorbereid worden. Misschien duurt het weken voordat ze me zouden laten –'

'*Laten?*' zei Justine. 'Zit u hier in de gevangenis?'

Caleb knipperde met zijn ogen en keek om zich heen.

'Komt u maar gewoon mee,' zei Justine. 'U heeft uw jas al aan. Is er iets wat u nog nodig heeft van binnen? We kunnen over de muur hier achter klimmen, daar is hij het laagst. Dan zien ze ons niet eens weggaan.'

'*Ontvluchten*, bedoel je?' zei Caleb.

'Gaat u nou maar mee, alstublieft.'

Zijn hele leven lang hadden mensen dat al tegen hem gezegd, en hij had nog steeds niet geleerd om nee te zeggen.

NEGENTIEN

Af en toe ving Justine een glimp van Caleb op – wanneer hij langs een openstaande deur liep, of wanneer hij even zichtbaar was door de ramen wanneer hij op de veranda heen en weer liep – en dan dacht ze dat het grootvader Peck was en haar hart sprong op van vreugde. Ze had eigenlijk nooit kunnen wennen aan het idee dat je sommige mensen echt nooit meer terug zult zien. Kijk, daar had je zijn vooruitgestoken hoofd, de glanzende zilveren haren, die lange neus met dat toegeknepen witte puntje. Maar dan zag ze opeens zijn ogen. Haar grootvaders gezicht, maar met bruine ogen! Of ze riep iets tegen hem en daar reageerde hij meteen op met een lichte schok als ze te hard tegen hem sprak, wat ze, oudergewoonte, nog steeds deed. Of hij viel door de mand door zijn kleren – die waren van haar grootvader, dat wel, maar Caleb zag er sjofel in uit en ze zaten slobberig. Ze zeeg dan ineen, waar ze zich ook bevond en Duncan keek haar dan verbaasd aan, maar ze zei niets. Duncan speelde tegenwoordig met de 'Toren van Boedha', waarbij gele plastic schijfjes over drie rechtopstaande stokjes verdeeld moesten worden. Als je hem zo zag zou je denken dat hij een met een spelletje patience bezig was, en niet met een puzzle: de puzzle had hij jaren geleden al opgelost. De schijven klikten regelmatig, met het geluid van een telraam of een rozenkrans, waarbij het ritme gedicteerd leek te worden het tempo waarmee de gedachten in zijn hoofd rondtolden.

Wat ging er allemaal in hem om? Hij wilde er niet over praten. De whiskyfles, die constant naast hem stond was, leek het, altijd bijna leeg, en boven de paar centimeter geel op de bodem was het goedkope, oneffen glas helder. Bij tijd en wijlen rookte hij uit een piepklein metalen pijpje, dat hij stopte met stinkende blaadjes en zaadjes en steeltjes. Hij werd dan dromerig en nukkig, hoewel de blaadjes al zó oud waren (sinds mensenheugenis hadden ze in het oreganoflesje in de keuken gezeten) dat Justine vermoedde dat alle kracht er al uit was. Hij maakte de vreemdste plannen; zo wilde hij bijvoorbeeld de kleine ronde zaadjes ergens op een dorpsbrink uitzaaien. 'Eénmaal per jaar vieren we dan een nieuw feest, het Platbranden van de Brink. Alle dorpelingen moeten daar dan op een bepaalde dag omheen gaan zitten en de rook inhaleren en gelukkig zijn.' Justine keek terluiks naar Caleb om te zien of die geshockeerd was. Kennelijk niet. Zelf sloeg hij een paar flinke slokken whisky ook niet af (die strenge, grootvaderlijke lippen aan de hals van een fles!) en misschien zou hij ook wel eens een trekje van de pijp hebben genomen als hij van rook niet altijd zo moest hoesten. Toch leek het Justine maar beter om hem voortdurend te verzekeren: 'U moet niet denken dat Duncan altijd zo is, hoor.'

'Oh nee?' zei Caleb.

'Nee, hij is alleen maar wat – 't zal wel weer overgaan.' En dan vroeg ze zich af waarom ze zo haar best deed om de toestand uiteen te zetten, want Caleb leek alleen maar teleurgesteld. Hij verwachtte kennelijk iets van ze, maar wat precies bleef voor Justine een raadsel. Op hun terugreis bijvoorbeeld wisselde zijn stemming voortdurend, zodat ze tenslotte niet meer wist wat ze van hem denken moest. Aanvankelijk, helemaal tot aan New Orleans, was hij in de wolken. Dat was de Caleb die ze het aardigst vond; met z'n stralende gezicht leek hij dan veel op Duncan, en dat had ze altijd wel vermoed. De opwinding maakte hem gespannen en als hij sprak waren zijn handen voortdurend in beweging. (En toch had Justine geleerd dat een Peck nooit met zijn handen gebaarde.) Hij bracht haar op de hoogte van zijn hele leven, van alles wat er met hem gebeurd was nadat hij uit Baltimore weggegaan was – *emmers* vol belevenissen, een vloedgolf van namen en plaatsen, flarden van liedjes en onafgemaakte zinnen. Ze kreeg het gevoel dat zestig jaar alles had opgekropt, tot het moment dat een familielid zou tegenkomen. Maar toen hij klaar was en ze naar details begon te informeren –

'Wat is er van die vriend geworden met wie u samen naar New Orleans bent gegaan?' 'Wat was dat nou voor iemand, die White-Eye Ramford?' 'Had u nooit zin om weer naar huis terug te gaan?' – werd hij gemelijk en kortaf. 'Weet ik niet. Weet ik niet', mompelde hij. Om hem wat op te vrolijken zei ze: 'Als we in New Orleans zijn gaan we schoenen voor u kopen. Met die dunne slippers kunt u het vliegtuig niet in.' Maar daar leek hij alleen maar somberder van te worden. Hij keek door het raam en ondertussen gleed hij met duim en middelvinger langs zijn mondhoeken en daar werd ze een beetje zenuwachtig van. Maar natuurlijk: hij rouwde om zijn broer. Dat had ze eerder moeten bedenken. Hij had in het begin zo zijn best voor haar zitten doen, en dat had hem uitgeput. Dus liet ze hem maar rustig zitten en toen ze in New Orleans aankwamen begon ze niet opnieuw over die schoenen. Maar hij wel. Hij werd opeens heel kwiek. 'Zeg hé!' zei hij, 'Zouden we die slippers hier niet vervangen? We kunnen toch niet zó in de schoot van de familie terug keren?'

'Nou, als u dat graag wilt,' zei Justine behoedzaam.

'Helaas ben ik op het ogenblik wat slecht bij kas –'

'Oh, maar daar zorg ik wel voor.'

Wat dat betreft verloochende hij zijn afkomst niet. Hij deed niet onnodig moeilijk over geld. Ze overnachtten in een buitengewoon armoedig hotel en Justine verontschuldigde zich daarvoor, maar het kon Caleb kennelijk niet schelen. Hij ging vroeg naar bed, nadat hij zich tegoed had gedaan aan grote porties sla; vers fruit en verse groente waren een obsessie voor hem. Hij zag er patent uit toen hij haar in de gang goeienacht wuifde, maar de volgende ochtend, in het vliegtuig, wisselde zijn stemming voortdurend: nu eens opgewekt, dan weer in mineur. Praatgraag, dan weer bedrukt. Meestal bedrukt. Hij stelde haar de vreemdste vragen. 'Hoeveel schepen hebben jullie?'

'Schepen? Hoe bedoelt u?'

'Kopen jullie ze, of charteren jullie ze tegenwoordig?'

'*Schepen!* Oh,' zei Justine, 'we importeren niet meer.'

'Oh nee?'

'De familie heeft alles verkocht.'

'Wat vertel je me nou! Wanneer hebben ze dat gedaan?'

'Direct nadat u bent weggegaan,' zei Justine.

Dan verzonk hij weer in zichzelf en zei praktisch niets meer, totdat ze geland waren en de twee aansluitende bussen naar Caro Mill hadden genomen. Toen ze met hem naar Watchmaker Street liep voelde ze dat ze eigenlijk maar *moeizaam* met hem kon opschieten, hij liep er zo verpieterd bij. Maar toen ze voor het huis stonden hield hij plotseling halt. 'Hier?' zei hij, 'wonen jullie hier?'

Het was voor het eerst dat ze zag hoe gammel het huis er bij stond, hoe uitgezakt de horren waren, hoe kromgetrokken de traptreden. Wat deed die verroeste motor daar eigenlijk op de veranda? 'Ja, hier wonen we,' zei ze.

Ze voelde hoe hij haar aankeek. Ze staarde naar de punten van haar schoenen.

'Is dit jullie *huis*?'

'Ja.'

'En wat staat daar voor geel spul in de tuin?'

'Gewoon, maïs.'

'Je wilt toch niet . . . jullie eten *maïs*?'

'Ziet u, Duncan wilde wat maïs verbouwen en hij zei dat er aan de achterkant niet genoeg zon kwam. Hij zei dat we ons keukenafval moesten vermalen als mest en die uitstrooien over . . .'

Ze voelde zich steeds wanhopiger worden, terwijl ze hem ervan probeerde te overtuigen dat de manier waarop zij leefden echt volstrekt logisch was. Maar ze had zich de moeite kunnen besparen. Toen ze tenslotte opkeek (snel even naar zijn gezicht kijken om te zien hoe ze het ervan afbracht) zag ze dat zijn mondhoeken omhoog gekruld waren, zoals bij Duncan, dat hij er weer monter en opgewekt uitzag. Opnieuw was hij vrolijk. En daar kwam later géén verandering meer in, hij werd met de dag luchthartiger. Hij was precies op zijn plaats. Ze begreep niets van hem.

Soms liet Duncan de schijven van de Toren van Boedha voor wat ze waren om de krant te gaan lezen. Personeel Gevraagd, uiteraard. 'Moet je horen, Justine, iemand in Virginia zoekt een dierenoppasser.'

'Je hebt nooit in een dierentuin gewerkt, Duncan.'

'Precies.'

'Ik bedoel, je hebt er totaal geen verstand van.'

'Je hebt al werk, Duncan, je *hebt* al werk, en daar had je drie uur geleden al moeten zijn.'

Dan stond hij op, zonder te wankelen, maar wel langzaam, en zijn gezicht straalde, kalm en engelachtig, wat alleen de whisky maar had kunnen bewerkstelligen, en dan knoopte hij héél, héél voorzichtig zijn jas dicht. 'Als je het dan echt wilt weten,' zei hij (maar hij sprak min of meer in de richting van Caleb), 'ik geloof niet zo in mensen die zich opofferen voor andere mensen.'

'Maar daar geloof ik ook niet in,' zei ze.

Daar bleef hij het antwoord op schuldig.

En dan groette hij Caleb en vertrok naar de antiekzaak met zijn kraag op, alsof hij een winterstorm moest trotseren. Waar trouwens geen klanten waren, gezien de onregelmatige openingstijden. Al het antiek lag op één grote hoop, stoffig en slordig, en de helft van de lampen deed het niet en de etalageruit was gerepareerd met plakband. En wat deed die kersverse advertentie daar op één van de stokjes van de Toren van Boedha: GEVRAAGD *bedrijfsleider in een antiekzaak. Moet zelfstandig kunnen werken. Brieven aan Silas Amsel, Postbus 46, Caro Mill.* Maar Justine hield kalm en vastberaden voet bij stuk. Net als haar grootvader stak ze haar kin naar voren en hief haar hoofd, alsof ze op het punt stond commando's te gaan geven. ''t Wordt langzamerhand tijd dat we op één plek blijven,' zei ze iedere avond tegen Duncan bij zijn thuiskomst.

'Zoals je wilt, Justine.'

Dat klonk of hij er iets mee bedoelde en een zekere meegaandheid in zijn stem maakte dat ze hem begon aan te vallen. 'Vind je dat ook niet?' vroeg ze aan hem.

'Zoals je wilt.'

'Niet zoals *ik* wil. Ben je het er zelf ook niet mee eens? We zijn ons hele leven bezig geweest met verhuizen.'

'Net wat je zegt.'

'Waarom geef je me steeds gelijk? Heb je het gevoel dat je mij m'n zin moet geven of zo?'

'Nee, nee.'

Maar hij probeerde haar wel degelijk te paaien. Daar was ze zeker van. Omdat ze Caleb had opgehaald. Of niet soms? Duncan had vast gedacht dat ze gek was geworden, of seniel – of god mag weten wat – toen ze er vandoor ging om Caleb te halen. (Ze had gedacht dat hij het wel zou begrijpen. Ze had uit Box Hill naar de antiekzaak gebeld: Ik denk dat ik vannacht niet thuis kom, Duncan, want ik denk dat we niet eerder dan morgenochtend een vliegtuig uit New Orleans kunnen nemen.' 'New Orleans? Zit je in New Orleans? Ik dacht dat je bij me weggelopen was,' zei hij. 'Toen ik thuis kwam om te lunchen was je er niet.' Ze zei: '*Ik* zou nooit bij je weglopen' – daarbij totaal vergetend dat ze daar tot op diezelfde middag serieus over had lopen denken. Ze was zó opgewonden dat ze Caleb ontmoet had. En het was fijn om de stem van Duncan door de telefoon te horen. Ze was totaal vergeten hoe kwaad ze op hem was.) Toen ze uit New Orleans terug kwam had Duncan geruime tijd naar Caleb gekeken en hem vervolgens de hand geschud. Maar hij keek Justine nog langer aan – een zachte, droevige, *medelijdende* blik die ze haar leven niet zou vergeten. Waarom zou hij medelijden met haar hebben? Hij wist niet eens dat alles wat ze gedaan had onrechtmatig was, om het zo maar eens te zeggen. Maar tijdens de maaltijd had hij ook al met zo'n zachte en bezorgde stem gepraat, alsof ze ziek was. En wat was er nou normaler dan je oudoom te logeren te hebben?

Niet dat Duncan het vervelend vond dat Caleb bij hem inwoonde. Hij kon heel goed met hem opschieten. Beter dan Justine zelf eigenlijk. Ze zaten urenlang met elkaar te praten over jazz, blues en Creools eten. Duncan vroeg hoe het zat met Lafleur Boudrault, en Whisky Alley, en hoe het toeging op die begrafenissen waarin de feestmuziek meemarcheerde, en wat er zich afspeelde in die ouderwetse huizen-van-plezier, waar Caleb (tot Justine's verassing) alles van af wist. Caleb speelde op de harmonica van Duncan en ontlokte daaraan zulke prachtige, oneerbiedige tonen dat Justine er bewegingloos en met open mond naar stond te luisteren. Was *dit* haar *oudoom*?

Maar hij vond het vervelend als ze hem oudoom noemde, of zelf maar oom. Misschien was hij te lang niet onder bloedverwanten geweest om zich daar lekker bij te voelen. 'Noem me maar gewoon Caleb', zei hij. En er waren heel veel moeilijkheden gerezen toen ze een bezoek wilde gaan brengen aan de rest van de familie. Hij was nog te vermoeid van de vorige reis; hij raakte net een beetje gewend aan Caro Mill; hij had weer zo'n last van zijn rheumatiek. Met Thanksgiving zou het beter uitkomen, zei hij. Ze zouden het bezoek niet van tevoren aankondigen en zó bij de familie binnen komen vallen. 'Met Thanksgiving,' zei Justine. Het was nu pas begin november. Was het niet een beetje oneerlijk om de familie zo lang in het ongewisse te laten? Als het aan haar lag zouden ze misschien zondag al gaan en bij oom Twee eten. Maar Caleb weigerde en hij verzon de ene smoes na de andere. ('Ik ben bang dat ik van niemand meer weet hoe ze heten,' zei hij.) Justine zuchtte. Eerlijk gezegd viel Caleb haar soms wel een beetje tegen. Nee, sterker nog. De gehele waarheid. Soms had ze bijna een hekel aan hem.

Hij was te lang van huis geweest, leek het wel. Er was op al zijn reizen zo'n afstand ontstaan tussen hem en zijn familie. Nu bleek dat de weg terug niet zó gemakkelijk was, misschien zelfs onmogelijk. Hij had tientallen gewoontes en hebbelijkheden die de Pecks niet op prijs zouden stellen, vaardigheden die zij niet beheersten en ook niet wilden beheersen, verstand van dingen waarvan ze het bestaan niet vermoedden. Vaak zei hij dingen die haar met afschuw vervulden. 'Misschien hoeven we het helemaal nooit aan de familie te vertellen, heb je daar wel eens aan gedacht?'

'Maar Caleb toch!'

'Moet je horen, Justine, ik voel me hier heel gelukkig bij jou en Duncan. Waarom moet ik nog ergens anders naar toe?' 't Zou net zijn alsof ik aan vreemden wordt voorgesteld.'

'Belachelijk! Belachelijk.'

'Ik lijk in geen enkel opzicht op ze.'

'Hoe kunt u zoiets nou zeggen?'

'Denk je dat iemand me nog zou herkennen?'

Nee. Niemand. Diep in haar hart wist ze dat ook wel en dan keken ze elkaar langdurig aan en ze waren het volkomen met elkaar eens, terwijl zij door bleef gaan met protesteren. Ze zonderde zichzelf soms af op haar kamer en haalde de oude foto van Caleb te voorschijn die ze uit de zak van haar grootvader had genomen toen hij overleden was. Ze bestudeerde die alsof het een studie-object was, niet alleen maar iets om naar te kijken. De glans van Calebs panama-hoed, zijn perfect gesteven das, de manier waarop hij zijn schouders hield. Tegenwoordig droeg hij zelfs geen das meer. Wat vroeger zorgeloosheid was geweest, had nu meer weg van *roekeloosheid*; hij sprak met een scherpe, onaangename klank in zijn stem. Hij liep alsof hij geen ruggegraat meer had, een beetje lusteloos ook. En ze kon er niets aan doen, maar, hoewel hij Daniëls kleren droeg en Duncans aftershave gebruikte, aan zijn kleren hing nog steeds dat typische gaarkeukenluchtje van inrichtingen en tehuizen.

Nou ja, hij was ook zo lang weggeweest.

Ja, maar dat was heel geleidelijk gegaan, hij was gegaan waar men hem naar toe had toegebracht, en hij had er alleen blijk van gegeven dat hij zich goed kon aanpassen, eindeloos goed aanpassen.

Zoals Justine.

Dan steeg uit haar voetzolen een trilling op waar ze een hol gevoel van in haar maag kreeg en die via de ruimtes in haar borst in haar keel begon te kloppen als een tweede hart. Ze stopte het kiekje snel onder een stapel tijdschriften en voegde zich weer bij de anderen.

De middagen gebruikte Justine, als Duncan naast zijn schijfjes op de vloer lag te slapen, om Caleb op de hoogte te stellen van hoe het verder met de familie was gegaan. En hoewel dat hem weinig leek te interesseren bleef ze, zittend aan de tafel, heel ernstig doorgaan met het verschaffen van informatie. Ze verbaasde zich erover dat dat zo weinig tijd nam – al die gebeurtenissen die maanden en jaren in beslag hadden genomen konden in een paar minuten worden samengevat. 'Richard is wel getrouwd, maar dat huwelijk werd ongeldig verklaard, de vader van het meisje liet het ongeldig verklaren omdat zij nog minderjarig was, en sindsdien woont hij in het centrum in een . . .'

'Wie was Richard ook weer?'

'De zoon van oom Mark natuurlijk,' zei ze.

Toen ze vertelde hoe haar moeder was gestorven deed ze dat zonder emotie in haar stem, alsof ze hoopte dat hij haar niet zou verstaan, maar hij hoorde het natuurlijk wel. Hij zei echter niets. Toen ze het over haar waarzeggerij had, keek hij alleen maar belangstellend. Wat dacht hij werkelijk? Ze verbeeldde zich dat hij op het punt stond zijn mening over haar af te ronden; dat hij, ten lange leste, na zijn keel te hebben geschraapt, haar zou vertellen waar ze haar hele leven mee bezig was geweest. Iedere keer wanneer zij hem in huis rond zag kijken, of wanneer hij naar haar kleren keek, of wanneer hij naar de sokken in de pumps van een tandloze vrouw die kwam om zich de toekomst te laten voorspellen staarde, voelde zij een verwachtingsvolle spanning. Hij was vast en zeker bezig hun manier van leven te beoordelen en terwijl zij zich net begon te realiseren dat die manier van leven eigenlijk niet veel voorstelde. Hij kon nu ieder ogenblik zijn vonnis gaan wijzen. Maar dat deed hij nooit. Desondanks bleef ze uitleg geven: 'U moet begrijpen dat we altijd – Duncan wilde steeds maar verhuizen.'

'O ja?' zei Caleb.

'Hij houdt van reizen.'

'Maar hij heeft niet *ver* gereisd.'

'Wat?' Ze zocht haar geheugen af naar andere nieuwtjes over de familie, terwijl ze ondertussen een koffieboon tussen haar tanden stuk beet. 'Tante Lucy dus, die zegt altijd –'

'Lucy? Ik kan me niet herinneren dat Daniël een Lucy had.'

'Lucy is de vrouw van Twee, Caleb. Dat heb ik al verteld.'

'Oh ja.' Hij knikte. 'Je zult er wel moeite mee hebben om ze allemaal uit elkaar te houden.'

'Ik *hoef* ze niet uit elkaar te houden. 't Is m'n familie. Maar waar was ik gebleven met tante Lucy?'

'Je zei – wie was Lucy ook al weer?'

Dat ergerde haar dan verschrikkelijk. 'Kunt u dan helemaal niets *onthouden*?' vroeg ze hem. 'Voelt u dan geen enkele band?'

'Onthouden, ja. Band, nee.'

Ze geloofde hem. 's Nachts lag ze in bed te woelen en zei ze tegen Duncan: 'We hadden net zo goed de eerste de beste vreemdeling van de straat op kunnen pikken.'

'Waarom?'

'Hij voelt geen band met de familie, zegt hij. Dat *geeft* hij *toe*. Die ouwe klaploper – als hij op tijd een brief had geschreven zou grootvader vast nog leven. Er is geen spoortje van zijn afkomst in hem over en hij lijkt daar nog trots op te zijn ook. Geen spóórtje.'

'Toch wel.'

'Hoezo?'

'Gebruik je verstand toch, Justine. Ken jij iemand die zich méér als een Peck gedraagt? Bedenk even dat hij z'n hele leven alleen is gebleven, dat hij nooit iemand in zijn leven heeft toegelaten die geen bloedverwant was. Hij kende die White-Eye niet echt goed, is nooit met die serveerster getrouwd, was nooit een vader voor Roy. Kun je niet tussen de regels door lezen? Luray zei het al: eigenlijk is hij geen echte familie. En jij wilt volhouden dat er geen spoortje Peck bij hem aanwezig is?'

'Je snapt er totaal niets van,' zei Justine. 'Natuurlijk stond hij niet op intieme voet met White-Eye. Hij was voorzichtig en toonde eerbied. Hij had *tact*.' En met een ruk rolde ze dan op haar zij met haar rug naar hem toe en ging weer een slapeloze nacht tegemoet.

De middag daarop echter, toen ze Caleb zag in het overhemd met het fijne streepje van zijn broer, was ze weer vol goede moed. 'Ik denk dat u mijn neef Claude wel aardig zult vinden,' zei ze tegen hem.

'Denk je?'

'Hij verzamelt etsen. Hij is behalve u, de enige die om kunst geeft.'

Maar, 'Ik denk dat ik maar even koffie ga zetten van die koffiebonen, Justine,' zei hij. Dan viel haar op hoe metaalachtig zijn ogen waren en hoe zijn onverzorgde ruwe huid over zijn neus zat gespannen.

Hij zwaaide nu de scepter in de keuken, alsof hij door had wat ze van koken vond. (De eerste maaltijd die ze voor hem had klaargemaakt bestond uit aangebrande hot dogs.) Hij besteedde zoveel tedere aandacht aan het koken, dat iedere maaltijd een tractatie was. 'Maak alles maar op,' zei hij aan tafel. 'Er mag niets overblijven, want wat heeft het anders voor zin om weer te gaan koken? Ik wil weer wat nieuws uitproberen.' Hij neuriede onder het werk, kletterde met de pannen en verwenste het gebrek aan keukengerei. 'Maar dat geeft niet, ik kom ook met dit beetje wel uit de voeten. Zelfs in het miezerigste cafetaria zie ik nog kans om jullie een diner van zeven gangen voor te zetten. Ik had nooit met werken moeten ophouden. Ik heb me door Luray laten ompraten. Ik dacht dat ik hier niet aan de kost zou kunnen komen, maar dat is helemaal niet zo! Ik ga werk zoeken en mijn steentje bijdragen aan de huishouding, ik heb alles al uitgekiend.'

Maar zelfs Duncan keek bedenkelijk toen hij dat vernam. 'Moet u horen,' zei hij, 'ik wil u natuurlijk niet ontmoedigen, maar denkt u niet dat uw *leeftijd* in uw nadeel werkt?'

'Mijn leeftijd speelt geen rol,' zei Caleb. 'Ja, als het om eersteklas restaurants zou gaan, dan wel. Maar er zijn altijd wel van die achteraf eethuisjes, aan het spoor of bij de haven, en daar ga ik eens informeren.'

'Maar u kunt toch nog wel eventjes wachten? Als we gaan verhuizen of zo dan zou u weer helemaal opnieuw moeten solliciteren.'

'Maar we gaan niet verhuizen,' zei Justine.

'Oh, alle tijd,' zei Caleb. 'Ik improviseer wel wat. En ondertussen houd ik mijn ogen goed open en wacht af uit welke hoek de wind waait. Dat heb ik altijd al gedaan.' Hij glimlachte. 'Weet je wat eigenaardig is.' zei hij, 'ik was totaal vergeten hoe knoflook smaakt. Sterk hè? 't Is gek hoor, dat je bij bepaalde dingen die je eet meteen aan bepaalde mensen moet denken. Of aan bepaalde gebeurtenissen of plaatsen . . . Bess hield ontzettend van pop-corn met knoflookboter. Kilo's moeten we daar samen van hebben opgegeten. Als je me die nú zou geven dan weet ik het niet, ik denk dat het toch *vreemd* zou smaken. Zo zal het wel met iedereen gaan, denk ik. Mijn beste vriend hield van sardientjes uit blik op zoute crackers, maar 't zou best kunnen dat hij daar nu niks meer van afweet, als ik hem weer zou tegenkomen.'

Duncan zat zo aandachtig te luisteren dat hij vergat te eten. Justine schoof een zoutvaatje heen en weer. Waarom had Caleb het voortdurend over eten? Niemand anders in de familie deed dat. Die stelden als enige eis aan een maaltijd dat die voedzaam was en de smaak niet al te buitenissig. Ze hielden vooral van wit voedsel, gerechten die met room afgemaakt waren. De peperige garnalenschotel die Caleb ze die avond had voorgezet zou hen met afgrijzen hebben vervuld. 'Zeg,' zei Justine opeens, 'hoe weten we nou eigenlijk dat u echt Caleb Peck bent?'

De beide mannen staarden haar aan.

'Hoe weten we eigenlijk dat u geen oplichter bent?'

'Justine,' zei Duncan.

Daar reageerde ze niet op. Ze keek naar Caleb. 'Maar wie zou anders de moeite nemen om zich voor mij uit te geven?' vroeg Caleb aan haar.

'U heeft niets van hen weg.'

Caleb haalde zijn schouders op. (Een onvertrouwd gebaar.)

'Nu we het daar toch over hebben,' zei hij, 'hoe weet ik dat *jij* een Peck bent?'

'We weten niets eens of Eli wel eerlijk is,' zei Justine. 'Misschien nam hij de eerste de beste vreemdeling die hij tegenkwam, en heeft hij die van alles bijgebracht. Misschien hebben jullie met z'n tweeën deze hele zaak bekokstoofd. Er zal ook wel geld in het spel zijn. Calebs deel van de erfenis heeft zestig jaar rente staan vergaren.'

'Caleb stond *niet* in het testament,' zei Duncan. 'Justine, zou je niet liever –'

Maar Caleb knikte alleen maar, eenvoudig en trots, alsof iemand hem geprezen had.

Midden in de nacht werd er op de deur gebonsd, er klonk geroep en over het slaapkamerplafond gleed het licht van autolampen. Justine, die zoals gewoonlijk klaarwakker was, kroop over Duncan heen en sloeg een badjas om. 'Ik kom er aan!' riep ze. Duncan werd wakker en ging rechtop zitten. Uit Calebs kamer klonk het geritsel van beddegoed. Buiten adem en huiverend rende Justine door de hal. Er was iemand dood. Er was iets met Meg gebeurd. Ze had zich nooit gerealiseerd dat er zoveel verschillende soorten rampen bestonden, en dat haar leven tot nu toe zo vredig en plezierig verlopen was. Maar het was Tucker Dawcett maar, wiens vrouw zich wekelijks de toekomst liet voorspellen om te kijken of hij haar niet bedroog, en die nooit overtuigd was als het antwoord nee was. Tucker was een doodgewone, aardige, magere man met grote vooruitstekende tanden. Iedere ochtend ging hij in een trainingspak trimmen, en hij werkte, waar werkte hij ook al weer, . . .

Bij de politie.

Ze begon te klappertanden.

Tucker kuchte en liet zijn identificatie in een plastic hoesje zien. Waarom in godsnaam? Wat haar betrof had het zijn Bank Americard kunnen zijn. 'Oh, Tucker,' zei ze.

'Kan ik je even spreken, Justine?'

In de deuropening van de hal zei Duncan: 'Weet je wel hoe laat het is?'

'Politie,' zei Tucker.

Duncan ging zonder iets te zeggen achter Justine staan.

'Mensen, ik moet jullie het volgende vragen,' zei Tucker.

'Zijn jullie familie van ene Caleb Peck?'

'Moet je ons daarvoor om één uur in de nacht wakker maken?' zei Duncan.

'Ja, ik weet hoe vervelend dat is,' zei Tucker tegen hem. Door het hor zag zijn gezicht er korrelig uit; van vermoeidheid of van schaamte had hij zijn ogen neergeslagen. 'Ik lag zelf thuis ook al te pitten. Doug Tilghman belde vanuit het bureau voor dit klusje. Zelf wilde ik tot morgenochtend wachten, maar hij zei dat het een verdomd vreemde indruk zou maken als Louisiana over een paar uur terug zou bellen en als we dan nog niets gedaan hebben.'

'Louisiana?' vroeg Duncan.

'D'r is daar een dame die beweert dat een zekere Caleb Peck ontvoerd is.'

Duncan keek naar Justine.

'Het schijnt dat hij daar in een soort Tehuis zat. Die dame, mevrouw Luray Pickett, ging hem daar afgelopen zondag opzoeken en merkte toen dat hij verdwenen was. 't Tehuis had niets gemerkt. Op het kantoor kon iemand zich herinneren dat een zekere Justine Peck uit Caro Mill was gekomen om hem te bezoeken en daarna hebben ze hem niet meer gezien.'

'Nou, en?' zei Duncan.

'Nou, ik denk dat dat "ontvoering" is, of toch minstens "diefstal". Die man was opgenomen, zie je. Hij mocht daar zo maar niet op zijn eigen houtje weg. Of zou het "medeplichtigheid aan" zijn? Affijn. *Mij* kan het niks schelen. Laat zo'n ouwe man maar gaan waarheen ie wil, zeg ik altijd maar. Maar Doug Tilghman zei dat ik toch maar eens even poolshoogte moest gaan nemen, omdat dat mens daar het volledig op haar heupen had. Mevrouw Luray Pickett. Ik zei nog, "Moet je horen, Doug, kan dit niet tot morgen wachten? Ik bedoel, wat moeten de Pecks hier nou van denken?" zei ik, en toen zei hij weer, "Vertel ze maar dat het mij ook hardstikke spijt, maar in Louisiana zitten m'n collega's met een dame, die mevrouw Luray Pickett, die de heleboel daar op stelten zet, met telefoontjes en op het bureau zelf, en maar vragen waarom ze niet beter hun best doen. Ze zegt dat ze die man zelf in dat Tehuis heeft gestopt, en helemaal voor hem zorgde, en dat er nooit een maand voorbijging waarin ze hem niet – en nou was hij waarachtig weg en nog geen uitgaanspasje te bekennen. Ze zei dat als er soms iemand was die dacht dat ze niet goed voor hem zorgde dat die dan maar eens persoonlijk met haar moest komen praten, dat het niet aanging om die man te stelen, en ze zou het op prijs stellen als de politie hem terug vond, anders." En verder – Nou, en eerlijk gezegd zijn er niet zoveel Justines Peck. Ik bedoel, 't is een *opvallende* naam. Zeker in Caro Mill. Natuurlijk logeert die man bij jullie . . .'

'Tucker,' zei Duncan, 'je weet toch dat onze hele familie uit Baltimore komt?'

'Dat's waar, ja.'

'En heeft een van ons tweeën het ooit wel eens gehad over een familielid uit Louisiana?'

'Niet rechtstreeks nee,' zei Tucker.

'Nou dan,' zei Duncan.

'Ik wist wel dat ze het mis hadden', zei Tucker tegen hem. ''t Spijt me dat ik jullie wakker heb moeten maken, mensen.'

En voor het eerst keek hij op en keek hen recht aan.

'Ik zal m'n vrouw zeggen dat ik jullie gesproken heb,' zei hij. 'Welterusten dan maar.'

'Terusten,' zei Duncan.

Hij deed het licht op de veranda uit en sloot de deur. Justine wachtte, maar hij zei niets. Misschien was hij kwaad. Ze had het hem van het begin af aan moeten vertellen, maar in het begin had hij zo vreemd gedaan, en later had er zich geen geschikt moment meer voorgedaan. En nu? Zou hij willen dat ze Caleb terug stuurde? Toen bedacht ze opeens dat Caleb waarschijnlijk al die tijd had zitten luisteren, stijf rechtop in zijn bed, doodsbang dat ze hem zouden verraden. 'Die arme stakker,' zei ze en gleed langs Duncan om de deur van Calebs kamer te openen.

Hij was verdwenen.

Zijn pyama lag aan het voeteneinde van het onopgemaakte bed. zijn gummi regenjas hing niet meer aan de kastdeur. Duncans harmonica was van het bureau verdwenen. En het raam stond wijd open, leeg en zwart, en het rolgordijn lispelde in de wind. 'Duncan!' riep Justine 'Schiet op, we moeten hem gaan zoeken.'

Ze had al één been over de vensterbank voordat hij haar kon tegenhouden.

Hij pakte haar bij haar arm en zei: 'Laten we hem eerst weer een kleine voorsprong geven, Justine.'

TWINTIG

Duncan zat op de grond met een legpuzzel van 1200 stukjes, 'Zons-ondergang in de Rockies'. Hij had alle kantstukjes al gevonden en de rand gelegd; maar nu schoof hij alleen maar wat met de stukjes heen en weer, pakte er een op en tikte er mee tegen zijn tanden, terwijl hij in de ruimte staarde, legde het neer, pakte een ander, draaide er een paar om, met de grijze kartonnen achterkant naar boven. Hij overwoog om de gehele puzzel om te draaien en die in grijs te gaan leggen.

Hij overwoog om met Justine terug naar Baltimore te verhuizen.

'Zou je dat willen?' vroeg hij, toen ze, met haar muts op, door de kamer liep.

Ze keek een beetje geschrokken. 'Wat?'

'Ik vroeg of je naar Baltimore zou willen verhuizen.'

'Baltimore?'

'Baltimore, *Maryland*, Justine.'

Ze staarde hem aan.

'We zouden in het huis van overgrootmoeder kunnen gaan wo-nen. *Jouw* huis,' zei hij tegen haar. 'Ik zoek dan een baantje als klusjesman bij Peck en Zonen. Je weet dat Pa gezegd heeft dat ik altijd welkom zou zijn.'

'Bedoel je voor altijd?'

'Waarom niet?'

'Nooit meer verhuizen?'

'Behalve als jij daar zin in zou hebben.'

Ze dacht na, terwijl ze op haar lip beet.

'Maar zou jij daar wel gelukkig kunnen zijn?' zei ze ten slotte tegen hem.

Waarmee ze te kennen gaf dat ze ja bedoelde. Hij voelde hoe het antwoord geleidelijk op hem ging drukken, zoals een grote, zware deken steeds meer gaat wegen. Het was met hem gedaan. Maar tegelijkertijd voelde hij zich opgelucht, bijna. Hoe kon je die plotselinge meligheid anders verklaren? Hij moest er bijna om lachen.

Zolang ze getrouwd waren had hij eigenlijk altijd al geweten dat het hierop zou uitdraaien.

Justine stapelde de boeken in kartonnen dozen. Daarna de losse onderdelen van machines. Duncan liet de legpuzzel voor wat die was en de stukjes slingerden in het rond; hij was met een nieuwe patience begonnen. Hij was de laatste tijd weer spraakzaam en zat vol fantastische, soms dwaze plannen; hij begon zijn zwijgen te doorbreken. Maar de whisky en de patience bleven, want hij was zijn baantje nu kwijtgeraakt en moest wel doen alsof hij druk bezig was, want anders zou Justine hem vragen om haar te helpen. Alles, maar dát nooit. Hij zou zich dan voelen als een kind dat zijn hartverscheurende spulletjes weer in moet pakken – het dekentje, de wekker, de teddybeer – nadat het een halve nacht van huis is weggelopen. Of als een dier op de zeebodem, met afgerukte klauwen en gehavend in een gevecht, dat terugkrabbelt in zijn schelp met alles wat het nog van het vege lijf heeft kunnen redden. Hij bleef op de grond zitten en deed of het spel al zijn aandacht opeiste. Ondertussen was hij geestelijk weer klaarwakker en verzon hij zelf allerlei spelletjes. Hardop stelde hij een lijst van zijn favoriete woorden op: 'Lunch. Relativiteit. Ziedende zee. Ippolitov Ivanov.' Justine ging even rechtop zitten en veegde het haar van haar voorhoofd.

'Ik vraag me wel eens af waarom we zoveel *troep* met ons meeslepen,' zei ze tegen hem.

De laatste tijd was een van de verontrustende dingen dat Justine voortdurend leek te beven, en daarin was ook geen verandering gekomen nadat hij besloten had met haar terug te gaan naar Baltimore. De linten van haar muts trilden zachtjes en wanneer ze koffie dronk (en dat was het enige dat ze gebruikte) morste ze. Ze deed hem denken aan een teer boompje vol vogels. Maar wat kon hij nog méér voor haar doen? Hij probeerde haar gedachten af te leiden. 'Justine,' zei hij. 'Moet je horen. Ik ben er van overtuigd dat we over twintig jaar in één tel van de ene plek naar de andere kunnen reizen via verwisseling van materie. Je stapt in een glazen kooi, snap je, als je, laten we zeggen, naar Omaha wilt, en iemand in Omaha gaat dáár in *nog zo'n* glazen kooi –'

'Wat mij betreft, ik reis snel genoeg,' zei Justine, 'en veel te ver.'

'Je hebt nog niet ver gereisd,' zei Duncan. 'Er zullen overal prikborden komen: "Heer uit Detroit wil naar Pittsburg gaan; wil iemand uit Pittsburg naar Detroit?" Er zou ook weer hoop zijn voor de werkelozen. Zwervers zouden wat bij kunnen verdienen door zich naar Cincinnati over te laten seinen als iemand uit Cincinnati weg wil. Je gaat gewoon naar een bank in het park. "Moet je luisteren, kerel," zeg je –'

'Maar 't slot van het liedje zou zijn dat ik er altijd mee akkoord ga,' zei Justine. Ze stond op en ging zonder enige aanwijsbare reden voor de bespikkelde spiegel aan de muur staan om haar gezicht te inspecteren. 'Ik kan in iedereen veranderen, dat is mijn probleem.'

Haar probleem was dat ze een vraagstuk van alle kanten kon bezien, maar daar wilde Duncan niets aan veranderen en daarom zei hij er niets over. Tenslotte draaide Justine zich om en bukte zich om de volgende doos in te gaan pakken.

Ze was nu met de spullen van Meg bezig. Ieder voorwerp werd zorgvuldig en met liefde behandeld en dat nam meer tijd dan strikt noodzakelijk. Ze rolde een verdwaalde ceintuur op die behoorde bij een jurk die Meg misschien al lang niet meer droeg, en ze stopte die naast een beschimmeld jaarboek van haar school. Ze haalde het deksel van een blikje met kiezelstenen, die Meg in de zomer van 1965 aan het strand van Virginia verzameld had, en ze hield ieder steentje tegen het licht en wreef er over met haar vinger, voor ze het terug legde.

Tegen etenstijd maakte Duncan, als hij er aan dacht tenminste, boterhammen klaar en schonk twee glazen melk in. Maar het leek wel of Justine niet meer at. Ze ging niet eens meer naar het cafetaria; ze ging nergens meer naar toe. Als hij zei dat ze een hap moest nemen dan deed ze dat en legde de boterham vervolgens weer terug. 'Vooruit. Eten,' zei hij tegen haar. Maar hij kon zien dat hij het onmogelijke vroeg. Hij kon het zien aan de manier waarop ze kauwde; haar mond was te droog, of te klein, of wat dan ook. 't Deed er ook eigenlijk niet toe, in Baltimore zou ze wel weer gaan eten. De tantes zouden haar onderhanden nemen. Voor het eerst in zijn leven voelde hij enige dankbaarheid voor de tantes, die hem zouden verlossen van Justine met haar vale, bleke gezicht en haar lusteloosheid.

Hij zou natuurlijk bij haar weg kunnen gaan. Hij zou haar in Baltimore kunnen installeren en er dan weer op zijn eentje van door kunnen gaan. Maar hij wist dat hij dat niet zou doen. Zonder Justine zou hij niet weten waar hij op letten moest, en wat hij ergens van denken moest; niets bestond als hij er niet met Justine over kon praten. Bij de eerste de beste muts in de etalage van een warenhuis zou hij al door de knieën gaan. Hij zou geen nacht door kunnen komen zonder dat zij met haar onrustige, vurige waakzaamheid over zijn nachtrust zou waken. Hij vergat dus alles wat met weglopen te maken had en schreef de brief aan Peck en Zonen waarin hij om werk vroeg. Maar toen het antwoord kwam wilde hij dat niet openmaken. Hij propte de brief in zijn jaszak, al kwaad om de zinnen die er in zouden staan. Justine tenslotte vond de brief en maakte hem open.

'Nou. Wat staat erin?' vroeg hij.

'Oh – ze proberen wat voor je te vinden.'

'Maar wat *staat* er? Doet het ze plezier dat ik eindelijk verstandig ben geworden? Schrijven ze dat ze altijd wel geweten hebben dat ik uiteindelijk toch weer terug zou komen?'

'Nee, daar schrijven ze niets over,' zei Justine.

Hij griste de brief uit haar handen – de handtekening van oom Mark onder het keurige, zwarte typewerk van een secretaresse. Waarschijnlijk, schreef zijn oom, zouden ze wel wat voor hem kunnen vinden, hoewel gezien de korte termijn, nu nog niet precies gezegd kon worden wat. Verder zat de zaak niet om een klusjesman verlegen, dat wist hij toch zeker zelf ook wel? En het was natuurlijk waar dat het huis van overgrootmoeder wettelijk aan Justine toebehoorde, hoewel de familie al die jaren voor het onderhoud had gezorgd, en Esther en de tweeling erg gewend waren geraakt aan het huis –

Al met al vond Duncan dat de brief niet erg hartelijk klonk. Alsof de familie er heimelijk plezier in schiep dat zij met hun tweeën van hot naar haar trokken. Dat had hij niet verwacht. En ook niet dat hij zich zo gekwetst zou voelen nadat hij dat eenmaal bedacht had. Maar alles was al in beweging gezet en ze zegden de huur op en bestelden de verhuizers. ('Ik ga niet zelf een verhuisbusje huren,' zei Duncan. 'Niet nu grootvader er niet bij is.' Maar de waarheid was dat hij door wilde blijven dromen over verplaatsing van de ene plek naar de andere zonder een vin te hoeven verroeren. In zijn fantasie zag hij de verhuizers het vloerkleed in de huiskamer al aan vier hoeken opnemen terwijl hij de Veertig Dieven bleef leggen). Ze lieten gas en water afsluiten en verbraken de band met iedereen die ze kenden, schakelden alle contacten met Caro Mill uit en rolden het snoer op. Ze schreven Meg een brief met hun nieuwe adres. ('Maar,' zei Justine, 'Caleb kunnen we op geen enkele manier op de hoogte stellen . . .') Wanneer Duncan tegenwoordig langs De Blauwe Fles liep zag hij daar een onbekende jongeman achter de toonbank staan die z'n nagels stond schoon te maken en doelloos uit het etalageraam staarde, waar achter de glanzend gelapte ruiten de vergulde porseleinen theekopjes stonden.

Met Thanksgiving bleven ze thuis omdat ze toch binnenkort naar Baltimore zouden vertrekken. Ze aten op de huiskamervloer; een pizza die Duncan in een meeneem-restaurant had gekocht. 'Dat had je echt niet moeten doen,' zei Justine. Ze bedoelde vanwege het geld; ze zaten bijna zonder. Ze betaalden alles met een Bank America-card. 'Maar hij was niet duur,' zei Duncan, 'en ik dacht dat je dol op pizza's was. Ik heb extra veel ansjovis gevraagd. Waarom eet je niet?'

Ze nam een hapje. Ze leek er niets van te proeven.

'Hoe smaakt het?'

'Als Caleb hier nog was zou hij samen met ons naar de familie terug zijn gegaan,' zei ze.

'Ja, als hij hier nog was.'

'En ze zouden hem niet aardig hebben gevonden.'

Hij boog zich naar haar toe en tikte op haar bord. 'Eten,' zei hij tegen haar.

De ochtend na Thanksgiving kwam Dorcas om zich de kaart te laten leggen. Ze had plannen om met een bioscoopeigenaar te gaan trouwen die Willis Ralph McGee heette. 'Hoe vind je dat klinken, Dorcas McGee?' vroeg ze aan Duncan.

Achter haar zei Ann-Campbell: 'Afschuwelijk.'

'Hou jij je er buiten.'

Nu 't zo koud was droeg Dorcas een auto-coat met grote hoeveelheden wit namaakbont, maar aan haar voeten had ze nog steeds die sandalen met naaldhakken. Vuurrode nagels glommen onder nylon en een seconde later werden die bedekt door de laatste van de veertig kaarten van Duncan. Ze verschoof haar tenen een klein stukje. 'Je zei dat ik spoedig iemand zou tegenkomen, Justine, en dat is uitgekomen,' zei ze. 'Nou wil ik weten hoe hij als echtgenoot zal zijn.'

'Vreselijk,' zei Ann-Campbell.

'Hou jij nou eens even je mond!'

'Mijn pappie, Joe Pete Britt, zal er heus wel een stokje voor steken,' zei Ann-Campbell. 'Hier, Justine, ik heb de post voor je meegenomen. Een rekening van Howard de apotheker, een reclamefolder voor de Korvette –'

'Niet lezen, maar *geven*, Ann-Campbell.'

Justine legde een rol touw weg en pakte de brieven aan. 'Kijk, een brief van de verhuizers,' zei ze. 'Ik hoop maar niet dat ze de datum willen verplaatsen.'

'Nou, ik *wel*,' zei Dorcas. 'Naar over een heleboel jaar.'

'En hier heb ik iets uit . . . Kennen we iemand in Wyoming?'

Justine scheurde de envelop open. Duncan legde de klaver negen neer, en Dorcas ging daar onmiddellijk op staan. 'Ik wil je niet haasten of zo,' zei Dorcas, 'Maar ik en Ann-Campbell waren van plan om een chocolade-sorbet te nemen bij Woolworth, en we kwamen vlug even langs om de toekomst te laten voorspellen.'

'Je moet een ballonnetje doorprikken,' zei Ann-Campbell tegen Duncan, 'en dan moet je kijken welk nummer er op staat. En zoveel kost dan je sorbet. Een dubbeltje bijvoorbeeld. Of misschien maar een stuiver.'

'O ja?' zei Duncan. 'Zou je je voet even ergens anders kunnen neerzetten, Dorcas?'

'Bijvoorbeeld 49 cent,' zei Dorcas. 'Tot nog toe altijd 49 cent.'

'Jee!' zei Justine.

Ze keken allemaal naar haar, maar ze scheen verdiept te zijn in een brief. Ze las een stukje, keek dan even op en begon weer opnieuw. 'Wat staat er in?' vroeg Duncan aan haar.

'Nou, 't is een –'

Hij wachtte, maar ze begon de brief opnieuw te lezen.

'Waarom ik zo'n haast heb is omdat we vanavond een speciaal afspraakje hebben,' zei Dorcas. 'Ik heb zo'n gevoel dat hij dan vraagt of ik met hem wil trouwen. Daar kan ik toch niet goed op reageren als ik niet weet wat de kaarten zeggen?'

'Absoluut niet,' zei Duncan.

'Justine, als je er geen zin in hebt hoef je dat alleen maar even te zeggen hoor.'

'Moet je nou eens lezen, Duncan,' zei Justine.

Hij pakte de brief, een roomkleurig vel, gekreukeld en smoezelig aan de randen.

Lieve Justine,   20 november 1973.

Ik bied je mijn verontschuldigingen aan dat ik zo lang gewacht heb met schrijven, maar de omstandigheden hebben dat tot nu toe verhinderd.

Het was buitengewoon aardig van je om me bij je thuis uit te nodigen. De knakworstjes die je voor mij klaargemaakt hebt waren verrukkelijk, en ik zal nog lang met veel plezier aan mijn bezoek terugdenken.

Veel liefs,
Caleb Peck

Duncan lachte – slechts één, scherp geluid. Hij gaf haar de brief terug.

'Het is een bedankbriefje,' zei Justine.

'Precies.'

'Een beleefdheidsbriefje.'

'Ja.'

'Nou wou ik eens één ding van je weten,' zei Dorcas. 'En ik wil een eerlijk antwoord. Begrepen? Justine, je hebt me de hele ochtend aan 't lijntje gehouden, en dat is vandaag niet voor het eerst. Andere mensen hebben het ook al in de gaten. Je rotzooit tegenwoordig maar wat aan met die kaarten van je, net alsof je het niet meer met hart en ziel doet. Als iemand een concreet antwoord wil, zal ik het wel doen, of juist niet, dan wil je helemaal geen antwoord geven. Je schudt het van je af, zal ik maar zeggen. Wat ik eigenlijk wel eens zou willen weten is dit: geef je niets meer om het waarzeggen. Ben je in een ander stadium aangekomen? Zeg het dan gewoon, Justine. Je kunt niet doorgaan zoals je de laatste tijd hebt gedaan, met je gedachten heel ergens anders.'

'Wat?' zei Justine.

Dorcas keek naar Duncan.

'Oh ja, de *kaarten*,' zei Justine.

'Juist.'

'Goed, waar heb ik m'n . . .'

Ze pakte de rieten tas en haalde de kaarten uit de zijden doek.

'Mijn oudoom Caleb heeft me een bedankbriefje gestuurd,' zei ze tegen Dorcas.

'Goh, wat leuk.'

'Om te bedanken voor onze gastvrijheid.'

'Ik zeg altijd maar dat een goede opvoeding nooit weg is,' zei Dorcas, maar ze hield haar ogen gericht op de kaarten die Justine voorzichtig schudde, steeds weer opnieuw. 'Heb je niet een tafel nodig om ze uit te leggen? Of blijf je eeuwig zo staan te schudden en verder niks?'

'*O ja*,' zei Justine. En ze gingen naar de keuken, Ann-Campbell achterlatend. Die ging op de grond naast Duncan zitten. 'Gaat Justine tegen mama zeggen dat ze ja moet zeggen als meneer McGee haar vraagt?' vroeg ze aan hem.

'Ik weet het niet.'

'Of gaat ze zeggen dat ze weer met pappie moet trouwen, met Joe Pete Britt?'

'Dat horen we in de aflevering van volgende week,' zei Duncan.

'Hè?'

'Niks.' Hij hield zijn hoofd achterover voor een slok whisky.

'Wie is die vent, die oudoom Caleb?'

'Die oude man die hier een tijdje gelogeerd heeft,' zei Duncan.

'En ik ben er nog steeds niet achter of die nou heel dom was, of heel slim.'

'Als ze met meneer McGee trouwt zou ik met jullie mee kunnen gaan naar Baltimore,' zei Ann-Campbell, terwijl ze wat meer naar hem toe schoof. 'Ik ben bang dat het zo gaat lopen, dat Justine zegt dat ze het maar doen moet.'

'Justine zegt *helemaal niets*, maak je maar geen zorgen,' zei Duncan. 'Ze doet haar mond nauwelijks meer open.'

Maar op dat moment hoorde hij haar lachen, een helder, licht geluid waar hij van schrok, en hij keek van zijn kaarten op en zag dat de groene gespikkelde ogen van Ann-Campbell met enige verwondering op hem gericht waren.

Na de lunch werkte Justine in de voortuin, waar ze de verdorde maïsstengels uit de grond trok. Ze kwam met een roze gezicht terug. In haar kielzog dreef een geur van stijfsel. 'Voel eens,' en ze legde haar kleverige handen tegen Duncans wang. 'Krijg je nu ook geen zin om naar buiten te gaan?' vroeg ze aan hem.

'Nou, nee, dat niet bepaald.'

'Krijg je niet genoeg van dat binnen zitten?'

Met een snelle beweging keerde ze zich van hem af en ging naar de keuken. Even later hoorde hij hoe ze water in de gootsteen liet lopen, het gekletter van borden, maar daar had ze kennelijk na enige tijd genoeg van, want weer even later was ze terug in de huiskamer. Ze ging bij het raam staan en pakte toen een tweede spel kaarten van de vensterbank en ging er mee op de vloer zitten, vlak bij Duncan en zijn Veertig Dieven. Hij hoorde haar in zichzelf mompelen, terwijl ze de kaarten uitlegde: ' . . . de vrouw van verandering , naast de heer. De wens-kaart, de reis-kaart . . . waarom zoveel reizen? Wat liggen de geliefden ver uit elkaar! Dit is de kaart die een reis voorspelt die alle andere reizen overtreft, die heb ik nog nooit gezien. Wat voorspelt die kaart nou eigenlijk precies?'

Ze zweeg verder. Toen Duncan opkeek zat ze op een nagel van haar duim te bijten en in het niets te staren.

Kort daarop ging ze weg, nadat ze een oude jekker van Duncan had aangetrokken. Ze vertelde niet waar ze naartoe ging. Duncan hoorde de Ford starten, een gorgelend geluid in de bevroren lucht. Aanvankelijk was hij opgelucht, maar toen vroeg hij zich af of ze haar aandacht wel bij de weg zou houden. Hij merkte hoe leeg het huis aandeed. Een harde wind blies uit het noorden en floot door alle kieren. De lucht was wit en de kamer leek verlicht door een koude, doodse glans die pijn deed aan Duncans ogen. Waar hij ook keek zag hij iets neerslachtigs: verhuisdozen, dorre, dode planten op de vensterbank, een prop papier, vol tomatenpureevlekken, waar de pizza van de vorige dag in had gezeten. Hij stond op en liep naar de slaapkamer. Hij wilde alleen maar even wat gaan rusten; hij lag op het onopgemaakte bed met één arm over zijn ogen en hij dacht na over de wending die zijn leven had genomen. Maar toen viel hij in slaap en hij droomde van antiek – trossen sieraden en een oerwoud van gebeeldhouwde stoelpoten. Zelfs in zijn slaap was het onmogelijk om een plek te vinden die zuiver en eenvoudig was, zonder enige franje.

Toen hij wakker werd was het donker. Justine was nog niet terug. Hij stond op en liep op de tast naar de keuken, waar hij het licht aandeed en een boterham met pindakaas voor zichzelf klaarmaakte. De poes zat boven op de oven naar hem te kijken. 'Zo voelt dus iemand zich die volwassen is geworden,' zei Duncan tegen haar. Ze knipperde met haar ogen en keek de andere kant op, beledigd. Hij nam zijn boterham mee naar de huiskamer en ging weer naast zijn patience zitten die nog niet af was. Het was duidelijk dat die ook niet zou uitkomen. Toch ging hij koppig door met het verschuiven van kaarten en met het bedenken van strategieën en at ondertussen zijn boterham. Er viel niet veel anders te doen.

Toen kwam de Ford aanrijden en eventjes later hoorde hij Justine's voetstappen over de veranda. Toen ze de deur open deed hield hij zijn ogen op kaarten gericht: nooit mocht ze merken hoe blij hij was dat hij haar terug zag. 'De pindakaas is op,' zei hij alleen maar.

'O ja?'

Hij legde ergens een twee neer.

'Ik denk dat ik niet uit kom,' zei hij

'Wat zou dat nou?' Ze ging op haar knieën voor hem zitten, een flits van rode geruite stof en schoof al zijn kaarten bij elkaar. Sommige bleven op het kleed liggen en andere vlogen uit haar handen. 'Hè, wat doe je nou,' zei Duncan.

'Zal ik je de toekomst voorspellen?'

Nog nooit in zijn leven had ze hem de toekomst voorspeld. Hij keek haar verbluft aan. Maar Justine glimlachte alleen maar – met sprankelende ogen, buiten adem, haar muts een beetje scheef – en begon de kaarten in een slordige rij te leggen, zonder die verder ook maar één blik waardig te keuren. 'Je hele leven gaat binnenkort veranderen,' zei ze, terwijl ze met een klap een boer of een heer neerlegde. Ze bestudeerde Duncans gezicht.

'Dat zal dan wel,' zei Duncan, terwijl hij naar de fles greep.

'Je wordt de klusjesman van een reizende kermis.'

Hij zette de fles weer neer.

'Je vrouw wordt de waarzegster. Je krijgt een paarse woonwagen in Parvis, Maryland, en je leeft nog lang en gelukkig. Wat vind je er tot zover van?'

'Je bent niet goed snik,' zei hij, maar hij glimlachte en hij merkte er niet eens wat van toen Justine de rest van de whisky morste omdat ze zich over de kaarten heen moest buigen om hem een zoen te geven.

EENENTWINTIG

Op de dag dat ze gingen verhuizen waren ze laat op, maar dat gaf niet want er viel niet zo veel te verhuizen. Ze namen alleen maar hun kleren en boeken mee, plus de losse onderdelen en de uitvindingen van Duncan, en alles werd in een klein oranje verhuisbusje gestouwd. De rest lieten ze achter. De woonwagen was gemeubileerd. Ingebouwd. Justine vond dat prachtig: alles ingebouwd. Ze vond het geweldig om tegen mensen te kunnen zeggen dat ze met weinig spullen reisden, en ze zou álles hebben weggegooid als Duncan daar niet een stokje voor had gestoken.

Het was een heldere vriesochtend in december met een bleek zonnetje en een opaal-blauwe lucht. De buren waren gekomen om hen uit te wuiven. Dorcas Britt, met haar man Joe Pete, en Ann-Campbell die met de poes van Justine in haar armen worstelde. Rooie Emma, Zwarte Emma en de oude mevrouw Hewitt met haar poedel. Maureen Worth van de overkant, nog steeds in haar badjas, en mevrouw Tucker Dawcett, die zich een beetje afzijdig hield en er treurig en verdrietig uitzag, alsof ze zelfs op dit moment verwachtte dat iemand haar zou komen vertellen, als afscheidscadeautje, dat haar man haar ontrouw was. Justine liep van de een naar de ander, drukte haar gezicht tegen het hunne, klopte iedereen op de rug en beloofde van alles. 'Natuurlijk komen we jullie nog eens opzoeken. Dat weten jullie best.' Duncan zette de dozen in de verhuisbus op een andere plek en vloekte zo nu en dan, en hield soms op om zijn handen warm te kunnen wrijven. Rooie Emma wierp hem een donkere en norse blik toe, maar dat merkte hij niet. 'Denk erom dat je tegen hem zegt dat je in de weekends hier naar toe komt!' zei ze. 'En wee z'n gebeente als-ie je in de kar overal mee naar toe sleurt.' Ze kuste Justine op haar wang. Mevrouw Hewitt omhelste haar. 'Ach, het lijkt wel of de mensen altijd maar *weg gaan*, vertrekken, ergens anders naar toe gaan . . .'

'Maar we gaan niet zo ver weg,' zei Justine. 'En jullie moeten ons allemaal een keer op komen zoeken.'

'In een woonwagen? In een weiland?' zei Dorcas.

'Je zult zien hoe prachtig het is,' zei Justine tegen haar. '*Wij* vinden het in ieder geval prachtig. Oh, ik voel aan alles dat het geluk ons toelacht. Trouwens, volgend jaar is het negentienvierenzeventig. Tel alle cijfers bij elkaar op, dan krijg je eenentwintig, en tel die dan weer op, dan heb je 3. Ons geluksgetal. Nou, een duidelijker teken kun je je toch niet wensen?'

Iemand duwde haar een klimop in haar armen. En nog een ficus. Ze had haar armen zo vol dat ze het portier van de auto voor haar open moesten doen en haar moesten helpen de spullen kwijt te raken. 'Zet 't maar ergens neer,' zei ze. 'Op de voorbank is wel plaats.' De voorbank stond al vol met eten voor onderweg – Frito's, Cornuco's, haring in het zout, koffiebonen en een doosje Luden. Ze had de auto dit jaar helemaal voor zich alleen. Maar volgend jaar, wie weet? Ann-Campbell gaf haar de poes en toen die eenmaal binnen was moest ze snel zelf de auto in en ze sloeg vlug het portier dicht en draaide het raampje op een kiertje naar beneden. 'Vraag eens aan Duncan of hij zover is,' zei ze. De klap waarmee de achterdeuren werden dichtgegooid was haar antwoord. 'Nou, daar gaan we dan.' Voor het eerst klonk haar stem bedroefd en leek weg te drijven op de mist van haar adem. 'We willen niet in het spitsuur terecht komen.' Ze stopte een koud zilverkleurig sleuteltje in het contact en wreef haar vingers. Aan de stuurversnelling hing een Veilig-Verkeer-advertentie die uit een tijdschrift was gescheurd: engeltjes met een zwarte band schuin over hun borst, IK HOU VAN JE, DOE JE VEILIGHEIDSGORDEL OM. Ze draaide zich om en keek naar de poes, die van achter een begonia naar haar lag te loeren. 'Nou, dááág,' zei ze, liet de motor ronken en reed weg, terwijl ze met één hand door de kier van het raam woof.

Achter haar werd de motor van het verhuisbusje ook gestart en als één man liepen de buren met z'n allen naar Duncan. 'Goeie reis!' 'Voorzichtig rijden, hoor!' Het busje kwam in beweging. 'Schaam je je niet,' riep Rooie Emma opeens, 'om haar zo maar van ons af te nemen?' Maar Duncan zwaaide alleen maar. Hij had het zeker niet verstaan. Of hij was te ingespannen bezig met het inhalen van Justine, die nog slechts een rookwolkje in de verte was.